2時間で逢える　日本―ウラジオストク

発行：西川洋
発売：皓星社

二言語版、『2時間で逢える　日本―ウラジオストク』　は、ロシア語と日本語の両言語で読むことができます。

第一章「大仏にかかる虹」は、平和のシンボルとしてウラジオストクに仏像というユニークな贈物がされ、この贈物をするにあたって指揮をとった稀有な日本人、鳥取県日ロ協会会長松永忠君さんについて紹介しています。また、この平和祈念像を再建するために尽力したウラジオストクの文化社会活動に関しても記しています。

第二章「対岸をつないで」は、日ロ双方から総勢約六〇名が書いたエッセイ集です。教師、翻訳通訳者、ジャーナリスト、学生、経営者など多彩な顔ぶれが集まりました。それぞれのエッセイには、隣国の文化に触れたときの話、他国の文化伝統を身を持って体験するという斬新で珍しい出来事が盛り込まれており、それは誠実に敬意を持って他者を理解し受け入れようとする試みでもあるのです。この本は、形式張らず親しみやすい本にしたいという思いで、それぞれの著者が自分の言葉でエッセイを書くという構想になっています。すべての物語が、ひとつの思いに貫かれています。国民性の違いや、あらゆる未解決の課題があるにも関わらず、友情、平和、相互理解といったものを目指す共通の思いが私たちを繋いでいるということです。ロシアと日本の共通点、相互の結びつきが、まさにこの「2時間で逢える　日本―ウラジオストク」　なのです。

幅広く、様々な方に読んでいただきたい本です。

宇宙船の舷窓から「青い惑星」を観察した宇宙飛行士の一人が、地球を眺めると地球上のすべてのものが一体となり、互いが繋がっていると強く感じることができる、と回想している。とりわけ、軌道の高さから見ると、地上のふたつの場所が事実上重なり合って見えるような場合にはなおさらだ、と。『2時間で逢える日本—ウラジオストク』の著者の多くが考えているのは、まさにこのことだ。

この本は、大袈裟に言うなら「民間外交」のよい実例だ。ウラジオストクと日本の翻訳、編集、デザイン、校正に携わる者たちのクリエイティブな力が繋がったのみならず、日本とロシアのようにまったく異なっていても、本質の奥深いところではとても似ている日ロ文化の共通性や互いの繋がりを誠実に証明しようと目指している。また、この本が心から示そうとしているのは、両国民の言葉、習慣、価値体系の違い、未解決のままの政治問題があるにも関わらず、ほぼ三世紀にわたって両者を結びつけてきたのは、互いの互いに対する大きな関心であり、地理的に近いからという理由だけでなく、人間的な交流においても親密になりたいという欲求だということなのだ。

この本は驚くほど親しみやすく高潔で、両国の隣人関係がどうあるべきかを示している。

二〇一九年四月、日本では新しい天皇の即位に伴い、新元号が発表された。皇太子徳仁親王が天皇に即位され、令和を年号とする新時代が始まった。「令和」という言葉の出典は、八世紀の古代日本で編纂された歌集『万葉集』である。このふたつの漢字は、「秩序と調和」を意味し、日本の安倍晋三首相は、「この令和には人々が美しく心を寄せ合う中で、文化が生まれ育つという意味が込められています」と語った。この意味で、困難な時代を迎えた今の世界秩序にも令和の信条を取り入れるべきだ。

コンスタンチン・サルキソフ
山梨学院大学名誉教授、（ロシア）日本研究会会長（九〇年代〜）
ロシア科学アカデミー東洋学研究所日本研究センター主任研究員

目次

はじめに

本書について

おそらく、この文集に参加したひとりひとりの著者の様々な思いや気持ちをひとつにまとめて表すような言葉は見つからないでしょう。四〇〇ページもの量を一言にまとめられるでしょうか？ いづれにせよ、単純明快ですべてを包括するような言葉があります。それは、「信頼」です。つまりこの書籍は、人間的な愛や誠実さ、正直さ、自分の言う事を聞き入れ、そして理解してもらえると信じること、また、相互理解や友情の絆についての本なのです。人と人がお互いに理解したいと望むときに生まれる信頼。信頼関係があれば、平和で安全な世界に生き、争いを解決したり、すすんで助け合うこともできます。

ロシア極東の中心都市ウラジオストクと日本、私たちは、こんなにも近い。私たちがこの「信頼の橋」をかけるよう、歴史がお膳立てしてくれたのです。

日ロ編集関係者一同

注記

・写真は特に注記のない限り、各々の著者、または日ロ双方の編集者の提供による。

・現在の「極東連邦大学 東洋学院・地域国際研究スクール日本学科」(Восточный институт - Школа региональных и международных исследований, Кафедра японоведения）は、日本語翻訳に定まった統一表記がないこと、また、1899年の「東洋学院」の設置から極東国立大学を経て現在の名称に至るまで、組織の改編・改称により、ロシア語原文にも著者によって表記のばらつきが見られることから、本書では混乱を避けるために簡略して「極東連邦大学日本学科または(中国学科)」と表記し、当機関を示すものとする。

・19世紀末から20世紀初頭にかけて、日本ではウラジオストクは「浦潮」または「浦塩」と呼ばれてきた。本書では「浦潮」で統一する。

・著者の肩書、所属等は2020年4月時点のものである。

第一章

大仏にかかる虹

オリガ・マリツェヴァ

ジャーナリスト

鳥取県　二〇一八年五月

予報より二日遅れたものの台風が過ぎ去り、私たちは嬉しかった。四国巡礼が悪天候で嫌にならずに済んだからだ。通訳のイワン・ユーゴフは、四国から帰る途中で私たちと別れを告げ、敦賀市に向かった。松永さんは車を運転するため席を替わったが、私は松永さんのことが気がかりだった。彼は昨夜よく眠れなかったからだ（私たちは宿泊するため伝統的な日本の布団付き旅館の部屋を借りていた）。

トンネルを出ると、登り坂になった。雨は止み、突然、霧の中から波状となった火山山脈が浮き上がってきた。まるで深い水の中から浮き上がったかのように。夕日の光が狭い隙間からもれていた。「何て綺麗なんでしょう！」私は絶えず変化する風景をうっとりと見つめながらため息をついた。「大山《だいせん》です！」と言って松永さんは恭しく山に向かって意味ありげにうなずいた。私は車を止めるように頼み、およそ二百メートル進んだ展望台のところで駐車した。

私のスマートフォンカメラではソフトな色合いが消え、灰色のつまらない写真しか撮れなかった。突然、私たちの車の隣に建築材料を積んだ小型トラックが止まった。運転手は、運転席からプロカメラマンが持つようなキャノン製のカメラをつかむと、ゆったりと写真撮影に没頭した。もちろん、そのカメラの性能は私のとは比較できない。が、私はシャッターチャンスを逃すことは出来なかった。男性が車に戻ろうと向きを変えた途端に、私は彼の袖をつかみ、私のカメラがどれほど小さく、彼のカメラは何と大きく素晴らしいのか、周りは何と美しいことか、さらに彼はすばらしい写真を撮っているが、自分のものはひどいものばかりであることを身振りで示した。その日本人は平均身長より高く、筋骨隆々でひどく当惑したように私を見下していた。黄色い腹をした指から、彼が喫煙者であることがわかり、全身から鉋くず、接着剤、たばこのにおいが漂っていた。カメラの比較分析に関しては理解してくれたが、外国人女性がそれ以外に何を求めているのか不思議そうにしていた。彼の肘をしっかりつかみ、私は車の方に会ったばかりの新顔を引っ張っていった。車には私の名刺もあったが、重要なのは日本海新聞の写真付き記事だった。新聞記事は、ウラジオストクの女性ジャーナリストがある本の資料を集めていると伝えていた。ここで話題となっているのは、鳥取県日ロ協会のこと、その代表者松永さんのことであり、彼はウラジオストクへの大仏寄贈の発起人で、この地方で作られた花崗岩の仏像のことだった。

松永さんは状況がわからず驚きながらこの面白い光景を横からつぶさに見ていた。「松永さん！」という雄叫びが響き渡り、私は松永さんに助けを求めた。こうして、私は藤原勝重《ふじわらかつしげ》氏とお会いした。数日後、彼は素晴らしい写真を送ってくださって、その使用を許可してくれたうえに、私たちの仕事に協力したいと言ってくれた。

展望台の先は曲がりくねった道で、次の標識は温泉への曲がり角を示していた。「行きたいのでしたら、曲がりましょうか？」と松永さんが尋ねた。温泉で疲れをとるのは魅力的だったが、更にもっと旅を完遂したかった。「でも家に行きましょう！ダモイ！」と私は残念だったが断った。松永さんはロシア語が話せず、私は日本語が分からなかった。しかし、通訳がいなくても私たちはお互いによく理解し合っていた。一言二言、イントネーションの強弱とジェスチャーにより、対話もしていた。

「家」とは米子市にあるホテルのことで、一週間前に高層建築のホテル九階に私の部屋は割り当てられていた。毎朝松永さん、イワンと私は仏像と関係を持つ人々に会いに行った。(「私たちの大仏」はウラジオストクにあり、現地では二五周年を祝う準備をしていた。日本人が大仏のことを語る時は、「私

藤原勝重氏撮影　大山

たちの大仏」のことも語るということだ。そしてこの共通の「所有物」がどういうわけかすぐに私たちを結びつけた）。

いつもきちんとし、敏腕で集中力のある七九歳の松永さんはあまり微笑まないが、米子市への道中、展望台でのエピソードを思い出しながら笑い始めるのだった。「そうですね、オリガさんは哀れな青年を不安にさせましたね！」松永さんの話は長いものだった。おそらく、私が日本人女性とは全く違うので、驚きの連続だったのだろう。

ヴァレンチナ・ブラヤ

沿海地方公共団体
「日本との友好協会」会長

日本人墓地の墓参りのため、沿海地方にやって来た鳥取県代表団の団長である松永忠君《まつながただきみ》氏と私が出会ったのは、一九九二年のことです。代表団には元戦時捕虜だった人たちや沿海地方で埋葬された日本人の遺族がおられました。一九九一年四月一八日の「戦時捕虜収容所にいた人々について」の政府間協定が採択され、同年ウラジオストク市の閉鎖都市指定が解除されると、多くの日本国民に自分の親族の墓を訪問する機会が訪れました。この他、日本政府により旧ソビエト社会主義共和国連邦（現在のロシアと旧ソ連諸国）に埋葬された日本人の遺骨を返還する決定が採択されました。鳥取県では、こうした決定を実行するための中心が松永氏でした。当時、彼は鳥取県の社会党委員会本部の副会長であり、同県の日ロ協会の会長でした。（一年前の一九九一年六月には、松永さんはウラジオストクで開催された第一〇回「反戦の宣誓」キャンペーン参加代表団の団長を務めています。冷戦終結と核軍縮のために同様の行動と集会が世界中の多くの国で行われました）

代表団の受け入れとイベントを主催したのは、ソビエト平和擁護委員会の沿海地方支部でした。当時、大変な労力を持って尽力した人物は、副会長のラリーサ・フェドトワ氏です。松永氏との共同活動の中で私が注目したことは、彼は心のこもった温かさで亡くなられた親族の代表団メンバーと接し、財源として地方議会議員である自分の報酬をさし出し、遺族のためにロシア訪問が実現できるように尽力された点です。

お墓を見つけ、埋葬された場所にたどり着くことは容易ではありませんでした。ある時は未開で通行不可能なタイガに到達するのにヘリコプターが必要でした。私たちと同行した三人の日本人女性がいました。追善供養した後、彼女たちの目には涙が一杯で言葉にならない感謝の念がありました。自分の親族のお墓を見つけられて幸せそうでした。旅行中のこれらすべてが私の心の中を通り過ぎて行きました。

松永忠君氏は、エネルギッシュで意志の強い人であり、驚くほど多才で、様々な社会分野や文化的な生活知識を持っている人です。松永氏はロシア人の毎日の生活に大変深い関心を持たれていました。どんな品種のラズベリーを育てているのか、スイカズラとクロウメモドキの世話はどのようにするか、イチゴ類はどんな有益な特徴を持っているのか、また、何とかして現物を持ち帰り日本でも栽培が可能かどうか、つまり日本でロシアのクロウメモドキを栽培できるか、沿海地方では日本のわさびは育つのか、といった色々な質問をしていました。松永氏を見ていると、彼の心には常に悲しみ―最愛の信頼していた妻、芳子さん、あらゆる面で彼の同志でありアシスタントであり続けた芳子さんの逝去がありました―があるとは決して言えません。

松永氏は自宅であろうが、ロシア旅行中であろうが週に三回深刻な血液透析処置を必要としています。民間外交路線では、偏見のない、固定観念を持たない日ロ間の相互関係の道を示そうと目指しておられます。戦争や悲劇のない日ロ関係の象徴として、日本の人々からの贈り物として花崗岩で作られた平和の仏像をウラジオストクに贈呈して頂き、私たち、ロシア人は松永忠君氏に感謝しています。

オリガ・マリツェヴァ

米子

松永さんのために持参したお土産の中には、実用的なボーダーシャツがあった。大きな家の中（成人した三人の子どもたちは別々に住んでいる）で寒いと感じると、松永さんはそれを身に着ける。午前中、松永さんが着ていたジャンパーの下に縞模様のボーダーシャツとウールのマフラーが見えた。この二つは何も考えずにプレゼントした物ではない。松永さんは若い頃からエレガント(付き合い方や着こなし方においても)で、繊細さや抜群のセンスを持ち続けていたからだ。

早い時間に、私たちは山陰労災病院（米子市）へ出かけた。ホールで微笑みながら私たちを迎えてくれたのは副院長の中岡昭久《なかおかあきひさ》氏だった。どこの国でも医師は独特な陽気さを持つ点で互いに似ているが、おそらく、患者さんにポジティブな気分を吹き込む努力をしているのだろう。

　私達に会いにわざわざ来てくださった沢村澄江《さわむらすみえ》さんは、ウラジオストク旅行の印象について話してくれた。中岡さんは、松永さんの生死を左右する大切な処置がロシアの病院できちんと行われるのかを何よりも心配していた、と打ち明けてくれた。そして、ロシアのサービスの質と医療スタッフのプロ意識の素晴らしさにとても驚いたとのことだ。二つ目の発見もまた嬉しいものだったという。それは路上を往来する日本車の流れを見て、ウラジオストク市住民が日本の自動車産業に対し熱愛を示していることがわかったからだ。

　満八〇歳を祝った沢村さんは、自分の年齢を隠さない。それは正しいことだ！外見では、彼女は五〇歳未満にしか見えない。沢村さんは熱心な旅行好きで、いつでも冒険に出かける準備ができており、かつてはヒマラヤやペルーに行かれたことがある。ヨーロッパを征服すると、彼女はモスクワに立ち寄ることに決め、ロシアの首都を愛するようになった。当然のことながら、彼女は後に鳥取県日ロ協会の会員になったと語っている。

　沢村さんは思い出して言った。「最初の代表団を送る時、永遠の別れを言いました。生きては帰れないと思っていましたから」。

　鳥取県日ロ協会と沿海地方平和擁護委員会の間で締結された合意により、松永さんが組織する一二ケ所の調査への道が開かれた。つまり、イルクーツク州、ハバロフスク地方および沿海地方にある日本人埋葬地への道だ。

アレクセイ・ブヤコフ
ロシア地理協会沿海地方支部
アムール地域研究協会会長、歴史家

　一九九〇年代、沿海地方知事であったエフゲーニー・ナズドラチェンコ氏が東京を訪問した際に、沿海地方の大地に埋葬された日本人リストがもたらされました。このリスト編纂に長年にわたり携わったのは現役を引退した元大佐のアンドレイ・ポリカロフ氏で、以前はソ連ＫＧＢ局沿海地方職員で、この任務を自主的に引き受けた人でした。かつて、ポリカロフ氏は沿海地方の某日本人戦時捕虜収容所で通訳を務めていました。すでに年金生活をしており、平和擁護委員会地方支部でボランティア活動をしながら、その地方の日本人埋葬地を特定するために細心の注意を払いつつ調査活動をし、多くの日本人名を特定しました。彼が作り出した一一三ヶ所の埋葬地図は、記録資料と一緒に日本の外務副大臣に手渡されました。それは善意ある行為でした。これらリストのお陰で、多くの日本人が沿海地方のどこに親族のお墓があるのかを知ったのです。

タチヤナ・チュニス

郷土史研究家

一九九〇年代半ば、沿海地方カヴァレロヴァ居住区の郷土史博物館で働いていた時、私はその地域に古くから住む人々の日本人との交流に関する回想を書き留めていました。主な思い出は、鉱山産業がカヴァレロヴァ地区で嵐の如く発展し始めた戦後に関するものです。ルジヨ川（現在のカヴァレロフカ川）の上流では、中央選鉱処理工場の建設が計画されていました。一九四五年、日本人戦時捕虜がカヴァレロヴァに連行され、第一九番収容所がカヴァレロヴァ村郊外に建設されました（現在そこはカヴァレロヴァ居住地中心部に位置するレクリエーション公園）。

ドナルド・トロフィモヴィチ・ガヴリコフ氏（一九三六年生まれ）の回想によると、捕虜の日本人たちは二大隊で、各々は約三〇〇人で構成され、一九四五年九月中旬にボゴポリ村を経由してカヴァレロヴァに連行されました。後方には病人や捕虜の荷物を運搬する馬車が従っていました。一大隊は遅れていたのでボゴポリで夜を過ごさねばなりませんでした。捕虜たちには米やマカロニが与えられ、（次の光景は地元少年たちをひどく驚かせたことですが）日本人は米やマカロニを騒々しく音を立ててお腹に入れるのでした。住民の誰も彼らに向かって怒鳴りつけたり、敵意を持ったりすることはありませんでした。住民たちが近づいて見ていると、捕虜の何人かは自分の物とマホルカ（下級刻みたばこ）の交換もしていました。ガブリコフ氏の回想によると、警備兵はわずか八人でした。

最初、カヴァレロヴォの日本人はテントに収容され、冬になると鉄製ストーブが置かれ暖をとりました。そして捕虜たちは自ら仮兵舎を建て、後にそこに住むことになりました。カヴァレロヴォ出身のマリア・マトヴェヴナ・ラポハさん（旧姓マルィシュ、一九一五年生まれ）は思い出しています。「仮兵舎は骨組み木造で掘っ立て小屋でした。中に入る時は、靴を脱ぎ、底が木製のスリッパに履きかえました。各々の仮兵舎の庭には小さな山があり、植物が生えており、渓流にみたてた小川が流れ、コケも生え、種々の花が咲いた花壇があるようでした。村の誰も栽培していますないような花でした。道路は砂が撒かれており、日本人が植えた木々の一部は今もレクリエーション公園で育っています。捕虜たちはそれほど厳重には警備されていませんでした。鉄線の柵に近づくことは許可されていました」。

「ケンツハ（今日のカヴァレロヴォ地区ゴルノレチェンスク居住区で、カヴァレロヴォにほぼ隣接）では、日本人の戦時捕虜たちは二〇人～二五人の小隊で自分たちが建てた兵舎に住んでいました。柵は細い丸太（直径が五センチ～七センチ位）で組まれたものでした。柵は両側から粘土で一面に塗られていました。冬は兵舎に暖房が置かれていました。増強された護送隊はいませんでした。一兵舎に二人か三人の警備兵がいました。鉄線の柵はなく開いた状態で、肉眼による監視が行われていました。日本人が住んでいた兵舎は一つも保存されていません。ケンツハには合計一五〇人～二〇〇人の日本人がいました。

ソビエト兵士用の兵舎建設のために丘の石を砕きました。石を降ろすために、おもしろい装置が考案されました。それは巨大なつるべ井戸のような装置です。丘の上に固定した滑車、ロープにはそり二台がしっかり取り付けられていました。石が積まれた一台のそりが下に降りると同時に、もう一台の（空の）そりは上に昇っていくのです。

日本人はルジヨ居住区（今日のファブリチヌイ）に中央選鉱処理工場を建設し始めました。昼食前に三台の「スチュードベーカー（アメリカ製輸送車）」に乗せられた日本人がそこにやって来ました。彼らは木材を調達し、土台となる段状部分を作っていました。彼らはカヴァレロヴォにある第五〇一番企業局の最初の（木造）平屋建て建物を建て、電線を敷設し、時折、住民の個人住宅にも敷設していました。また、一九四六年～一九四七年には、オリガ居住区とテチュへ居住区（現在のダリネゴルスク市）への幹線道路を建設していました。彼らが三本のロープで棒に固定された丸い籠（モッコ）で土を運んでいたのを覚えています。二人が担いで、一人が土を投げ捨てるのです」。

「日本人とは良好な関係がありました」と、一九四五年の秋にカヴァレロヴァに到着し、「スチュードベーカー」の専属運転手として働いていたミハイル・フョードロヴィッチ・イヴァネンコ氏が思い出しています。

日本人はロシアの敵であり、戦時捕虜であり、彼らと交流する必要はないと私たちは注意を促されましたが、彼らとは食事もし、会話も交わしていました。私たちは伐採に行きました。一五人～二〇人の日本人が車に乗り、警備兵は実弾をポケットに移し替え、ライフル銃を車に投げ、運転席に乗るのでした。そして誰もどこにも逃走しないのです。彼らは知的で敬意に満ち、規律正しい人々でした。

日本人の中には読み書きができ、高等教育さえ受けた者がいました。中には立派な医者がいました。私は足のすね部分を切り、それをぼろ切れで縛りましたが、どうやら汚れが中に入り傷が悪化してしまったのです。病院にいるロシア人医師たちがなんとか治療してくれましたが、一見傷が癒えたかに見えても内部は化膿していました。それで私は足を引きずって歩いていました。私が収容所に着くと、日本人医師がそれを見て私をテントに呼び、切開手術をしてくれたのです。傷は不快な匂いを発していました。彼は何か黄色い液体で治療を始めました。警備兵たちがテントにいる日本人の所に私を通わせてくれました。ついに治りました。

「どうやってあなたに感謝したらいいですか？」

「そんなことは必要ありませんよ」。

この医師については昔から住む多くの人々が語っています。彼は分娩を含む様々な病気を治療していました。例えば、日本との戦争に参加したカヴァレロヴォ住住者、ジナイダ・ヤコヴレヴナ・ミシュラさん（旧姓オノチャレンコ）は、出産が困難であったため、収容所の日本人医師を姉妹であるエカテリーナの所に呼んだと語っています。彼は熟練した医師で、出産の手助けをするために、自分の往診鞄を持ってきました。

イヴァネンコ氏によると、日本人には良い食事を与えていたそうです。「私たち、プロの運転手は」と彼は続けました。「収容所の日本人たちと食事をしたこともあります。実は、警備兵は私たちを叱りましたが、私たちは森でも日本人と昼食をとったりしていました。彼らはご飯を塩を使わずに食べていましたが、調味料は塩辛いものでした。日本人に与えられた魚も塩辛いものでした。彼らは肉を食べないようでした。辛みのある昆布を食べていましたが、彼らはそれを採るために出かけて行き、自分で胡椒を使って塩漬けにしていました。パンについては、日本人はほとんど食べませんでした」。

「私たちは自分のスチュードベーカーに乗り、ルドナヤ・プリスタンから日本人向けの食料品を運んでいました。日本製とアメリカ製の缶詰、米、小麦粉、砂糖（それは厚さ一〇センチ、直径三〇センチの丸いタイルの形をしていた）などです」。

第二次世界大戦の退役軍人、アレクセイ・マトヴェヴィチ・ストレナトコ氏は語っています。「日本人と一緒に、民主化運動が行われました。彼らは民主主義者のようで、こうも言っていました。私たちは戦時捕虜ではありません。スターリンが私たちに(仕事をするように)頼んだのです」。

多くの日本人はソ連に留まりたがっていました。なぜなら祖国での迫害を恐れている人や、ここの自然や人々が好きになった人もいるからです。日本人は、次のように指摘していました。「もしロシア人が日本の捕虜となっていたら、態度は全く異なっていただろうと」。ロシア人はとても寛容で、率直で親切であることに彼らは驚いていました。「私たちはスターリンに手紙を書きます。スターリン、ここに留まりなさいと決めて下さい」と彼らは言いました。日本人はアメリカ人を恐れ、彼らを信用しないが、ロシア人には好意を持っていました。

日本人は非常に仕事熱心でした。彼らは八時間以上働きませんでした。夏の間、彼らはまだ明るいうちに（夕方の五時か六時頃）仕事を終え、夜八時まで収容所を出ることが許されていました（二〇時までには収容所に戻っていなければならない）。日本人は手に斧とのこぎりを取ると、ケンツハに走って行きます。軍人たちは薪を調達する時間がなかったのです。例えば私の妻はいつも不満を言っていました。「何、これ？　スープ一回分の薪しかないの？　この日本人たちはアルバイトもしているよ」。

「奥様！　薪を作りましたよ！　もしよろしければ……」。のこぎりで挽いて沢山薪を作ると、食べ物が彼らに与えられます。それも何か適当なものでなく、よりおいしいものです。つまりパンを焼いてもらったり、更には葉巻タバコをもらったりしていました。

私は倉庫係の助手をしていました。大隊用倉庫は大きかったです。例えば、身長、サイズによって軍装品を整理品分けをし、後片付けもしなければなりません。収容所では、警備兵なしで六人連れて行きます。日本人は自分の仕事をし、私たちロシア人は自分たちのことをします。日本人は信用されていました。夕方には収容所に連れて行き、引き渡します。連れて行ったことを後で記入します。仕事に連れて行く時は、彼らは収容所で朝晩の食事をとりましたが、昼食は我々と一緒でした。私たちが大鍋で作った食事を日本人の食器にも入れてあげました。パンも切ってあげました。

ケンツハで理容師として働いていた斉藤氏は自由に行き来することができ、散髪の仕事をしていました。バリカンが壊れていたようで、どうやら彼は木製の取っ手を作り、両手を使って散髪せねばならなかったようでした。ソヴィエト兵の散髪をしていましたので、兵舎を歩き回っていました。彼には自由が与えられていました。日本人が仕事をしている時、彼は警備隊の所を歩き回り、「わがモスクワ、愛しの……」と歌うのでした。

何人かの日本人は釣りもしていました。彼らは瓶伏せという方法で小魚を捕っていました。珍味と見なされたのはハゼという魚で、少量の水で煮込むと煮こごりに似たものが出来上がります。おそらく、天然の食品添加物を普段使用していたことが大いに役立っていたようです。

彼ら自身も収容所では規律を守っていました。彼らは軍の規律を持っていました。小隊と他の部隊単位でありました。自分たちの指揮官がいるのです。

一九一三年の移住者で、カヴァレロヴォでは有名な養蜂家であり地質調査隊の馬丁であったマトヴェイ・アルチョミエヴィチ・マルィシ氏のお宅では、日本人たちが風呂で体を洗っていた（彼らは警護されてそこへ連れて行かれた）と、彼の親戚であるヴェラ・マトヴェヴナ・ルインニクさん（一九三三年生まれ）は回想しています。「日本人は全員小さな手帳を持っていました。彼らはロシア語と日本語の単語を書き留めていました。多くの人がすでにかなり良くロシア語を理解していました。日本人の中には医師、教師、そして普通の農民がいました」。

日本の捕虜たちは自分の子どもたち、兄弟姉妹を恋しがっていましたので、収容所にやって来る子どもたちや一〇代の少年少女たちと交流するのを喜びました。少年たちは日本人の世話をしロシア語を教え、日本人はお礼に子どもに砂糖をごちそうしようとしていました。ケンツハに駐留しているある部隊の兵員の息子であったプリホチコ氏の回想によれば、仕事の始まりと終わり、そして昼休みの休憩を知らせる合図はラッパで行われました。日本人は彼に対し父親らしく接し、ご馳走しようとしたり、釣りの仕方を教えようとしたりしていました。

地元の住人たちが指摘していたように、森林伐採地では一件～二件の事故がありました。寒さのため戦時捕虜が両耳をかなりしっかりと覆い、恐らく切り倒された木が倒れてくる時の警告が聞こえなかったのです。また、ある事故は死を呼び起こすほどの大けがの原因となりました。それは、網ひもを日本人たちがミトンに縫い付けていたからです（私の子ども時代はミトンを亡くさないようよくそのようにしていました）。

日本人はロシア人墓地に埋葬されました。囲い全体が木製で、門も木製でした。ところが墓の周りには柵がありませんでした。モギルキは小さな丘で、そこには約一メートルの高さか、それよりやや低い高さの柱があります。板柱の上に、漢字で碑文が描かれています。それらの上に（雨水が中に流れ込まないように）金属製のブラケットに入った写真がありました。

カヴァレロヴォ地方自治体地区の文書課には、一九四八年六月一日付けで日本軍戦時捕虜墓地の移管、収容に関する法令の写し（第一九収容所所長、ペトリチェンコ中尉と第一九収容所登録検査官シュマリン少尉からカヴァレロヴォ村議会議長イワン・セミョノヴィチ・マンドリツ氏宛の写し）と墓地見取り図の写しが保管されています。その法令では一五ヶ所の埋葬地（収容所は約三年間存在していた）と全埋葬者の名前が明らかになっています。

一九五二年と一九五四年にはルジヨ川（カヴァレロフカ）で大雨による急激な水位の上昇が観測され、墓地の一部は洪水によって流され、柱と柵は消えてしまいました。

最後の日本人がカヴァレロヴォから帰国したのは一九四八年五月のことでした。

回想は、ロシア住民たちは日本人に対して敵意、憎悪を持っていなかったことを証明しています。戦争はごく最近に終わったばかりで、地元住民の中には、東の隣国との

2003年カヴァレロヴォ

戦争で犠牲となった人や親族の戦死公報を受け取った人がいたにも関わらずです。内戦と日本のシベリア干渉が終了した頃から僅か一世代しか交代していません。しかし、人々は捕虜たちを憐れんだり、親切に接していました。

二〇〇三年に元日本人戦時捕虜の湯浅《ゆあさ》 功《いさお》氏が半世紀ぶりに、他の元捕虜たちと一緒に兵舎建設でかつて働いた場所を訪れるためにカヴァレロヴォにやって来た時、私は受け入れ側の代表の一人でした。郷土史博物館の館長と一緒に我々はこの地域を訪れました。驚いたことに、半壊状態であったものの当時の建物が保存されていたのです。正にゴルノレチェンスクで湯浅功氏が働いていた建物がありました。ロシアの人々に向けられた多くの優しい言葉を耳にしました。現在、湯浅功氏は九〇歳で、活動的な生活を送っており、カヴァレロヴォ住民と手紙の交換を続けています。

日本の戦時捕虜たちが沿海地方の地域から去って、七〇年が経ちました。今では、文書類や戦後に関する回顧類に戻りながら、ロシア人たちは元捕虜たちに対し現代の意味における「寛容」というよりは、もっと素朴な意味での「親切さ」を示していたが、それはロシア人の心そのものであることを認識しています。いかなる困難な状況でも人間は常に人間のままでいることができるのです。

オリガ・マリツェヴァ

四国巡礼の道中で

「オリガさん、明日は四国へ行きましょう。宗教的な意味ではなく、そこに行かねばなりません」。

松永さんはすでにあらゆることを決め、一連の準備をして、私たちは自己認識と心の浄化を求める巡礼者の道に早朝出発した。ヴァラーム（ラドガ湖のヴァラーム島にある正教会の修道院）への正教徒巡礼の経験から、仏教の聖地巡礼も興味深く思えた。旅への情熱から好奇心でいっぱいになった。ガソリンスタンドで地図を用意した。イワンはいとも簡単に網の目のような高速道路で自分たちの位置を特定した。そのため、移動は困難ではなかった。イワンは車を運転し、松永さんは後ろの席で薬袋と水を持っていた。（彼はただ自分を浄化する水を飲んでいる。処方の仕方を尋ねるのを忘れてしまった、ああ、何ということ！）。私は最も素晴らしい役割を担っていた。それは、景色や瀬戸内海の橋に見とれながら、松永さんのゆっくりとしたナレーションを聞くことだった。

「私たちの鳥取県日ロ協会で、私は積極的な姿勢を保つようにしています。もし計画や業務がなければ、私は家で静かにして、もうどこにも出ては行かないでしょう。今日私が考えていることは、新しいプロジェクトを展開するためには、経済的基盤が必要であり、準備する後継者が必要だということです。この将来の意図を持って、私は当時まだ学生であった長男を最初の調査に加えました。ロシアとの友好強化に反対し敵対的な感情を持っている人たちや抑留から戻れず、肉親が非業の死をとげた人たちにとって、それは強力な説得力となりました」。

経済的基盤がなければ、良い企画が紙の上に残るだけだということを理解しているため、松永さんはロシアの企業家たちとのパートナーシップを確立しようとしている。ある時イルクーツクで、彼は園芸を営み、クロウメモドキを育てていたロシア人ビジネスマンと会った。計画は即座に実った。当時、日本の田畑の多くが休耕地だった。米の過剰により、国内で見捨てられていた。そしてもしクロウメモドキを空いた土地に植えたらどうなるのか。松永さんは、治療効果があり免疫力を高めるという奇跡的な特性を持ったベリー類は、日本で消費者を見つけられると考えた。彼は園芸を営む企業家の人物を招待し、荒地に連れて行き尋ねた。「このような土で栽培することができますか？」農業技術者たちは結論を出した。「クロウメモドキを栽培するための土壌には適しています。もし苗木を移植するのならば、一年～二年後には実をつけるでしょう。もし種を蒔くならば、五年～六年後には実を結ぶでしょう」。双方は相互利益が目に浮かび、取引を結んだ。イルクーツクから一万本の苗木が届いたが、ある事情により苗木は一本も育たなかった。その損失を松永さんは今まで弁済し続けている。それでも、彼はイルクーツクから鳥取県に子どもたちのダンスグループを三回招待することができた。若いダンサーも、ホールの観客たちも皆大喜びだった。観客たちは長い間拍手をして子どもたちを解放しなかった。

松永さんは、クロウメモドキの種を蒔くアイデアを諦めなかった。目下準備をしていることは、技術試験と草刈り機用の特許手続きで、草刈り機はまず中国で需要があると考え、現地の効率化の手助けをしたいとのことだ。松永さんは草刈り機の開発と販売に大きな計画を持っている。

私たちの大変親切なイワンは丁寧さと繊細さを兼ね備えており、おそらくイギリス女王さえ凌駕するだろう。二時間の間、彼は高速道路のスピードを保ちながら、松永さんの話を通訳することができた。私は質問を浴びせ、松永さんを元気づけていた。ついに、ドライバーと通訳を一人で行うことに耐えきれず、イワンが停車してコーヒーを飲もうと提案した。隣人への配慮のなさを悔いて、私は残りの一時間は黙っていると約束した。

男性たちは少し休憩をとると、イワンは喜んで高速道路のスピードに身を委ね、松永さんは徳島まで休息した。私も、四国八八ヶ所霊場巡りの人生の意義を求めて出発する巡礼者用旅行ガイドブックを読みながら、興味深い時間を過ごした。いくつかの選択肢がある。一か月半か二か月かけて徒歩で一千五百キロメートルを征服する案、二週間かけて観光バスを利用する案、自家用車で約一週間に短縮する案だ。巡礼者は、時計回りに最初の霊禅寺《りょうぜんじ》から始めて移動することができるし、または反時計回りで香川県の大窪寺《おおくぼじ》から回ることもできる。すべてが巡礼者の魂を浄化するコースだ。(私たちは自分たちのコースを決めていた。今私が保管している巡礼者の朱印帳に記録とスタンプが押されることにより証明されるように、旅の初めに三つの寺院、そしてルートの終わりから三つの寺院を巡礼する。残った巡礼先は、まだ八二か所もの寺院があるけれど!)

装備するのに三〇分かかったが、その間イワンと私は店にある巡礼用の白衣を試着し、自分用の長い杖と円錐形の笠を選んでいた。自分用に私はマネキン人形から素晴らしい帽子を取ろうとした。しかし、松永さんは毅然としていた。儀式から何ら逸脱せず、常に真面目なのだ。そして、どのように寺の門に入らねばならないのか、なぜ鐘を鳴らし、ろうそくを灯し、線香を立てるのかを説明してくれた。

深夜までかかって三つの寺院巡りを克服し、我たちはかろうじて少しの言葉を交わしていた。各人は一人になった。事実上無言の中でホテルの夕食をとった。その後、松永さんの沢山の思いが語られた。

「人はそれぞれ自分の使命を持っています。おそらくこの地球上での私の任務、私の使命は、過去は過去に残して、人々を未来に導くことです。日本人墓地を探し出し、遺族

がそこを訪れる手伝いをし、可能であれば、遺骨を移し替えることです。それは偏見という障害物を一つ取り除くことを意味します。今後同じようなことが二度と繰り返されないように、両国は教訓を学ぶ必要があります」。

松永さんによると、鳥取県出身者のうちロシアで死亡した人は、名簿に五〇〇人記載されていた。鳥取から七六人の日本人が親族の墓を訪れ、遺骨に拝礼をした。これらすべてを組織するのに、途方もない仕事量を必要とする。体力や精神力、意志、エネルギーの信じられない程の緊張感で、しかもロシア側と日本側の両国に求められた。

ロシア調査団に対する日本の同胞の態度は懐疑的なものだった。半世紀が過ぎ、親族が行方不明者の中に入っている。が、国会議員が埋葬地はあると主張している！　埋葬地への第一次代表団には三五人参加し、不安な気持ちにとらわれていた。彼らは殺されるかもしれないとか、何も食べる物がないかもしれないと考え、水を用意し、沢山の食べ物を持ち、親類縁者に別れを告げた。もう会えないかもしれないと泣いていた。不安感と緊張感は道中ずっと続いた。ハバロフスクに到着し、空港で日本の代表団を出迎えたのは、ハバロフスク地方立法府議長であるヴィクトル・オゼロフ氏とハバロフスク平和基金会長ガリーナ・ポタポヴァさんだった。松永さんは日本人やロシア人を興奮させた自分のスピーチを覚えている。

「私は、同胞たちと一緒にハバロフスクにやって来ました。私たちに否定的感情を生む過去のページと関係を持つ人たちです。これは抑留に関することなので理解できますが、しかし！　私たち鳥取県日ロ協会が取り組みを進め、凝り固まった偏見を軽減したことにより、私たちは今ここにいます。そしてロシア側に対し、私たちをこれから親族の墓に連れて行ってくれることに感謝いたします」。

ポタポヴァさんの言葉が、感情が込められ誠意があったと松永さんは続けた。過去は辛いページを持っているが、日本人に次のことを理解してほしいと望んでいた。つまり、ソビエト連邦はヒトラーと長い間独力で戦っていたが、約一四〇〇万人のソビエト兵が戦死した。その多くは墓がどこにあるのか不明だ。彼女はまた自分の父親が戦争から戻らず、どこに埋葬されているのかも今までわからないという。日露戦争でも多くの兵士が戦死した。同様に彼らの墓はどこにあるのか遺族は知らないままだ。そして私たちは、これら戦争がもたらした苦しみと犠牲が繰り返されることを許してはならない、と。彼女は、ロシア側が日本人戦時捕虜リストを保管し、公表したことにより、日本人が日本人埋葬地へ墓参する機会ができたと語った。

「それでは、安らかな心で、あなた方の親族の方々にお参りください」。

松永さんはあの日のことを、あたかも昨日起こったかのように語ってくれた。

「そのような挨拶を聞いた途端に、あたかも炎が日本人の顔を通り過ぎたようでした。沢山の損失、沢山の悲しみがありました。しかしロシア人は敵意を抱いておらず、遺族の人たちが埋葬地を探すのを手伝って下さいました」。

その後、墓地へ訪問してゆく……。

ある時、松永さんと通訳が、母親と息子が夫であり父親である遺骨にお参りするのを妨げないように脇に寄った。そして振り向くと、強い煙と炎が上っていた。四七年間女性は夫の死を信じられず喪服を着用しなかったが、夫がこの土地で埋葬されていると確信したその瞬間、彼女は喪服を燃やす決心をしたという。

その代表団が日本に戻る時は、全く違った気分で、ロシア人たちへの心の温かさを感じていた。ロシア人は日本の遺族がお墓で親族の冥福を祈ることができるよう、多大な尽力をしていたからだ。

米子　堀口石材店

オリガ・マリツェヴァ

花崗岩でできた彫刻「平和の仏像」の作者、堀口さんは八三歳だ。力は手を離れ、記憶はおとろえ始めた。しかし、彫像の仕事が続いた三〇年間の家族のアルバム写真を満足気に見つめながら、石切職人は思い出していた。現在、工房では息子の堀口《ほりぐち》誠《まこと》氏が全部の仕事をこなしている。いつか父親から工房を受け継ぐ番になるとして、匠の技を引き継いでいる。

彫像を作る花崗岩は、大韓民国、仁川《いんちょん》市の採石場から届けられた。彫刻家の作品で最も難しいのは、顔の表情をとらえることだ。うまくとらえれば石は生き生きとする。完全に名人の腕、彼の内なる考えにかかっている。

名人は二体の彫像を完成させた。両方の彫刻は、松永さんの構想に従って、顔が互いに向き合うように、一体は日本からロシアの方に向き、ウラジオストクに届けられた仏像は日本の方を見ていなければならない。

作品が完成する頃、松永さんは急激なビジネスの悪化で両方の彫像を買うことができず、片方の彫像が売却されてしまった。買い手が見つかってしまったのだ。残った仏像は秋田港からウラジオストク港に届けられた。宗教的対立を防ぐために、松永さんは意図して花崗岩製の仏像の仏教規範に沿った儀式をしなかった。つまり、花崗岩でできた阿弥陀如来像は文化的な記念碑であることを強調していた。

イーゴリ・ドラビャスク
シホテ・アリン東アジア医療伝統研究所所長

ソ連崩壊とそれに続くウラジオストクの一九九〇年代初頭は、おそらくロシア全土でもそうであるように、自由の旗の下に過ぎていきました。言論の自由、習慣の自由、企業活動の自由、最後に良心の自由、あらゆるレベルで自由の精神が創作意欲を掻き立てていました。

一九九三年。ウラジオストク仏教会はすでに数年間存在し、「非常に解放的な教え」に後押しされ、前向きなプロジェクトを積極的に推進していました。この時期、自由の精神、やや宗教的な仏教哲学、そしてカリスマ的なデンマーク人のチベット仏教僧オーレ・ニダール（一九四一年〜）師により創作意欲をかき立てられた私たちは、人間の知的発達研究所の素晴らしいプロジェクトを推進していました。研究所とチベット医学センターの建物を除き、鷲の巣丘に、地形的、建築的な丘公園の構想を実現しようとしていました。しかるべき合意は市行政との間で結ばれ、ウラジオストク市長の前向きな決定により裏付けられました。そして、平和基金からウラジオストクへ鳥取県日ロ協会からの贈り物である阿弥陀如来像を設置する提案の電話があり、善意の表れであると評価されました。

その後、設置予定地区で、ほとんど出来上がっていた現在の丘公園に大仏を設置しようと快い様々の尽力がありました。盛大な開会式が行われ、誠実な寄贈者たち、感謝の念を持つ受取人たち、華麗なスピーチ、能弁な役人たち、新聞社やテレビ局といった報道機関が集まりました。

それから数日間幸福感が漂っていました。人々は仏像の所に何度も足を運び、花を携え、可能な限り仏像と接していました……。

ウラジオストクの某新聞に載った悪意のある記事で、私たちの幸福感は害されました。その記事のタイトルは「日本の神がなぜロシアのウラジオストクの丘に昇ったのか」でした。

それでも人々は絶えず仏像を行き来し、花を持って行き、仏に向かって話しかけるのでした……。

ある時、卑劣な男が仏像の頭の後ろを重い石で打ちつけました。花崗岩は強くても割れやすいのです。重い頭が瞑想の仕草で組まれた両手の上に落ちたのです。

その後新聞やテレビの取材があり、マイクを延ばし、カメラで撮影し、コメントを求めていました。次のようなコメントがありました。仏像は被害者ではなく、仏像に損傷を与えるなど不可能だと説明しようとしていました。仏像設置場所に用意された空間―それは「空」と言って、神聖で真の空虚であり、平和の最高の真実であり　我々の存在の最高の真実である。すべての現象は他の要因により制約されており、それらは他の現象と相互依存して存在しています。正にそれ故にすべての現象は空虚の本質を持っており、空虚自体はこの場合は、例外ではありません。

平和基金は損傷した仏像を運び出し、できる限り修理し、その事務所横に設置しました。

二〇〇九年。一六年が経ちました。

私が偶然に平和基金の事務所に立ち寄った時（私は事務所近くにある航空会社代理店で航空券を買うところでした）、同じ悲しい光景を見ました。損傷を受けても尚素晴らしい彫刻は、見苦しい状態で置いてありました。数時間後に戻ると、私は我が目を疑いました。仏像の頭がないのです。私は近くの茂みの中で頭を探し出しました。

石仏の頭—なんたる重み。チベット医学センターの仏壇にそれを置くと、私たちは仏像の修復と適切な配置場所について明確な展望が見えるまで、誰にも頭を渡さないと決心しました。

そして展望が見えたのです。正確に言えば、明確な目的と不屈の善意ある意思によりそれを実現させたのは、高潔な人物で平和と文化の擁護者であるオリガ・コジェミャコさんでした。

オリガ・コジェミャコ
ウラジオストク仏像救済文化社会事
事業調整役、ロシア哲学協会会員

ウラジオストク仏像の物語は、美しい花崗岩の像の話だけではなく、それは純粋な、思いやりのある、謙虚な心で一日本人が日本国民を代表してロシアに贈ったシンボルです。それはアジア太平洋地域の諸民族に強く平和を願う象徴です。その日本人にとって一体どんな象徴が阿弥陀如来像（サンスクリット語で「アミターバ（阿弥陀婆）」）つまり果てしない光の仏像よりも正確に人々の平和や幸福の希求を表現できたのでしょうか？　なぜなら全民族にとって光は最大の幸福で、それは愛であり、思いやりであり、平和愛好であり、知恵であります。光は真実、美しさと善を総合したものです。

ウラジオストクに仏像を贈ることになった経緯を寄贈者ご自身が次のように話しておられました。「一九八六年、日ロ協会の某支部は、沿海地方平和擁護委員会との間で人道的な文化、経済交流に関する議定書に調印しました。その交流により相互理解を深め、歴史的記憶を維持し、私たち両国民が二度と戦わないように全力を尽くすという目的を持っています。鳥取県日ロ協会の会長として、私は日ロ関係の新たな歴史の中で、二度と悲劇が繰り返されないように、犠牲者の遺族が捕虜として滞在していた情報と墓地の場所についての情報を受け取り、いかなる打算的目的を持つことなく、主に自費によるロシア訪問を組織するよう私は配慮してきました。遺族たちが広大なシベリアと極東に散在する墓のそばに立ち、日本の儀式に従い追悼の蝋燭を供え、親族が最後に落ち着いた場所で涙を流すというそんな光景が今でも目に焼き付いています。当時まだご存命でおられた亡き人々との出会いに関して、心から敬愛する思い出を次々に思い起こします。彼らに自分たち家族の暮らしぶりについて語り、同時に痛ましい未知の場所で過去四七年間何度も何度も体験することになります。そして、こうした悲しく辛い出来事が二度と起こらないように、私は新しい戦争を許さないために全力を尽くすと心から誓いました。捕虜で亡くなった親族の遺族の方々と沢山話をした今、亡き私の妻の全面的な支援と大きな助けを借りて、私たちの永久平和への誠実な願望の証拠として、私は再び自費でウラジオストクに阿弥陀如来の石像を贈ることにしました。

　平和の仏像は顔を鳥取県側に向けて鷲の巣丘に設置されました。百人以上が記念像の除幕式に参加しました。彼らは日本から来た第三次代表団のメンバーで、捕虜となり客死した兵士の遺族たちと沿海地方平和擁護委員会の活動家たちです。

　プロジェクト実現で私の手伝いをしてくれたロシアと日本のすべての人々にとても感謝しています。しかし、残念なことに、数か月後に悔やまれる事件が起こりました。像の頭は打ち落とされて無くなり、略奪者はお金を要求してきました。後に私はその像が修復され、「オケアンスキイ大通り、九〇」の住所にあるウラジオストクセンターの沿海地方平和擁護委員会本部に移されたという知らせを受けました。

　二〇〇六年に、再び不安になるニュースがとびこんできました。仏像は緊急の修復が必要とのことです。私がかなり悲惨な状況であったにもかかわらず、私は再び精神的な使命、行動する必要性、そして過去に私を励ましてくれた亡き妻の目に見えない支援を感じました」。

　とりわけ資金集めのために、松永さんは山羊乳を基にした石鹸とシャンプーの製造を

立ち上げました。日本人にこれらの商品を買うように勧めるチラシに松永さんは書きました。「皆さんにそれらを買っていただきますと、私のプロジェクトは近い将来実現可能となります。像は修復され、屋根を付けます。そして、私たちは再びロシア極東と活発な交流を始めます」。しかし、化粧品の販売は期待された結果をもたらしませんでした。出口のない状況は克服できないように思われました。

しかし、ウラジオストク住民のこちらへ向けられた心やさしいエネルギーの流れはすでに現れ、発展し、そして強化していきました。

一九九九年、文化を守るためのレーリヒ運動（ロシア人であるニコライ・レーリヒとエレナ・レーリヒの宗教的な教えに基づいた宗教運動）に参加した私たちは、平和基金へと続く階段近くの荒れ果てた芝生の上で、割れても尚素晴らしい花崗岩の仏像を発見しました。教養のない、許しがたい馬鹿げた行為によって、自分の街に対し不名誉で、隣接する東側諸国の国民たちに対して恥ずべき行為です。彼らにとって仏像は邪教の物で、私たちから平穏を奪ったのです。沿海地方平和擁護委員会の指導者と建設的な対話を確立した後、仏像を守るための広報機関を立ち上げ、市行政に支援要請の手紙を送り、定期的に芝生を刈り取り、友人とその整備計画を立てながら、私たちは日本からの贈呈品救済活動をコーディネートしていました。ウラジオストクで誕生した仏像救済文化社会プロジェクトは新しい可能性を探し出しながら徐々に力を強めていきました。民間外交レベルで、仏像寄贈者と活発な接触が実現されました。

プロジェクト参加者は、必要なことをすべて実行していました。自分たちの力で彫像をきれいにしておき、花の中には、彼らが植え替えた装飾用灌

木も含まれていました。しかし、すべての苦労がまたも踏みにじられるのを、何度も見ました。これはもう戦いに似ていました。しかしこの背景には違った種類の出来事がかすかに現れていました。例えば、仏像の両手に質素な花束が置いてあるのを見かけることは珍しくないことです。後で分かったことですが、花束を持ってきたのは、残酷な九〇年代に行方不明となった自分の兄弟に敬意を表す女性市民でした。彼らが最後に会ったのはこの大仏の近くだったそうです。ここで姉妹は喜びを見つけていたのです。もう一つの例は、難病にかかった幼い少年が、大仏の上方にあるアパートに住んでいました。彼は大仏を大変気に入り、散歩の時にはいつも台座の上に座らせるようせがむのでした。彼は、花崗岩の仏像を「僕の仏さま、僕の仏さま」と言いながら、抱きしめ撫でるのでした。少年の家族は驚きつつ喜び、幸福感を味わっていました。

二〇〇九年の冬、破壊者たちにより大仏は一連の打撃を受けました。再び仏像の頭は叩き落され、地面の上に横たわっていました。そのことで擁護者たちの忍耐は限界を超え、重要な行動に駆り立てました。その悲しいニュースを最初に知った人はイーゴリ・ドラビャスク氏でした。彼はすぐに自分のオフィスに仏像の頭を運び、プロジェクトコーディネーターに電話をかけました。翌日見ると、彫像はシルク、ボール紙、ポリエチレンで覆われ、入念にテープが巻かれていました。そのケースの中で大仏は数か月過ごしました。その間、プロジェクト協議会の熱心な人たちは大仏再建のための新しい場所を探し、多くの問題を解決しようとしていました。彼らは修復、台座の建設、そして敷地のための資金を集めました。あらゆる活動を実行する人たちを探していました。自分たちの意図を公式の機関、ウラジオストクのみならず日本でも彼らの代表者たちを一致させようとしていた。松永忠君氏を団長とする鳥取県の日本代表団のレセプションが準備されました。それは多忙な時期でした!

ウラジオストクの仏像再建のための文化社会プロジェクトは、一般市民の参加者たちの熱意に支えられていました。それは実現のために最適な環境と機会を引き寄せようとしていました。熱意は私たちが引き寄せたすべての人たちを虜にしようとしていました。実際に、プロジェクトは市民のものとなりました！市民たちは、ついに、ウラジオストク市が近隣諸国の住民たちから尊厳と尊敬を得るという深い必要性を感じました。そのためには、仏像とその造形物は文化の対象のみならず、聖なる物なのです。市民社会がそのような必要性に目覚め、精力的に具体化したことは、私たちの街の文化史に新しい段階の始まりを記念するものでした。平和の仏像は、日本人、ロシア人、ベトナム人、朝鮮人など異なる国籍の人々を結び付けました。ここでは、カルムイク人も、タタール人も働きました。世俗的な人々、正教徒たち、イスラム教徒たち、仏教徒たち、すべての人々が共通の創造的な目的で団結しました。正教徒が仏像の世話をするのはふさわしいことか、という私たちの質問に対して、府主教であるベニアミン氏は明快に答えました。「ふさわしいことです。これは信仰の問題ではなく、文化の問題です」。確かに、文化は諸民族の統一者です！

極東国立大学学長であるウラジーミル・クリロフ氏のおかげで、仏像はついに旧東洋学院のそば、「オケアンスキィ大通り、三九」の、柵で囲まれた魅力的な小公園の中に相応しい場所を見つけました。大仏のためにこの自然で教育コーナーを使用することを提案したのは、ドミトリィ・シドレンコ氏で、彼はエンジニアリング会社VOSTOKREFSERVICEの最高責任者であり、仏像保存プロジェクトに最も積極的に参加しており、街では有名な文化展示プロジェクトの後援者です。

間もなくしてウラジオストクの建築現場や市場で働いている驚くほど友好的で洗練されたベトナム人たちは、仏像のために私利私欲なく仕事をする機会に恵まれたことに対し、心からの喜びと感謝の気持ちを持っており、重さ数トンで強化された台座の建造物と敷地をすでに構築していました。

二〇一〇年八月二四日の仏像の設置は、太陽の周辺で閃光を放つ壮大な円形の虹（輪光）を仏像の頭に載せることで無事終えました。翌日、ウラ

ジオストクではもう三つ目となる場所に再設置された新しい仏像の盛大なる開眼式の日がやって来ました。自分のスピーチの中で、松永さんは忘却から日本人の贈り物を取り戻した街の住民たちに心から感謝し、今やこの平和の象徴がウラジオストク自身の守護者にもなるという考えを表明しました。

彫像から絹のベールを取り除く瞬間に、小公園で響いていた崇高な音楽の最も厳粛な音が空に昇っていきました。そして式典の多数の参加者たちは手に花を持ち、喜ばし気に花崗岩の仏像の方に急いで行きました。非常に美しく落ち着いた仏像の顔は、最後に深い満足をも表現していたようでした。海の風が突然強くなると、木々の枝にあるカラフルな風船が揺れ始めました。日本代表団の代表者たちは、感激しながら手製の伝統的な折り鶴から成る豪華な花輪を置き、赤いニットでできた祭用帽子を彫像にかぶせていました。プロジェクトの参加者たち、来賓の方々、そして報道機関の代表者たちは精力的に小公園で起こっていることを写真撮影したり、ビデオ撮影したりしました。

それは、起こっていることの精神的な意義を出席者たちが認識する非常に説得力のある瞬間でした。そしてそれらすべての上方で、平和の旗がはためいていました。文化保護の旗が！ 催行されたイベントの崇高な意味と心からの友好関係により結ばれた人々は長い間解散しませんでした。小公園の広場では、愛する街の新文化コーナーの有益な前兆が確認されました。市民たちは一致協力して、ここに「極東での高等教育の始まりとその歴史に敬意を表して、東洋大学内の市立公園」の創設を願う要請書と共に、市行政へのアピールに署名しました。極東国立大学の旧東洋学院と二〇一〇年にその研究所が庇護した花崗岩の仏像は、単一の意味空間で永遠に一つとなりました。

オリガ・マリツェヴァ

四国

時計を見るとあっという間に数時間経っていた。私はイワンと松永さんの長い話を聞いていた。窓の障子を通して、部屋の余分な装飾がない家具を柔らかい色調に染めながら、月明かりが照らしていた。薄明りで輪郭が目立たなくなっていた。そして蓮のポーズで向かい合って座っていた松永さんが、仏が具現化したものに見えた。もちろん、それは光と影による悪戯だったが、四国ではそのようなことも起こるのだろうか？

仏像が破壊者の攻撃を受けているという噂が鳥取県ま

で届き始めた時、一部の日本人は「我々はロシア、この野蛮な国といかなる関係も築くべきではないと警告したのに」と松永さんを非難した。

他の悲しみもあった。八回連続で地方議会に選出され、そして三二年間自分の任務を遂行してきたのに、九回目には党が分裂した結果、落選してしまったからだ。松永さんが残念がったのは、地位が変わったことではなく収入が減少したことだ。地方議員の報酬を日ロ協会の基金、調査団、ロシア側団体のレセプション、仏像の文化プロジェクトのために出資していたからだった。

花崗岩のモニュメントは整備され、発見時には仏像の上を虹も輝き始めたというニュースは、松永さんを励ました。そのような時が来ると信じて待っておられた。残念なことは、その喜びを妻である芳子さんと分かち合うことができなかったことだ。芳子さんは五二歳の時に突然他界された。そして松永さんは罪悪感と共にその後を送っておられる。芳子さんは両親から受け継いだ小さな製パン所を持っており、儲けのすべてを夫に渡していた。芳子さんは広い心を持った人で、仲間であり支援者だった。彼女は親族のお墓を探しにロシアに出発する遺族たちと多くのことを長い時間語らい、元気づけ、墓に設置するネームプレートを墨で書いておられた。また、ロシアとの関係が改善すると信じ、夫の決断や考えに全て賛同していた。そして松永さんは、「私たち二人で絶対にすべての調査場所を訪問しよう」と妻に約束した。一方妻は、「道は遠いですし、経費がかかります。それより一緒に四国へ行きましょうよ」と答えた。そしてある日それが実現する。夫は妻の望を叶えたのだ。思い出に残る会話から四ヶ月が経ち、芳子さんは逝ってしまった。しばらくして、松永さんは巡礼者用の白い衣を着て、長い杖を持ち、妻の遺骨の入った骨壺を箱に入れて、四国八八ヶ所霊場のすべてのお寺巡りに歩いて出かけた。芳子さんと共に出かけたのだ。

民間外交における尽力と鳥取県地方議員として三二年間にわたる活動を称えられ、松永さんは、五六歳で内閣総理大臣より藍綬褒章を、七〇歳で天皇陛下より旭日小綬章

授与された。褒賞を見ながら、松永忠君氏はまたしても自分の妻、芳子さんのことを思い出していた。
「これは妻と私、二人で頂いたものです」。

マンスル・ヤクボフ

彫刻家、石造彫刻専門

お気に入りの仕事場所であるスモリャニノヴァ居住区に仏像が運ばれた時、私は仏像が全面的な助けを必要としていると感じました。石は自分の心を持っていて、芸術家が石と共に働いている時、材料との目に見えない相互作用が行われます。芸術はまさに創造の瞬間までも特別な関係を必要とします。自分の目的と意図に従い達人は自分の仕事を遂行するのに最も適している場所を準備します。そして、自分の前に具体的な対象物があるかどうか、自分の魂の自発性だけに基づいて行動しているかどうかに関わらず、達人は自分が何を達成したいかについて正確な知識を持っています。そして自分の意図に従いすべてを調和へと導いていきます。もし彼がこれに成功すれば、彼は間違いなく素晴らしい芸術作品をつくり上げます。

経験の乏しい人にはあまり多くの仕事がありませんでした。私は二週間作業に取り組みました。まず、彫刻に一体性を取り戻すことが必要でした。作業は進んでいるように見えましたが、顔の彫刻がうまくいきませんでした。数回つくり直さなければなりませんでした。娘のイネッサ・ヤクボヴァが手助けをしてくれました。彼女は石の芸術家であり、私にインスピレーションをくれました。

石の彫刻は特別な芸術的センスを必要とする芸術形態です。芸術家は自分の将来出来上がる作品を内部視線で見ます。間違った動き、そのすべてが取り返しのつかないことになるからです。すべてが崩壊していきます。オーケストラでの偽音符のようにハーモニーは消えていきます。さらにいっそう困難なことは、他人の構想との相互作用に入っていく時です。修復作業は、芸術家のセンスはさらに試されます。

雨が降っていました。彫像は空からの水で清められました。沿海地方の自然は霧や露で包まれ、朝焼けできれいになり、夕焼けを浴びていました。一方私たちは仏像を熱エネルギーで包みました。そして二週間後には、沸々と沸き起こってくる脈動を感じました。その石は極細のエネルギーレベルで振動し始めました。仏像が呼吸し始めたのです！

これは迷路の魅力に似ています。地球占いの学問「風水」を使って、私は今沿海地方でそれを建造しています。迷路とは、儀式的な要素を持ち、パワーのある所に石が敷かれた幾何学的渦巻状のもののことで、地球と宇宙のエネルギーがパワーのある所で二つの強力な流れとなって、人間のエネルギー情報能力や、古代から様々な文化で知られている迷路遍歴するのを増強させながら人間に影響を与えていくのです。

玉井孝幸

工学博士、国立米子工業高等専門学校建築学科教授

私たちの大学について、松永さんは新聞で公表された後に知りました。大学生たちが、（鳥取県の木材業者や木造住宅の建築業者と共同企画の）山林品種改良アクションに参加しながら、伐採された木から自分たちがデザインしたベンチを作り、県内にある某花園へプレゼントとして贈呈しました。これに関する情報が新聞に掲載されたのです。

松永さんの考えは、高さ三メートル以上の和風木造屋根をつくり、ウラジオストクにある花崗岩の仏像の上に建てるという願いでした。それはあらゆる意味でユニークな提案であり、私たちはこのプロジェクトの実現のための資金を探し始めました。二〇一一年に申請書を提出した後、私たちは「北東アジアにおける科学交流支援プログラム」

に採択され、それにより材料と輸送のための資金の大部分を受け取りました。鳥取県国際交流基金から、交通機関、通訳、現地ガイドの支援を受けました。その他に、NPO法人である日南町のフォレストアカデミージャパンと米子市の「美保《みほ》テクノス」会社から技術指導と援助が提供されました。私は「玉井研究室」の自分の研究資金から不足分を補いました。そのようにしてプロジェクト予算が形成されたのです。

十人の参加学生を特定し、六月に私たちは父母会を開催しました。このプロジェクトについて、ウラジオストク滞在中の交通規則と安全について語った後、彼らの同意を得ました。七月一日までに、私たちは建築材料を買い込み、のこぎりで切り、紫外線防止用試薬および防水加工薬品により木材を加工処理しました。そのように準備された状態で、私たちはロシアに材料を送りました。

学生たちに屋根を作る技術を教えるために、私たちはまず、自分たちの米子高専図書館前の広場で実物大の屋根を作ることにしました。八月一五日から一九日まで、学生たちは日南町の指物会社「妹尾工務店《せのおこうむてん》」と南部町の金属製屋根の製造会社「太田板金工業所《おおたばんきんこうぎょうしょ》」の熟練工の指導の下で働きました。そのようにして五日後、私たちの大学敷地内で最初の屋根が誕生しました！

夏の間中ずっと私たちは、貨物の手続きがウラジオストクの税関で通過したという情報を待っていましたが徒労に終わりました。九月が訪れました。することは何もありません。学生たちが夏期休暇の終了前に帰国できるように、私たちは九月十日、土曜日に境港からDBSクルーズフェリーに乗り出航し、九月二三日、金曜日に帰国することにしました。

九月一二日、月曜日にウラジオストクに到着すると、私たちはすぐに「ウラジオストクビジネスセンター」へ向かいました。が、私たちを喜ばせてはくれませんでした。材料はまだ税関を通過していないのです。私たちはプログラムを変更し、極東連邦大学

への見学を実施し、日本人墓地を訪問しました。九月一四日を私たちは不安な気持ちで迎えた。もし今日私たちが材料を受け取れないと、何も間に合わないだろうということを理解していたので、私たちは心の中で祈りながら知らせを待っていました。市内観光は既に終わっており、「私たちの貨物の通関手続きは終了済」という知らせが到着した夜の五時頃には私たちはホテルに戻っておりました。

ウラジオストクに私たちを乗せたフェリーが向かっていた時、貨物（建築用木材、脚立、電動工具、建築材料を持ち上げるためのロープ、安全用具一式）も一緒でした。日本ではすべてを考慮に入れていたように思いましたが、当地で日本の変圧器用にアダプタが必要であることが判明しました。また、ボルトや溝の穴を開けるため、工具を買い足していました。実際には、湿度が高い状態で長時間滞在したため、木材が膨れ上がり、溝の結合部はアプローチが悪くなり始めていました（正面に沿って柱と右側のビームの結合部に隙間がある状態となりました。ああ）。それでも私たちは全てを間に合わせました。

日本では、国際レベルのスペシャリストの教育について語る時、最初に英語または他の言語のマスターレベルを考慮しますが、このプロジェクトに参加し、ロシア人やベトナム人と共に屋根を築きながら、日本の学生たちはプロの建築業者のスキルを持つことによって初めて、世界中で働くスペシャリストになることができるということを認識できたと私は思います。日本の学生たちはユニークな経験をしました。他方では、学生たちはカルチャーショックを体験しました。文化、伝統、習慣の違いで影響を受けたのです。とりわけこれが海外旅行最初の経験でしたので。ところが、食べ物は問題ありませんでした。ロシア料理の味を日本人が受け付けないことはまったくなく、学生たちは市内のレストランで食事をとり、スーパーで買い物をしていました。

ロシア側は暖かく積極的に私たちを受け入れてくれました。共同の市内見学、現地への調査旅行、極東連邦大学日本関係学科の学生たちとのパーティーがありました。日本の代表団は全員大変気に入りました。何人かの学生は、その後もＳＮＳを利用して同年齢者と交流を続けていました。

学生たちと事前に対話をし、彼らに詳しく尋ねると、私は日本人たちが日ロ関係史についてほとんど何も知らないことに驚きました。日本では歴史教育だけでは不十分であり、他の国々を理解しようとする動機はないと感じて悲しくなりました。私たちのプロジェクトに参加した十人の学生たちにとって、このプロジェクトはロシアをもっと知り、理解するための良いきっかけになったと私は思います。

オリガ・コジェミャコ

二〇一一年九月二〇日、文化的公共プロジェクトの一環として、仏像の上に作られた伝統的な日本屋根の除幕式が行われました。

このイベントの準備に再び最も精力的に参加したのは、私利私欲のないベトナムのプロジェクト参加者たちです。なぜなら、伝統的な日本屋根を設置するためには、敷地と像の台座の下段を増やす必要があったからです。

この時点で、極東国立大学は、極東連邦大学の一部となり、建設現場で熱心に共同作業に取り組んでいたのは、米子工業専門学校と極東連邦大学の学生たち、教師たちでした。

そして二〇一三年九月一九日、尊敬する松永さんは、厳粛な式典で仏像の傍に立ち、ウラジオストク市代表者に「尊敬するウラジオストク市民の皆さん！ 恒久的な平和を求めて、相互発展を求めて、また日本とロシア国民の幸福な生活を求めて、あなた方にここで平和の像とそれに附属する建造物を寄贈いたします」という内容の贈呈書を手渡されました。市代表者は、旧東洋大学の小公園創設をウラジオストク市の指導部が決定したと、集まった人たちに公式に発表しました。その小公園にはすでに日本文化のモニュメント、つまり日本の女流歌人であり社会活動家である与謝野晶子の心が込められた詩歌が刻まれた石碑と花崗岩の仏像があり、そこから少し行けば、ウラジオストクの仏教寺院の浦潮本願寺がかつて存在した場所にその記念碑が設置されています。そして代表者はウラジオストクの仏像がこの空間に、ついに安寧を見出すであろうと強調しました。

さらに、次のような大切なエピソードについても語らずにはいられません。ウラジオストク仏像のために伝統的な日本屋根の創設に取り組んだ日本人学生の家族が、仏像の中に戦前の古い家族写真を埋め込むようその学生に託したことがわかりました。写真には全員がまだ若くて幸せな時の姿が写っており、その後家族の一人が戦争に召集され、ソビエト軍の捕虜となり、ある時期は沿海地方で暮らし、その後は北朝鮮で過ごしたということでした。これまで国家間の政治的な対立が原因で、この国を訪れ、彼の最後の住居地を探し出すことができず、家族は心の慰めを得ることのないままでした。そういうわけで、彼らは自分の子孫にウラジオストク仏像が、彼自身の祖先の永遠の追憶のシンボルであることを確かめるように願ったのです。ロシア側のプロジェクト参加者たちは日本人学生に家族への慰めとして、あるプレゼントを贈りました。それはモアサナイトと呼ばれる珍しい鉱物の小箱でした。信じられないほどの美しさを持ったこの石は、北朝鮮の神聖な山、白頭山からロシアに輸入されたものです。

過去の軍国主義者によって彼らにもたらした心の傷が癒えますように。そして、私たち、アジア太平洋地域の諸国民は、今後も友情で結ばれ協力していくでしょう、ウラジオストク仏像の台座に書かれているように、「平和と文化のために」。

（翻訳　清水守男・樫本真奈美）

鳥取県日ロ協会（旧鳥取県日ソ親善協会）
平和友好活動の軌跡

出典：「ソ連の素顔～点と線の旅より～」

1986 年　文化・経済交流に関する議定書署名
鳥取県民間団体として初めて沿海州平和委員会との議定書交換　署名は松永忠君氏とラリーサ・フェドトワ副議長　（撮影：佐伯健二氏）

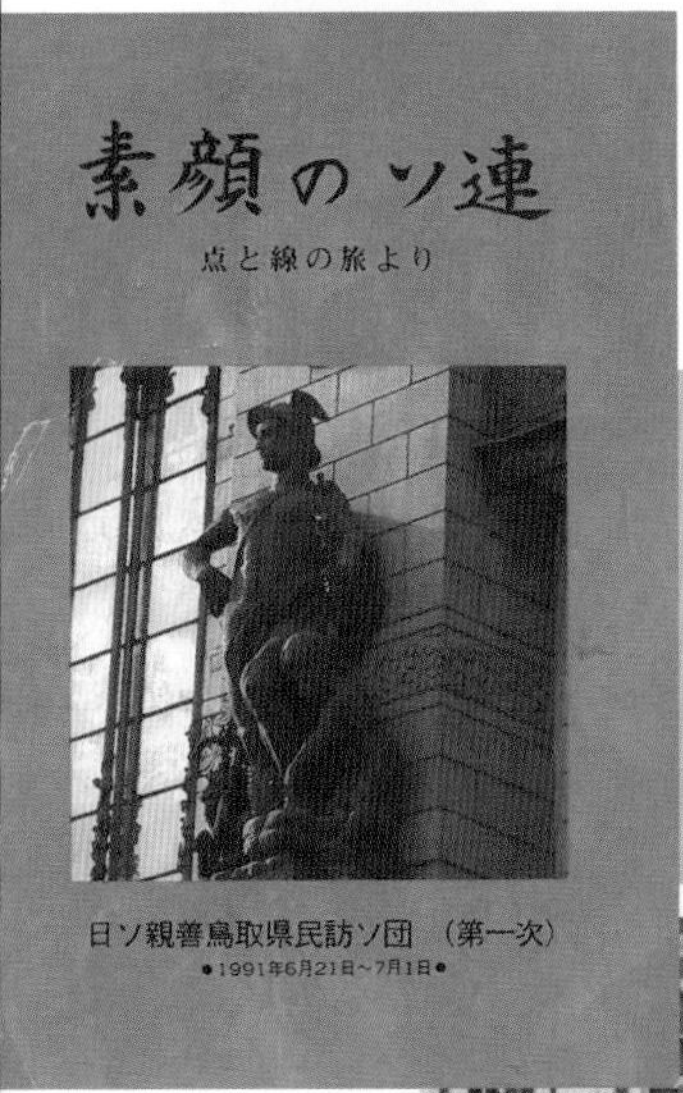

「訪ソの旅を通じて、各自の心に、いくつかの新しい窓ができた。心に新しい窓を作ることは、素晴らしいことだ。なぜならば、窓からは光（情報）が入るから…」（紀行文集『ソ連の素顔』編集委員あとがきより）
編集委員：山本悟己、佐伯健二、田村達之助、松下弘、池本晃逸
印刷：中央印刷（株）

6 月 28 日
レニングラード（現サンクト・ペテルブルグ）エルミタージュ美術館前にて

DINAS

第二章　対岸をつないで

初めて日本を訪れた時には、僕はすでに以前ここに来たことがあるような感覚に襲われた

ワシーリイ・アフチェンコ

作家、ウラジオストク

日本を「日の出ずる国」と呼ぶのは、ヨーロッパあたりの人にでも呼ばせておけばいい。

例えば、クリル列島（千島列島）の住人にとっては、日本は「日の入る国」だ。そうそう、わが町ウラジオストクも、本州のわずかな末端も含めて、明確に日本を形成している地域より東に位置している。信じられないようなら、地図を見るといい。

地図をじっくり見ると、いつも発見がある。

生まれて二〇歳になる頃まで、僕はモスクワの存在には確信が持てなかったが、日本の存在を疑ったことは一度もなかった。あれやこれやの人工物を目にする度に、いつもその存在を思い知らされてきたからだ。

手の届かない外国とはいえ、海の匂いで身近に感じた。岸辺に色褪せた海水が打ち寄せたかと思えば、そこには外国製の瓶やビニール袋、スニーカー、その他諸々のがらくたがあることが分かり、僕たちには宝物に思えた。

船乗りたち（誰かの父親や兄弟）が良い香りのする「ガム」や、カシオの防水時計、カセットがふたつ入るシャープのラジカセを持ち帰った。

その後、車が入ってくるようになるとすぐさま、単なる走る鉄製品以上の何か大きな存在になった。

僕には時々、車は海の中で生まれ育ち、それから漁獲用の底引き網にかかって僕たちのもとへ運ばれてくるかのように思えてならなかった。

車の中に残されたサービスマニュアル、ヘアピン、ボタン、CD、小銭、包み紙などから、僕たちは以前の持ち主がどんな仕事をして、何をしている人なのかを推理した。

それは、新しい世界の発見だった。

日本ブランドの右ハンドル車（日産、三菱、ホンダ、いすゞ等々、でもやはりなんといってもトヨタだ）は、ペレストロイカ以後の僕たちの新しい生活様式を創り出してきた。

二〇世紀の九〇年代は、日本車はロシアのシベリアや極東にとって、日本の生産者や持ち主にとっては決してそうではない、「何か」だった。それはすでに、A地点からB地点への移動手段ではなく、輝くメタルと柔らかいプラスチックで具現化した自由だったのだ。「日本ブランド」は文化現象に変化した。日本の日常生活を物語るモノと日本語をこね混ぜた、極東独特の自動車スラングが出現した。日本車に対する見方は、ほぼ崇拝的な性格を帯びた。不景気、犯罪、陰鬱かつ同時に底抜けな陽気さが混然とした一九九〇年代の極東における自動車は、メタフィジカルな概念に変化したのだ。このように、僕たち極東住民は日本車に対して、モスクワっ子も日本人も持たないような感情を抱いている。

「正しいハンドルは左にあらず」という有名な格言まで生まれた。（ロシア語で「右」は「正しい」「合法的な」という意味もあり、そこからスラングでは「左」を「悪い」「不法な」という意味で使う）

ウラジオストク、アレウツカヤ通り

未成年の若者たちは「マルクーシュニク」（トヨタ・マークⅡ）に憧れ、釣り人や猟師は角張った荷台付き小型トラックや、実用的で「コルホーズ《農場》的な」（サスペンション付き、ディーゼルエンジン仕様、「箱」という名のマニュアル・トランスミッション……）ステーションワゴンを買い、やくざ連中は高級なオフロード車の窓から興奮して互いに撃ち合いをしていた。

ウラジオストク出身のロックスター、イリヤ・ラグチェンコは「転覆したクルーザーの車輪が悲しげに空を見上げている……」と歌い、また別の極東ミュージシャン、イワン・パンフィーロフは「俺のカノジョ」で、軽やかで流線形の上品な、まるで乙女の姿さながらの「トヨタ・セリカ」を称賛した。シベリアに住むミハイル・タルコフスキーは小説『トヨタ・クレスタ』において、巨大かつ多様で矛盾を孕み断絶した、そして同時に一体感のあるロシアの空間を右ハンドル車のイメージを通して提示して見せた。

右ハンドル襲来の四半世紀の間に、日本車はロシア化に成功し、絵に描いたような美しい満州の丘が灰色で陰気な集団住宅《ゴスチンカ》を支えているような、タイガと都市生活の入り混じる我が町の風景にすっかり腰を落ち着けた。

車が日本からロシアにやって来ると、ヘッドライトの表情が変わる。その眼差しはよりきつく、容赦のない眼差しに変化するのだ。

……今や僕には、僕たちはこの日本車にやや身をやつしてしまったとさえ思える程で、これまで完全には回復できていない。

中古輸入車に対する相次ぐ関税の引き上げに反対したウラジオストク市民を鎮圧するために、二〇〇八年にモスクワ近郊の特殊警察部隊「ズーブル」（「野牛」の意）が派遣された。

僕が『右ハンドル』を書き上げたのはまさにその時であり、日本車とそれを取り巻くあらゆる事柄に対して自分で考え感じたことをまとめたのみならず、何か我々の集団意識の一部のようなものを反映した、と感じている。

首都の出版社から見れば、僕は所謂そこいらにいる凡人にしか見えなかったろうが、僕の本は、二〇〇九年に伝説的なモスクワの出版社「Ad Marginem」により出版された。明らかに、当時は背中を丸めた話し下手の、極東から届く新しい声がまさに必要だったのだ。

ウラジオストクの街角にて。「車売ります」の文字

ガラスには 2010(製造年)、1.5（排気量）、ミッション、連絡先の電話番号。

（2018 年 9 月撮影　樫本）

日本とロシアは単なる隣国ではない。両国はシャム双生児のようにクリル列島で一体となっている。またさらに、浮世ばなれした学者が「深海、陸棚の盆地及び凹所」と定義するところの日本海を共有している。

さらに、マトリョーシカの原型は他ならぬ日本で誕生したと言われている。それをロシア人が借用し、二〇世紀の終わり頃になってようやくロシア化されたという。

　初めて日本を訪れた時には、僕はすでに以前ここに来たことがあるような感覚に襲われた。成田空港から東京に向かう時、飛行機からも見えていた光る星座群はクリスタルの建物の晶洞だと判明する。その間をメビウスの輪のごとく立体交差路が入りくねる。（タルコフスキー監督は、『惑星ソラリス』でファンタスティックな未来都市の撮影にこの首都高速道路を選び、自らの映画に右ハンドル車を永久に刻印した）横向きに取り付けられた信号機の道路を、かくも愛しい右ハンドル車「日本娘《イポンカ》」たちが疾走し、しかも彼女たちは車線の左側を走行するので、僕たちは互いに対向車としてぶつかる必要もない。タバコの自動販売機では、九〇年代に我々にもお馴染みとなった青い箱の「ハイライト」が売られている。ウイスキー「サントリー」はロシアで売られているより安く、しかも二四時間平気で販売されている。

　確かに、ロシアのものではないが、周りのものすべてが馴染みあるものばかりだ。

　頭の中の奥深くに潜む日本語の単語が蘇る。漢字が理解できるわけではないが、より身近に美的センスを感じる。また、日本人が食べる食べ物には、美味しく食すことのみならず、美的要素が少なからず大切にされているのだ。

　東洋のコンクリートジャングルは、西欧のそれよりもより人間らしく思える。東京の地下鉄の路線図は、人の脳の切断面に似ている。つまり、何がどうなっているのかさっぱり理解できないが、すべてが機能しているのだ。地下鉄の触腕が届かない所には、蛇のような頭をした新幹線「はやぶさ」が運んでくれる。いずれ温暖な太平洋の沖縄から、ほぼシベリアに位置する北海道まで「はやぶさ」が走り回ることも有り得ぬことではないのだ。

　一方、通りを行き交う「クラウン」（トヨタ・クラウン）、「マルク」（トヨタ・マークⅡ）「サンマ」（トヨタ・ソアラ）たちはまだ自分たちの行く末を知る由も

撮影　ダリヤ・チューピナ

ない。いつかウラジオストク、ハバロフスク、ブラゴヴェシェンスク、イルクーツク、クラスノヤルスク、ノヴォシビルスクの凸凹道を、車底のアンダーカバーをもぎ取られ腹部をガリガリと擦りながら、シフトレバーも不具合をきたしつつ、気ちがいじみた音を鳴らすタイヤで走り回る運命にあることを。「日本娘《イポンカ》」たちは天国のような時代を無自覚に生きているが、しばらくはこの天国に留めておくのがいいだろう。

日本―それは、絶えず震動し、時折水が流れ込む「石塊」である。日本人は、火山の麓で岩石と水の上に暮らしていることを決して忘れることはない。それには、日本に対する何か重要な「メッセージ」があるからだ。それは、と、征服してはいるものの完全には自分のものにできない果てしなく広大な空間がロシアにとって重要であるのと同じだ。

しかしいずれにせよ、隣人同士であるにも関わらず、ロシア人と日本人はまったく異なり、永遠に違ったままだ。モスクワかどこかでは、我々は虚勢を張って自分たちのアジア性を無視することもある。日本に行けばすぐに感じるだろう。ロシア人は単なる「ガイジン」、つまりよそ者ではなく、ヨーロッパ人だということを。

ともかく僕たちは、祖国ロシア、ヨーロッパ、アメリカの音楽や文化の中で育ち生きている。確かに、一九三〇年代にはすでに、ウラジオストクは己の「アジア的特徴」を失ってしまった。極めて稀にみる、日本人によるロシア語の借用（ロシア語の「イクラー」から日本語の「イクラ」）やロシア人による日本語の借用（「イワシ」や「ワタ」）は、共通する行動規範があったことを証明する例外にすぎない。

相当に西洋化された日本（日本を見ると、「東洋と西洋は決して交わらない」というキップリングのテーゼには議論の余地がある）は、一八五三年にプチャーチン提督や作家ゴンチャロフが目にしたように、依然として秘密めいていて、開かれていない。

二〇一八年、僕の本である『右ハンドル』の日本語訳が、ロシア文学を専門とする出版社「群像社」より東京で出版された。翻訳者はロシア文学研究者で極東経済に詳しい河尾基氏である。

右ハンドル文学が物語の故郷に逆輸入されるプロセス

には若干の年月を要した。翻訳者が変わり、前の出版社が倒産したのだ。僕は、「シュシライカ」（おんぼろ車）や「トラコーマ」（安くて古い車のこと。「ドスドス音をたてる」を意味する動詞「トラーハチ」とかかっている）、「優良車」（トヨタ・ハイエース）「露骨なカッコつけ野郎」（ジープ愛好家のこと）……といった言葉を懸命に何度も翻訳者たちに説明した。

　この本が日本の読者にどのように受け入れられるのか、また、そもそも日本語ではどのように響くのか、僕にはわからない。しかし僕にとっては、『右ハンドル』がまさに日本で読んでもらえることがとても大切だ。対岸に住む人々がすべてを理解してくれることを願っている。

　ロシアにおける右ハンドルの栄華はもう過去の話だが、「我々には偉大な時代があった」。

　伝説のウラジオストクの中古自動車市場《ゼリョンヌイ　ウーゴル》は、二〇一八年に二五周年を迎え、一〇年、一五年前に比べるとそのインパクトは衰えたものの、以前と変わらず生きている。一度ならず引き上げられた関税や、市場情勢の変化、そして多くの購買者が自動車オークションに方向転換をしたこともあり、中古自動車市場《ゼリョンヌイ　ウーゴル》にある車の数は減少した。

　しかし、それでもなお、「ゼリョンカ」（中古自動車市場の通称）は生きている。ここで買えるのは、車やタイヤだけではない。市場では、ロシアの間接税のかかっていない日本のアルコール飲料、名付けて「コントラバス」（「密輸品《コントラバンダ》」から）が売られているのだ。

　掲示板サイトFarpostでは、国民的人気のある日本のウイスキー「ブラックニッカ」が「ブラックコーラ」として伝説をつくっている。

　「ブラックコーラ」、これは知る人ぞ知る代物なのだ。

　ちょうど、日本が知る人ぞ知る国であるのと同じように。

（翻訳　樫本真奈美）

ウラジオストクの中古自動車市場

撮影：ユーリー・マリツェフ

花と詩《うた》、それは地上に存在する天国のかけらである。天国では人は安楽に過ごし、利益や儲けを一切追求しなかったからだ

エレーナ・アンドレーエヴァ

島根牡丹公式卸売業者、
社会事業「日本とロシアをつなぐ花の道」
代表、 ウラジオストク

私は自分の町が大好きでたまりません！ 文化の交差点であり、人生を変えてしまうほどの拭い去れない痕跡を心に残すような、すばらしい出会いが起きるのは、ここウラジオストクだけだからです。

私の生まれはレソザヴォーツクで、ウスリー川や入り江の草原、夜明けの魚釣り、牧草地に川を泳いで渡っていく牛の群れが忘れられません。私はいつも自然に囲まれていました。六歳の時に私たち家族はクリル諸島（千島列島）へ引っ越しました。最北端のパラムシル島です。学校までの道のりは、森を通り抜け、太平洋沿いの岸辺に沿って続いていました。クリルの自然は、私が生まれたウスリー川のほとりとはまったく違っていて、私は島の美しさに心を打たれました。学校までいかずに、授業をサボっては母に叱られたこともしばしばでした。ただ、どうしようもできませんでした。ひとたび学校に向かうと、すぐそこにはナナカマドやクルマックバネソウ、はたまた水色のスミレが咲き乱れ、そうでなければ、波に打ち上げられた岸辺の海藻に注意が引き付けられるのです。目を逸らすことができず、しばらくの間こうした素晴らしい植物を眺めていました。そうして経験したすべてがあったからこそ、少しずつ私は自然に対する愛情を抱くようになりました。大学四回生の時、再び引っ越しをすることになったのですが、この時はもうウラジオストクでした。地上で最も素晴らしい町！

暮らしぶりはさほど楽ではありませんでした。私は母と二人暮らしで、ある日、母は私に素晴らしいプレゼントをくれました。どこからか手に入れた、一面が風景写真の壁

紙を壁いっぱいに貼り付けたのです。壁紙の中には、神社に咲く桜で、その枝が赤い布に覆われたテーブルの上に垂れているような風景がありました。毎日この風景写真を鑑賞しては、日本へ行くことを夢見ていました。桜はその後も私の人生において独自の役割を演じます。私は自分の道を模索していたのですが、それは、気象科学専門学校を卒業したものの、まったく違う進路に方向転換したからでした。国際フラワーアレンジメント協会「APT‐フローラ」で学び、モダンフラワーアレンジメントのコースを修了しました。その結果、国際的レベルの技能証明書を持って、国際展覧会に自分の作品を出品することができたのです。まもなくして、ウラジオストクの日本センターで、新潟県の生け花師範会幹部の一員である上野恒洲さんの指導のもとで生け花を勉強しました。

生け花のおかげで、私はもうひとつの日本文化の奇跡、牡丹の木にめぐり逢いました。京都の展覧会でこの素晴らしい花を見て、私はたちまちこの花に惚れこんでしまい、牡丹の木を沿海地方に輸出したくてたまらなくなりました。翌年には、日本の専門家たちと一緒にウラジオストク郊外で牡丹の苗一〇〇本を植えました。

一年後、松江市花卉生産振興センター所長で、農業技師、育種家の桑垣一成さんが、他の審査員たちと共に判定を行いました。牡丹（沿海地方の気候で順調に冬を越し、ありがたいことに開花した）がロシアの大地で生息できるというのです！

桑垣一成さんは、友人同士の間では「牡丹パパ」と呼ばれていました。「牡丹の父」という意味です。そして現在私が運営する会社では、Papa Botanの商標で牡丹をロシアへ輸入しています。並行して社会事業「日本とロシアをつなぐ花の道」（または「島根とロシアの花の道」）を展開し始めました。この事業の枠組みの中で、私たちは子どもたちの「牡丹―花の皇帝」「心を

由志園の牡丹

通わせて」と題した牡丹の絵を展示する「ロシア少年少女美術展」を開催しました。子どもたちは喜び夢中になってあらゆるものを描きました。こうした展覧会を島根で開催した時は、大人も子どもも展覧会への興味が尽きることがありませんでした。

日本人の皆さんは、ロシアの子どもたちを喜んで受け入れてくれます。そして、私たちがロシアに植える牡丹を献身的に心を込めて栽培されています。牡丹を植え付ける際、正教中学校の痛悔神父で、亜使徒聖キリルとメトディウス教会のイーゴリ・タリコ司祭長はこう言われました。

花と詩《うた》、それは地上に存在する天国のかけらである。天国では人は安楽に過ごし、利益や儲けを一切追求しなかったからだ、と。

二〇一二年、私たちは島根県の行政の一部である隠岐諸島に行く招待状を受け取りました。信じられないほど美しいこの場所に、ユネスコの保護のもとにジオパークが創られたのも驚くことではありません。(「隠岐ユネスコ世界ジオパーク」)

諸島の中で二番目に大きな西ノ島に、私たちは子どもたちを連れて創立一〇〇年を迎えた学校を訪れました。日本の子どもたちとの交流では、いつも忘れられない印象が残ります。日本の子どもたちはとても好奇心旺盛で、独立心があり、開放的で、優しいです。

昼食後、私たちは日露戦争中の一九〇五年に、対馬海戦の犠牲となったロシア海軍軍人の墓がある地元の墓地へ向かいました。私たちを出迎えてくれたのは、玉木武夫さんという老人で、生涯をかけてロシア人の墓を守ってきた人でした。玉木さんは、一日に二回、水を持参し丘を登って墓地へ行き、銅製のやかんから墓石や石の鉢にかけ、花を新しく取り替えたり、常緑樹の

インタビューを受ける玉木さん　2018年撮影

枝を墓から絶やさないようにしていました。第二次世界大戦後、玉木さんは捕虜としてチタ郊外の強制収容所で三年を過ごしています。ロシア人との関係や支援、助けは忘れられない印象を玉木さんの心に残しました。帰国後は、玉木さんは子どもの頃から知っていたロシア人水兵の墓の世話をすると決めたのです。「どうしてですか？」という質問に対し、玉木さんは、「このロシア人達は軍人で、自分の国を守ろうとしていた」と答えてくれました。「私は自分の母のもとに戻ったが、彼らはそうはいかなかった。だから、私が彼らの魂の面倒をみてやらないと、と思ったんですよ」と。

それ以来、私たちは日本を訪問する度に西ノ島にあるロシア人水兵の墓へ出向き、玉木さんとお会いしました。現在玉木さんは九七歳で、老人ホームで暮らしておられます。

二〇一八年に私たちは玉木さんが自らの人生談を語ったインタビューを記録しました。

西ノ島には、佐倉真喜子さんというとても素敵な女性が住んでいます。彼女はロシアとの友好団体「あしたばの会」を創設しました。彼女の父親もロシアで捕虜になった経験があり、帰国後は子どもたちにロシアへの愛を教え込んだといいます。佐倉さんは、こう打ち明けてくれました。

父が生き延びることができたのは、ひとえに地元の人々がパンの最後のかけらを分けてくれことだったという父の言葉が生涯心に残っている、と。

「日本では、戦後世代の女の子で教育を受ける事ができた人は少なかったわ。父はとても厳しい人で、出征した時は、私たちはちょっと嬉しかったりもしたのよ。まだ小さくて、戦争がどんなに恐ろしいことをもたらすのか分かっていなかったんですね。父は終戦直前に捕虜になり、シベリア鉄道の線路を創る仕事をして四年の歳月が流れました。帰国後はすべてゼロからの出発で働き、「女性も人間として教育が基本である」と学ばせてくれたロシアの男女平等の精神を実現しました。経済的には苦しい中で教育の機会を与えてくれたことが私の人生においてとても大切なものになり、県の職員として働くことができたのでした。

また地元には史実に基づき「海を越えた愛」として、ロシア兵の遺体を葬った先人が培った人類愛を教える副読本があります。しかし時代と共に忘れられていくことを残念に想い、グループ活動を通じてロシアとの交流が始まりました。こうした事情が私のロシアへの愛を芽生えさせ、ロシアについて学ぶきっかけを与えてくれたのです。現在、島根には多くの文化事業があり、子どもたちと行う仕事をとても大切にしています。私にはロシアに沢山の友達がいます」。

　私は佐倉さんが大好きでたまりません！ 西ノ島に行くたびに温かくて大好きなこの家族のもとへ行きます。船から降りる私たちをいつも出迎えてくれるのは、「あしたばの会」の大好きな友人や役場の職員さん、町長さんです。そのおもてなしは、もはやその人が幸せな気持ちになるためならなんでも完璧にしてくれるような、愛する親類と会う時のようです。会の人達は、自然の中でのピクニックを企画し、丹精込めて作った家庭料理をふるまい、愛情を持って自分が住む島や、私たちと一緒に登った山の頂にある神社を案内してくれます。（会のメンバーは四〇代から八〇代です）

「自分の家に人を招く」ということは、日本人にとって、篤い信頼と敬意のしるしだと考えられています。私たちが訪問するまでに時間をかけてリハーサルをし、コンサートを催してくれます。そして、私たちが帰る時は、町長さんをはじめ皆が朝七時に波止場にやって来てくれて、船がまだ岸壁を離れない内から私たちを見送ってずっと手を振ってくれるのです。この数分間は、私は時折涙を堪えることができずに泣いてしまい、もはや長らく家族の一員となり、次に会う時を一年間ずっと楽しみにしてくれるこの方々に対して、心は感謝の気持ちで一杯になります。

　佐倉さんのお宅はもはや美術館のようです。佐倉さんは長年県職員として勤められ、一度ならず引っ越しをすることになりましたが、今は年金暮らしをされ、今ではここが佐倉さんの終の棲家です。佐倉さんは、生涯を通じてその時々に出会った人から贈られた物をすべてとても大切にしておられます。どっしりとした絵から小さな犬に至るまで、すべてを温かい愛着を持って佐倉さんは守ってこられました。佐倉さんの宝物の数々は、日本家屋としては比較的大きな五つの部屋にかろうじて収まっていて、ロシア人からの贈り物専用の部屋があり、お土産の産地をたどることで、私たち祖国の地理

大好きな佐倉真喜子さん

をすべて学ぶ事が出来るほどです。

佐倉さんの家の近くに、佐倉さんが毎日お参りに行くお寺があります。そこには、「明日葉」とよばれる薬草が生えています。もし今日葉を摘み取っても、明日にはまた元通りの長さに育つのです。この植物は、不屈と不死の象徴だと考えられています。何年も前に佐倉さんのご主人が重病を罹った時、佐倉さんは毎日お寺でこの葉を摘み（これに関してはお寺の住職さんの許可を得ていた）ミキサーで磨り潰したものをヨーグルトと混ぜてご主人に食べさせていたそうです。ご主人は今や九四歳で、自分で車を運転し、私に新しい学校を見せるために送ってくれたり、散歩をすれば、私は置いていかれないよう頑張らねばならないほど歩くのが速いのです。ご主人が回復したことに感謝し、佐倉さんはロシアと日本の友好が固く結ばれ続けることを考慮して、会の名前を「あしたば」と名付ける事に決めたのでした。

二〇一八年、私たちは墓、捕虜、戦争、そして友情についてのドキュメンタリー映画撮影に入りました。墓地で撮影をしていた時、男性が自己紹介をして歩み寄って来られました。「アダチさん」は、誰がロシア人水兵の遺体を発見して埋葬したのかを知っており、どこの入り江でこの出来事があったのかを教えることができる、と言いました。神様は何という驚きを与えてくださるのでしょう！私たちは、このような幸運を夢ですら見る事ができませんでした。何年もかけて地元の人々から話を聞き詳細を明らかにしようと試みましたが、誰も何も知らなかったのですから。安達さんは、私たちを島の西岸にある居心地の良い入り江に連れて行ってくれました。

安達亮さんが私たちに話してくれたことはすべて、安達さんが自分の祖母から聞いて知ったことでした。水兵の遺体を発見したのは、他ならぬ安達さんの祖父だったからです。

「一九〇五年の対馬海戦の時、この入り江であまりに強い爆発音が聞こえて、子どもたちは恐怖でベッドの下に隠れるほどでした。翌朝漁師が、当時は高価だった「まひまひ」という魚（シイラ）を獲るために竹いかだで海に出たんです。網を投げると奇妙なものを引き揚げたんです。それは、大きな魚と二人のロシア人水兵の遺体でした。日本人にとっては、海が与えるものはすべて神の兆しで、自分の責任になります。また、「軍人」は神聖なものだと考えられています。軍人たちは丁重に葬られねばならず、彼らが敵の側の軍人かどうかは問題ではありません。祖父は遺体を岸に引き揚げました。魚を売って手に入ったお金で彼らを葬ると決意し、立派な墓標を作りました」。（隠岐諸島の別の入り江にあるロシア人水兵の墓は少し控え目に見える）

話の後、安達さんは私たちを大きくて裕福な家に招いてくれて、とても親切に歓迎してくれました。家は築二〇〇年以上で、今は養蜂とキノコ栽培をしている安達さんのご家族が住んでおられます。インタビューの時に、私たちは幸運にも安達さんの祖父の写真が残っていることを知りました。一八九五年に撮影されたその写真をコピーさせてもらいました。

ただならぬ物語とロシア人の墓は、今ではもう島の遺産となりました。このお墓も玉木さんが世話をしておられます。私たちは玉木さんのインタビューも記録しました。「戦前の日本では男の子が生まれると、人生の最大の意味は天皇の大御心に従うという伝統に基づいて育てられるんです。我々が軍隊に召集された時は、我々の生きる意味が実現したということだったんです。それが良いのか悪い事なのか、考えることもなかったですよ。もし母親が息子を送り出す時に泣くと、投獄されたんですよ。義務を果たす幸せな瞬間を台無しにした、とね。捕虜の身になって、多くの日本人は切腹しようとしました。虜囚の身にあることは恥ずべきことだったからです。しかし、ロシア人は我々を一生懸命切腹から守ってくれたんですよ。そしてもし、ハラキリした人を救えた場合、病院で治療し、軽労働に配置換えさせていました」。

「大根島ぼたん祭り」の際には毎回島根に足を運び、私たちはウラジオストクの正教中学校の生徒たちと共に代表団を結成しました。そして正教会の司祭が、多くのロシア人水兵が眠る墓の前で祈禱を行いました。

ひとつお話しておきたいのは、私の家族と日本との親密な結びつきが始まったのが私が生まれるずっと前だったということです。一九四五年に、私の祖父フィリップ・セミョーノヴィチ・ユルチュクと祖母のマリヤ・ヴァシーリエヴナは、タイガの奥深い森林伐採地で後方部隊として働いていました。沿海州のアヌチンスキー地区にあるテリャンズ村は、木材の調達地点で、日本人捕虜が連れてこられた場所でした。仕事は重労働でしたが、ロシア人と日本人は同じように仕事をこなしました。男たちの隣でか弱いロシア人の娘たちが働いており、その中に私の祖母がいたのです。このことに日本人はとても驚いたそうで、こうした過酷な仕事を罰として行っているとすれば、一体何をしてここまでの罰を被るのかと。私がおばあちゃんにどれほど大変だったのかを尋ねてみると、いつも笑って言うのでした。「何を言うの、みんなと同じ普通の仕事だったわ。私たちは働いて、歌を歌ったわ。青春の、いい時代だったわ」、と。

祖父は日本人グループの班長をしていました。仲良く過ごしていたそうです。至る所で飢え、日本人は蛇の食べ方を祖父に教え、配給された僅かな米を分かち合いました。ロシア人は班ごとにパンとミルクを運んできました。

日本人捕虜の中に、サカイさんという名前の医者がいて、ロシア語を知っていたので祖父は日本人と沢山話ができたそうです。当時、祖母にはすでに二歳の娘がいました。私の叔母、リューダです。ある日リューダは重い病気にかかり、周囲はもう助からないと思っていました。薬はありませんでした。祖父は悲しみサカイさんに打ち明けると、サカイさんが助けを申し出てくれました。日本人の配給品の中に薬があったのです。祖父がサカイさんを家に連れて来ると、この日本人は少女の命のために何週間も奮闘し、打ち勝ちました。病気が引いたのです。日本人の友人に感謝をして、祖父はサカイさんを休日になると家に連れて来るようになり、とても多くの時間を共に過ごしました。サカイさんは、ロシア人の生活に関心を持ってよく観察していました。また、私の祖母（当時一九歳で、身長は一六二センチメートル）が皆と同じように木を切り倒しているのを見て、とても憐れんでいました。

祖父フィリップと祖母マリヤ

ある日、サカイさんが祖父に祖母の肖像画を描いてもよいかと頼んだことがありました。サカイさんは腕のある絵描きでもあったのです。当時、お店で使う紙袋を作っていた包装紙を切った紙に、サカイさんは色鉛筆で木綿のワンピースを着た祖母を描きました。祖母がモデルになった時に着ていたワンピースは、水色のヤグルマギクの模様がついていましたが、絵の中の模様は桜の花でした。そして、「画家サカイ」とサインをしました。サカイさんは故郷をとても懐かしがっていたからです。その後私たちは、日本でサカイさんを捜したかったのですが、再びこの友達と会うことなく祖父は亡くなってしまいました。一方、祖母は今でも健在で、日本人が我が家に遊びに来る時はいつもやって来て、皆で一緒に「カチューシャ」を歌っています。

私たちが松江市に行くときはいつも、「ロシア理解講座」という会の代表者と会います。島根県庁が提案した滞在プログラムの中に初めてこの名前を見た時、私は興味を持ちました。一体どういう人たちかしら？　そして、本当に素晴らしい方々だとわかったのです！　我が家に遊びに来る時は、日本のさまざまな伝統を紹介し和食を教えてくれました。一緒になって「カチューシャ」や「百万本のバラ」を歌い、ロシアのクラシック音楽を奏で、大変な興味を持ってロシア文化を学んでおられます。最後はいつも決まって、皆さんが大好きな「ルチェイク」という童歌を歌い輪になって踊り、おひらきです！

私たちの良き友人、三代さんもこの会のメンバーです。三代さんの父親は捕虜としてコムソモーリスク・ナ・アムールで過ごし、亡くなる直前に、ロシアを訪れたいという旨を息子さんに話していました。息子さんは、何としてでも父の最後の意志を叶えることに決めました。ロシア語を勉強し、ウラジオストクまで飛び、イルクーツクまでの列車のチケットを手に入れました。車両の中で父親の写真を取り出して窓ガラスに貼り付け、そうしてお父さんと一緒に旅路を行き、目にしたことを話し合ったり、三代さんが感動した、親切で友好的な同席者をお父さんに紹介したりしました。三代さんは、ロシアからシベリアの石を父の墓前に持ち帰りました。この旅が三代さんの人生の転機となったのです。今や、三代さんはウラジオストクに来ては書道のワークショップを行い、ロシア人の友達が沢山おられます。こうした物語から私たちが学ぶことはただひとつ。世界を支えているのは友情しかないということです。そして友情とは、別れと愛なのです。

（翻訳　樫本真奈美）

この岸が、故郷の岸と似ているのかどうか、どうしても決めることができないのです

ナターリヤ・アントーノヴァ

極東国立技術大学卒、言語学専攻、
通訳翻訳者、アーティスト気質、富山

ひとつの海、ふたつの岸……日本海の四方に岸が横たわっています。岸と岸とが近いのか遠いのかには意味はありません。人間は距離を縮め、時間を欺くことを学びました。そして、ふたつの岸に共通の歴史が生まれました。相互関係の歴史です。運命の意志によって、私たちがその歴史に参加することになりました。

私が初めて故郷の岸を離れ、八〇〇キロメートルの海路を経て向こうの岸へ行ったとき、私は多くのこと、正確にはほとんどすべてのことに驚かされました。

新しい岸の空気は、土と太陽と水と緑の匂いに満ちていました、超高層ビル建設の槌音が及ばなかった場所です。窓の外の天気は新幹線のスピードにしたがって様々に変わりました。風のち雨のち晴れ、また雨……。

この山の多い島々を取り囲む海から風が雲をもたらし、雲は大きな墨色の雨雲になりました。風が素早く雨雲を空に追いやり、蓄積された水分と切り離しました。雨が降りました。たくさんの田んぼが水で満たされ、太陽が茎の一本一本を力で漲らせました。風が、すっと伸びたみずみずしい稲穂を波打たせ、再び雲を集めて太陽を雨雲の後ろに隠しました。

私の回りを愛想の良い顔が囲みました。黒い背広を着た役人たちの厳格な会釈。私たちと同じように新たな出会いを受け入れる小中学生の嬉しそうな顔。五年間学習したにもかかわらず、スピーチは早口で、いくつかの単語が拾えただけでした。もっと理解したいとどんなに思ったことか！

この第一印象は、一生涯のものです。

こうして日本は私を出迎えてくれました。二〇一〇年の暑い九月、短い空の旅、日本海の向こう岸にある一番大きな島、本州の中央にある富山市の小さな地方空港。

私の家族―夫、二歳の娘と私の母は、日本を観察し始めました。スーツケースには、日の出ずる国の言語、歴史、文学、文化の五年間の学習で得た知識。

私と夫は仕事に取り掛かり、母と娘は公園で長い散歩。初めのうちは家の近くの公園で、そのうちに遠くの公園で。

すべてを自分の目で見たいので、休みには日帰り旅行に行くようにしました。

魚津という小さな市には、海岸に素晴らしい遊園地が併設された海洋水族館があり、観覧車からは、日本アルプスといわれる雄大な立山連峰の素晴らしい景色を臨むことができます。

小矢部という小さな市では、ゆっくりとした遊覧船から山中を流れる川を眺めました。

私たちが住む沿岸の射水市は、海辺の公園の展望台から広がる素晴らしいパノラマと、一般公開されている堂々たる白い帆船「海王丸」で有名です。

県の中心には富山市があります。ここで私たちは初めて本物の日本の城を見ました。堀や壁に囲まれた城は今でも難攻不落に見えます。

また日曜日になり、また新しい市、高岡市に行きました。市の中心には素晴らしい公園があり、そこには寺院、広場、動物園、バードウオッチングための小さな湖、巨大な仏像、噴水、滝があります。樹木がたくさん植えられ、春には桜、夏には瑞々しい緑、秋には楓の紅葉、冬には豪雪の富山の風景を楽しむことができます。

それから、さらに遠出もしました。どの土地でも、観賞、観察、心の休息に対する日本人の愛を見ました。長寿ではなく、まさにこうしたことが日本人の人生を幸福で満ち足りたものにしているのです。

高齢のカップルやおばあさんが友達同士で、桜や秋の澄んだ夜空の大きな月、あやめ、菊、チューリップの鑑賞に訪れているのを見るととても嬉しくなります。

日本人が刺身やラーメンやうどんの味を評価している様子を見るのは面白いです。味は場所によってまったく違うのですが、常にレシピ通りに調理されます。これは日本人にしかできないことです。

二ヶ月待って娘を保育園に入れました。市役所へ申請してから各子どもに割り当てられる保育園です。

これは、私たちの日本での生活の新たな一ページになりました。

娘はすでに日本語を上手に話し、私たちは教育の第一段階である保育園について多くを知ることができました。

子どもたちを寺院に連れていくこと、国民的な祝祭日の伝統的な行事を学ばせること、年配者への敬意、年下に対する配慮を教えること。火災、津波、地震の際の避難訓練を実施し、お絵描きの色々なテクニックを学ばせます。子どもたちはいつも新聞紙を使っておもちゃを作っています。最初は少しですが折り紙に似ています（ですが、すべてのおもちゃを分解すればかなりの量の新聞になりますので、家では無料で日本語の新聞を読むことができます）。

保育園のメニューは綿密にバランスがとれていて、このことは子どもたちには遊びを通して話され、保護者には月例レポートの中で一食分について完全な説明がなされます。お昼寝は雑魚寝です……。

私たちがとても驚いたのは、保育園にはくしゃみ、咳、鼻水の出ている子どもだけでなく熱のある子どもも預けられるということです。仕事をもつ保護者は、熱さましのシートを貼って子どもを保育園に預けます。保育園では、平然と子どもを受け入れます。後で分かったことですが、登園を止められるのは、連鎖球菌、ロタウイルス感染症、インフルエンザといったいくつかの病気のみでした。
あっという間に四年が経ち、長女が小学校へ入学する時期になりました。私と夫にとって、二重に不安な出来事でした。長女が行く学校は完全な日本の学校なのです。
私たち保護者は、一月から小学校生活について学び始めました。私たちは集まりに参加してPTAを選出し、小学校の規則を学びました……。
新学期は四月から始まりますが、私は娘と一緒に学校の用具をすべて揃えました。名前を書いて、リスト通りに揃えなければなりません。伝統的な小学生用のリュックサック（ランドセル）、小学生用の帽子、私たちの小学校では日常着となる名入りの体操着を準備しました。

四月四日、きっかり七時四〇分に、二週間娘を担当する六年生が迎えにきました。それが過ぎると子どもはひとりで学校へ通うのですが、日本の教育制度にボランティアとして貢献する地域のおばあさんやおじいさんたちがしっかりと見守ってくれます。

娘が学校のことを初めて話したときは、とても不安でした。

休み時間は一〇分から二〇分で、子どもたちはその時間になわとびをしたりボール遊びをしたり、図書館へ行きます。授業時間は、小学校の低学年では正味三時間、高学年では四時間になります。生徒ひとりひとりに土の入った植木鉢が与えられ、子どもは毎年花や野菜を育て、その過程を観察、記録します。

年に数回、生徒たちは地域内を回ってその歴史と活動を学びます。年に一度、保護者のために全校コンサートが開かれ、演奏には全生徒が参加し、クラス毎にその準備をします。決められた場所を担当するグループに厳密に分けられた子どもたちは、学校の清掃もします。清掃を指導するのは校長先生です。年に一回遠足があります。年に三回、保護者は公開授業に行くことができ、先生と一対一で話しをすることができます。

小さな学校新聞が毎月発行されて、学校生活の主な出来事がとりあげられたり、一番多く本を読んだ生徒の名前が発表されたりします。スポーツやその他の課外活動の賞は、講堂で校長先生から直接授与されます。

中学校では、六年生がまた一年生になります。なぜなら、新しい教育施設に入学するからです。これは次なる成長の段階で、子どもたちは将来の社会の一員として見られるようになります。夕方六時まで、一日を学校で過ごします。まず授業があり、その後課外活動やスポーツ活動があります。三年間の学習で子どもたちは自立し、先生方の尽力のお陰で、将来進む方向を選択する努力をするようになるはずです。なぜなら、高校は専門的なものになるからです。

こうして社会の新しい「レンガ」が作られます。まさに統一の中に力を感じられる社会です。

頑丈なレンガの壁として、全四七都道府県が積み重ねられ、相互に関係しています。

青森県と長野県では香りのよいリンゴを栽培していること、北海道では皆に牛乳が行き渡るように多くの牛が放牧されていること、和歌山ではたくさんのみかんを収穫していること、南日本の県が野菜を供給していること、宮城、石川、富山では漁師が漁獲量を上げるために努力していること、新潟では、全国に食糧を供給するために二毛作を行っていることを国民の誰もが知っています。

一日の巡回を終えようとする太陽が東京湾を照らします。東京スカイツリーの尖塔から、数千の高層ビルの鏡のような表面に素早く這い降りた最後の数条の光ですべてが燃え、キラキラと輝きます。光は波間を疾走する小さなボートの甲板を照らして、その道程を終えます。

ここではすべてが早いのです！　この夕焼けは誰のためのものでしょう。この巨大で対照的な都会の街を一日中見学していたおびただしい数の旅行者だけのものです。ここの数百万の住民は、この瞬間の夕焼けを鑑賞していません。幹線、輸送動脈に沿って、翌朝再び仕事にとりかかるための短時間の休息をしに、ありとあらゆる種類の輸送手段を一杯にしているのです。

同じ太陽、でも湾は富山。岸辺の静けさ、家々の間の静けさ、カモメの鳴き声と車の走る音だけがそれを乱します。狭い街路では、夕食のために美味しく調理された食事の様々なにおいが漂い、強くなっていきます。ここでは太陽の光は上へと伸びる橋脚に明るく反射し、そして日本海の波に慈しまれたひとつひとつの砂粒を照して優しく沈んでいきます。町の人々は家に戻ります。家々に、「帰ったよ、家にいるよ」を意味する「ただいま」が聞こえます。家族思いの主婦たちは、ありとあらゆるおかずと一緒に、もう夕食のご飯を出しています。

こんなに違う日本……。

ここに長く住めばすむほど、このもう一つの岸をよく知るようになります。日本海のこの岸では、毎日新たな夜明けに出会います。そして、この岸が、故郷の岸と似ているのかどうか、どうしても決めることができないのです。

まだまだ見たいのです……。

（翻訳　小川久美子）

富山の夕日

しなやかに生き、幸せになりましょう！

荒川　樹里

ウラジオストク日本センター職員

天邪鬼で他の人と同じことをするのが好きではないという性格のせいか、大学の第二外国語でロシア語を選んだところから、私のロシアとの長い付き合いが始まりました。それから偶然、ウラジオストクにホームステイに来て、語学留学をすることになり、さらに大学院での勉強や就職、ロシア人のロマンとの結婚・ロシアでの子育て（長男のレオンと次男のミラン）にまで繋がりました。最初は一〇か月の滞在の予定が、一〇年単位に変わりました。

一般にはロシアという国に住むことは困難であると思われているので、なぜこれほど長くロシアに住んでいるのか？と疑問に持たれる方がいらっしゃるかと思います。

ロシアでは女性や母の偉大さを認めながらも、女性は基本的に「弱い性」であるから大事に扱ったり守ってあげないといけないという社会的理解があり、マナーがあります。それをロシアの女性は上手に受け入れ、また利用しているところがあるように感じます。最初はロシア女性のそのような振る舞いに驚きましたが、アグレッシブな欧米風フェミニズムの主張よりロシア女性の「知恵」のほうが私に合っているな、と感じました。

日本では小さい頃から女の子を「あなたはプリンセスよ」とは育てませんし、男の子に「女の子を大事に扱いなさい」とは言いません。それよりあなた方は平等であると扱います。なので日本人は、ロシアの女性がいろいろな場面で「女性だから」を理由にすることを「あざとい」と感じるかもしれません。

しかし、多くのロシア女性はそこには気を留めたり抵抗せずに、結果の方に注目します。戦わずして勝つ。私にとって、そのように考えを切り替えることはなかなか難しいのですが、段々とこの「しなやかな知恵」の効果を感じられるようになりました。

子育て中も、このような「女性や子どもを大事に扱う」というロシアの社会的理解やマナーのおかげで、助かった部分がたくさんありました。もともと日本人は親切で譲り合いの精神がある、とされてきましたが、最近の日本、特に大都会では、人々が疲れていて他の人のことを考える余裕がなくなったり、他人がどう思うかとあまりに考えるあまり、自分がよいと思う行動をできなくなったりすることがしばしばあるようです。

電車でも妊婦さんや赤ちゃん連れの人に席を譲る、という事が少なくなっていることに気が付きました。モスクワのような大都市のことはわかりませんが、ウラジオストクでは妊娠中も子どもが小さい時も、バスなどで自然に席を譲ってくれたり、手伝ってくれたりする人がいました。特に男性は老いも若きもすぐに席を立ってくれました。

家庭では、夫が子育てに関わることにあまり抵抗がなく、おむつ替えも食事も寝かしつけも散歩も交替でやりましたし、私は運転をしないので、医者に連れていったり幼稚園に送迎することも一緒にやりました。これはロシアでは大部分の家庭でそうなのではないかと思いますが、日本ではそれほど一般的なことではなく、夫にとても感謝していま

す。

もちろんいいことばかりではありません。育休が終わったらすぐに職場に復帰することになり、仕事・家庭・子育てと忙しい日々でした。私も夫も疲れてストレスがたまり、お互いイライラしてケンカすることもしばしばでした。

日本とロシアでは育った文化が違うので、いろいろな場面でやり方が異なります。おむつの当て方、服の着せ方など、それぞれが自分の国で当たり前でこれが良いと信じている方法を主張します。お互い子どものために、と思っているのでなかなか譲れず、文化の差、育った背景の差をつくづく感じました。

ロシアでは祖父母の助けが大変大きいというのも、現代の日本とはだいぶ違うところです。ロシアの祖父母の存在は、子どもが小さい時には両親にとってはなくてはならないもので、子どもともずっと近い関係だと思います。

幼稚園は、朝七時から夜七時までですし、食事も夕方まで出るので、働いている親にとっては本当に助かります。日本では預かってくれる幼稚園を探すのがまずとても大変で、職場から遠かったりします。無事に入れても幼稚園は一五時ぐらいまでに迎えに行かなくてはならず、働くお母さんは会社と交渉したり、もっと長く預かってくれるとこ

ろを探さないといけません。そして、大体はお母さんが迎えに行くことが多く、父親が子育てに参加することに、会社の理解が得にくいです。

子どもが小さい時、熱が三八度以上あるとお医者さんが往診に来てくれました。寒い冬に病気の子どもを外出させることが危険だからなのかもしれませんが、大変ありがたいです。また出産後、自宅にも様子を見に来てくれます。それほど高いお給料ではないお医者さん方がこのように日々頑張っていらっしゃる姿には、尊敬しまた感謝しています。日本では往診はほとんどないので、これは子どもを育てることをロシアが重要視していることの現れの一つだと思います。

ロシア社会では女性は母になっても働くという前提があり、会社もそれが普通と理解しています。日本では結婚退職という考えがまだ残っており、母親がフルタイムで働くことはまだまだ理解を得られない部分があります。

ロシアではひとり親の女性も多いですね。そこが日本とかなり違うところだと思います。日本では経済的に大変だからと離婚に踏み切れない女性も多いです。

もちろんロシアでも母親一人の子育てが困難であることは理解していますが、法律が女性の権利を守っているところが強く、やはり社会全体としてジェンダーフリーに近い考えを持っているのではないでしょうか。

そんなわけで私にとってロシアでの子育て、生活は全体として合っているようです。

私は幸せのかたちは一つではないと思っています。ある人にとっては家庭で子どもを育てることや、自分の大事な家族のために尽くすことが最上の幸せであったり、違う人には仕事で成功したり大統領となることが、最も幸せなのかもしれません。

それぞれが自分が幸せだと思うことを実現できればいいのではないかと思います。それには「全て男女同権！」と真っ向から戦うのではなく、女性のしなやかさ・したたかさを活かして、自分の望む方向に持っていくやり方もあるのではないでしょうか。

私も、狭い自分の価値観を、どこまで許容範囲を広げられるか、自分に挑戦する毎日です。

男性も女性も、一人で自分のためにだけ生きる、というのはあるべき姿ではないように思えます。すべての人が助け合い、敬い合って生きていける社会になることを願っています。

しなやかに生き、幸せになりましょう！

ゴミを手にとって見ては不思議な気分になり、どんぶらこ、どんぶらこと流れ着いた桃太郎の桃のようだと、子どもながらに感心していた

荒屋敷　里子

日本語教師、東京

私は、青森の津軽地方にある小さな田舎で生まれた。これといった観光名所もなく、パッとしない我が故郷。楽しみは父に近くの海へ連れて行ってもらうことだった。海岸で貝殻やガラスのかけらを集める他、他にも面白い物があった。それは海岸に打ち上げられた「ゴミ」である。絶対に日本語じゃない文字（ハングル、簡体字、キリル……多分。）が書かれたゴミを手にとって見ては不思議な気分になり、どんぶらこ、どんぶらこと流れ着いた桃太郎の桃のようだと、子どもながらに感心していた。外国語や外国の物に触れたりできるのは東京に住んでいる人だけだと思っていたけど、ここにも「外国」がある。この日本海の向こうに、ヘンテコな文字で思考し、生活を営む人々が存在する。目を凝らせば少しその国が見えるのではないかと、ずーっと遠くを見つめていた。この「ゴミ達」のおかげで、私は「近い外国」に興味を持つようになった。そんなわけで、日本人が好みそうなフランスだのアメリカだのの文化には全く興味がなかった。

小学校の時のことだ。先生が「ソ連の大統領は誰でしょうか？」と子ども達に問いかけた。私は勉強が本当に苦手で、おとなしい子どもだったが、何故か「ゴルバチョフです」と即答することができた。先生は、私が答えてしまって面白くなさそうだったが、他の同級生が知らないことを知っている自分を誇らしく思ったのを覚えている。どうして私がゴルバチョフを知っていたのか分からないけど、「ゴルバチョフ」って音がとても可愛いでしょう。

時は流れ、ソ連もおロシアもすっかり忘れ、私は田舎の女の子らしく地元の女子短大に入った。お料理を勉強して、普通にどこかに就職して、かっこいい車持ちの彼氏と結婚して、いいお嫁さんになるものだと考えていた。しかし、ダサいリクルートスーツを着せられ（これを買う金があれば男の子が喜ぶようなワンピースが買えるのに）、出題意図が理解しかねる就職試験を受けながら（写真のステンドグラスはどの建物のものか選択肢から選ぶ問題！）ふと思い出した。

「そうだ、ゴルバチョフだ！」

そういう訳で、次々と同級生が地元に就職を決める中、私だけが「ロシア語」を勉強する道を選んだ。

さて、ロシア語を選んだものの、実は「語学」はサッパリだった。ロシア語は文字も発音も文法もヘンテコだし、学校にも全然馴染めない。函館にあるロシア語学校に入学して間もなく「学校を辞めたい」と訴えに帰省すると、母は、「今、辞めた後のことは簡単に想像できるでしょう？　でも辞めなかった先の景色を一生見ることができないのよ」とかなんとか、分かるようで分からないことを言って函館に追い返した。その後、なぜか兄まで函館に来て私が学校を辞めないように励ましてくれた。兄にそんな風に心配されたことがなかったので、照れ臭くて、そんな兄に免じて続けることにした。

私がした勉強は単純なことだ。みんなが一、二回聞けば覚えられる単語が覚えられないので、二〇回練習し、函館の坂を登りながらテープを繰り返し聞いて、与えられた宿題はきちんとやった。それでも出来が悪い私であったが、卒業式にロシア人の校長先生から「努力賞」をもらった。私にとっては紛れもない「学長賞」である。

それからウラジオストクに留学して日本語教師になって……。その経緯はつまらないから、あえて書かない。実際に留学してみればわかることだが、世の中にはロシア語と日本語のみならず、英語や中国語も操れるすげえ奴がゴロゴロいる。そんな彼らを見て、ロシア語で将来仕事を見つけるのは無理だと見切ったのが、日本語教師に方向転換した理由だと思っている。それに、努力賞をくれた校長先生が日本語教師になることを推薦してくれた。それはとても光栄なことだった。

さて、ここからは私が日本語教師としてのウラジオ時代を話したい。ご縁あって、極東連邦大学で教えることになった私は、毎日楽しいカルチャーショックを受けていた。特に教員室でシャンパンを開けたり、時々ケーキが振舞われたりするのには驚いた。職場でアルコールを口にするなんて日本ではありえないし、同僚の誕生日の度にケーキを用意するのも信じられなかった。でもその習慣にはすぐに慣れ、大好きになった。男の先生達はいつも日本語でアネクドートというジョーク（おやじギャグも使いこなせる）を飛ばし、女の先生達はいつも美しく明るい笑顔で、皆ダンスが上手だった。一体、どうして「ロシア人は冷たくて笑わない」というステレオタイプが世に広がったものか。いつだってロシア人は優しく、明るく、大らかだ。ちなみに、私の意見では「ロシア人は冷たくて笑わない」のは今も昔も「郵便局員」だけである。それは紛れもない事実だ。

学生ともよく公園で一緒にお酒を飲んだ。寮で料理を作ったり、歌を歌ったり、踊ったり、本当に楽しい新米教師時代だった。一番印象に残っているのは、ロシア人学生が時々「ポケット辞書」と称される古くて巨大な辞書を抱えて（私には魔女の本に見えた）、宿題に励んでいる姿だ。なんと、その辞書で「docomo」の意味を一生懸命探していたので、思い切り吹き出した。ネイティブ教師の必要性を身にしみて感じた瞬間でもある。もし、初めての学生たちが彼らでなかったら、今も日本語教師をしているかわからない。

休日は、タタール系のアーニャと朝鮮系のリータとよく遊んでいた。当時大学四年生の彼女らの日本語はすでに通訳レベルで、まさに彼らは私の専属通訳だった。と、言うと怒られそうだけど、実際そうだった（笑）。ある日、ソン家（リータの名字）で生涯忘れられない食べ物「コチュジャンサラミ」に出会った。リータがサラミにコチュジャンをペッとつけてご飯と一緒に食べ始めたからびっくりして目を丸くしていると、それを察したリータは「こうして食べると、おいしい」と笑いかけた。朝鮮とロシアの美味しいコラボだ！食文化が混ざり合って美味しくなっているのは、朝鮮人とロシア人の共存がうまくいっている証だと思った。その時から、彼女の口にする物は何でも美味しかった。

そしてアーニャ。アーニャは話が上手で、面白い日本語の言葉は直ぐに自分のジョークに使い出す。それほど賢く明るく人懐っこい。さらに美人だ。だから日本でちょっと珍しい色の美人ニャンコが生まれた時、「アーニャ」と名付けた。猫のアーニャは人間のアーニャと違って賢く明るく人懐っこくはなかったが、歩き方はアーニャの名に恥じず女らしい。

リューダとアーラという愉快なマダムとも仲良くなっ

た。年齢不詳だけど、多分母親ぐらいは離れているはず。二人の手料理は素晴らしく、特にウォッカとツボに入ったニシン！ニンニクと玉ねぎがきいていて、レモンとオリーブと一緒に食べると最高だ。毎回レモン入りウォッカを一本空けたところで、アーラがいつもロシアンティーを淹れてくれ、酔いでまどろみながら眺めるそれはとても温かい光景だった。歳の離れた友人達を、今も時々心配している。

こんな風にロシアでの出来事を人に話すと、「どうしてそんなにロシアが好きなの？」と良く聞かれるが、私はロシアが好きな訳ではない。プーシキンやボリショイ・バレエにも興味がない。私といえば、エルミタージュの中を走りながら適当に絵画を見るような人間なのだ。ペテルブルグが美しいと感じても、それはパリもウィーンも同様に美しいじゃない？

私が惹かれるのはロシアに住む人々の日々の営みだ。コーカサスのシャシリク売り、埃にまみれた中央アジアや中国、朝鮮からの出稼ぎ労働者、中国や韓国からの若い留学生、極寒の中でガサガサのトイレットペーパーを売るおばあさん、配管の部品らしきガラクタをきれいに並べたおじいさん、私の頭を鷲掴みしたスキンヘッドの怖いお兄さん。これらの記憶はひとつひとつ丁寧に額縁に納めてある。なにせ、私の心をときめかせたのは、ロシアの美しいバレリーナや建物や文学ではなく、田舎の海岸に打ち上げられた「ゴミ」なのだ。もしかしたら、私と同じように沿海州の海岸で日本のゴミを拾ったことがきっかけで日本語を勉強し始めたロシア人がいるかもしれない。

ソ連から船が入港すると、私は母と港に行き、ロシア人と交流してはとても楽しい時間を過ごした

浅野　真理

日本ユーラシア協会
副理事長（国際交流担当）、東京

　ある時、モスクワのユーゴザパード劇場来日公演のロシアの芝居を観てとても感激した。はじめは同時通訳イヤフォンガイドを利用したが、そのうちに俳優のセリフを直接耳で聴きたくなり、器械を外した。通訳なしでセリフを理解した時、より深い感動を覚えた。ロシア語の知識があるおかげで、より満足感が得られたことが嬉しかった。

　どうしてロシア語を勉強しようと思ったのか？　この質問は、今まで幾度となく聞かれた質問だ。日本人がロシア語を話すことが果たしてそんなに奇妙なのだろうか？　古い世代の日本人の中には、戦争の記憶からロシアは暗くて恐ろしい国だと考えている人もいる。日本のマスコミはロシアに関してネガティヴなニュースばかりを報じるため、ロシアを怖いと思う人も少なくない。

　しかし、私にとってロシアは魅力的な国だ。

　私は、この国が大好きな家族の中で育った。一九七〇年の大阪万博では、私の家族はある外国のパビリオンにしか行かなかった。ソ連館であった。私は幼少期からロシアの文化、文学、音楽、絵画、料理が好きで、とりわけロシアの人々が好きだ。まだ小さかった時、ロシア人女性が我が家に遊びに来て、妹が日本舞踊を披露したことがあった。ソ連から船が入港すると、私は母と港に行き、ロシア人と交流してはとても楽しい時間を過ごした。父は時々私たちのためにボルシチを作ってくれた。

　父は第二次世界大戦後にシベリアに抑留され、過酷な体験を強いられた。父がいた収容所では半数の捕虜が飢えと寒さで命を落とした。それにも関わらず、父はソ連が好きだった。父は私にソ連で本当の愛情というものを身を持っ

て知った、と話してくれた。それまでは、「日本の軍人精神のもとで人間性を忘れざるを得なかった」ということだ。

父は帰還後、地元の名古屋で日ロ友好団体創設のために尽力した。その後、母も両国の友好関係発展に精力を注いできた。一九六〇年代のはじめに、日本で小児麻痺（ポリオ）が大流行した。母にはポリオのため障碍者になった妹がいたため、この病気の危険性をよく知っており、私たち子どもも感染するのではないかと非常に恐れていた。感染拡大を食い止めることができたのは、ソ連で生産されていた生ワクチンを受け入れたことによる。日本とソ連で、子どもたちが接種できるようにソ連から生ワクチンを輸入する許可を出すよう日本政府に呼びかける動きが母親をはじめ社会団体や学者たちの間で高まった。母は私を背中に背負い、兄の手をひいて、請願書を持って地域の役所に頻繁に足を運んだ。多くの人たちの努力は報われ、二千万人の日本の子どもたちが感染の脅威から救われたのだ。

母は、ソ連でロシア人が日本の子どもたちに間に合わせるように夜通し生ワクチン製造に励んでいたことを知り、とても感激し、ソ連への恩を大切に、日本とロシアの友好活動を続けてきた。

こうした両親の影響を受けて、私は東京外国語大学に入学しロシア語を学んだ。大学卒業後、しばらくはロシア語を使うことはあまりなかったが、チェルノブイリ被災地児童救援活動のボランティア通訳として、ロシア語を生かし、今では、日本ユーラシア協会事務局として、毎日仕事でロシア語を使っている。

だから、ウラジオストクに来ても、ロシア人と直に話ができるのがうれしい。

ロシア語を習得したおかげで、私にはたくさんの素敵な出会いがあった。ロシア語圏の人々に対する私の気持ちは両親から受け継いだものだと思う。両親には実に多くのことを教えられ、心から感謝している。

驚いたのは、ロシアの方々が見るからに楽しく親しく会話されているので、昔からの友人という関係なのかを尋ねると、「今日はじめて会った」と言われたことです

和田守　道男

生け花山月流講師、島根県松江市

　一九八〇年代に、日本のNHKドキュメント番組で「日本（人）が住宅建設用の木材をソ連（ロシア）から大量に輸入している。そのため広大なシベリアの森林が伐採され、結果として大地に直射日光があたり、地底の永久凍土がどんどん溶解している。そのため地底深くにあったメタンガスが大気中に放出し、地球温暖化に大変な影響を及ぼしている。現在の科学技術ではこの問題を解決することはできない」と報道しました。

　このドキュメント番組を見た同じころ、世界救世教を立教した岡田茂吉師が書いた論文に出会いました。岡田茂吉師（以下、明主様と書きます）の論文は、一九六〇年ごろ「地球は年々暖かくなり、北極海を船が航行するようになり、広大なシベリアは豊かな農業地帯になる」と予見する内容でした。

　私は、明主様が一九三五年、世界救世教を立教したときに提唱した「自然農法」（作物栽培に農薬や化学肥料を使うという事は誤りであるという教え）を今こそ、誰かがロシアの皆さんにお伝えしなければならない、と思いました。

　シベリアの広大な土地が農業地帯になったとしても、シベリアには生態系は脆弱で自然農法は適切ですから。

　シベリアの環境問題の大きな原因を作っている日本人の一人として責任を感じ、なんとしてもお手伝いしたいという思いになりました。

「なんとしてもロシア連邦とロシア国民の皆さんのお役に立ちたい！」と二〇数年間、思い続けました。

　そして、二〇〇〇年、日本海側の町である敦賀市で通訳のイワン・ユーゴフさんと運命的な出会いをしました。

イワンさんの紹介で、二〇〇〇年五月、ロシアの戦勝記念日に初めてウラジオストク市を訪問することが実現しました。

ロシアを訪れた回数は数え切れません。パスポートを確認すれば正確な回数が分かりますが、数えることにあまり意味を感じません。とにかく数え切れないほど訪問しました。

訪問先は、ウラジオストク、パルチザンスク、ウスリースク、ハバロフスク、ビロビジャン、ヤクーツク、ノヴォシビルスク、モスクワ、そしてオブニンスクです。

初めて訪問したウラジオストクには東洋的な雰囲気や日本を感じました。過去、日本人街があり日本人が多く住んでいたからでしょう。ハバロフスクも同じくロシアの東に位置しますが、ウラジオストクに感じた東洋的な雰囲気はほとんどなく西洋そのものだと感じました。

モスクワに近くなるだけ西洋を強く感じました。

ウラジオストクやハバロフスクなどの町では日本人墓地にお参りしましたが、第二次世界大戦後に捕虜となって亡くなった日本人の墓地をロシアの皆さんが、ずっと綺麗にしていて下さっていることに感銘を受けました。

驚いたのは、ロシアの方々が見るからに楽しく親しく会話されているので、昔からの友人という関係なのかを尋ねると、「今日はじめて会った」と言われたことです。島国である日本では全くこのようなことはありません。日本では初対面の人とは少しづつ心を開き、相手が気に会う人だとお互いに分かり合ってから、親しく楽しく会話をするようになります。おそらく、ロシアは広大な国土で色々な人種の人が住んでいますから、最初に出会った人に「私はあなたの敵ではない」ということを伝えるのだろうと思いました。

ロシアは人種のルツボだと思います。肌の色、髪の毛の色、瞳の色、本当に色々です。日本とはまるっきり違います。

もう一つ気づいたこともありました。

大変失礼な感想ですが、日本に比べて、町は汚れて汚くて不潔に思いました。ところが訪問した家々の中はとってもきれいで、驚きました。

別れる時に、あまり寂しそうにされないことにも驚きました。「ダスビダーニャ」の意味は「さようなら」ではなく「それでは、また会いましょう」なんですね。とても素晴らしい挨拶言葉だと思いました。

また、分かれるときの手ぶりが日本とは全く違います。日本人の「こっちにおいで」と手招きするしぐさが、ロシアでは「行ってらっしゃい」です。モスクワのクレムリンを見学しようとしたとき、荷物を預かってくれたイワンさんの奥さんスヴェータさんが、「こっちにおいで」と手招きするので、私は奥さんの方に近づくと、もっと強く手招きの仕草をしました。イワンさんが笑いながら「和田守さんが戻ってくるから、スヴェータは、はやく見学に行ってらっしゃい！、と一生懸命に手ぶりをしたんです」と説明をしてくれて、やっと私の誤解が分かり、大笑いをしました。

明主様は「将来、食べ物はあっても食べられるものがほとんどなくなる」という予見をされました。もう、その時代になったと思います。科学がものすごく発達し、新しい科学技術が開発実用化され、そのおかげで大量の作物を生産することが可能となりました。しかし、科学技術に頼りすぎたために地球環境は大変に悪化してしまいました。作物に含まれる残留農薬の問題も深刻です。

もちろん心のエコロギーも必要だと思います。農業のエコロギーよりもたくさん重要だと思います。心が善化しなければ、農業のエコロギーの必要を感じないのですから。

ドストエフスキーは「美が世界を救う」という言葉を残しました。それは本当かというと私は次のように思っています。

世界はいまIT技術の加速度的な進化により、誰でも簡単に、しかもたくさんの情報を得ることが可能となりました。一見、便利になったように思いますが、どの情報が正しくてどの情報が誤りなのかを判断することがますます重要になったと思います。情報の氾濫です。

人間が、正しい判断をするためにも神様は美の芸術を用意して下さったと思っています。

日頃から美しいものを鑑賞したり、触れたり、見たり、聞いたりすることを努力していると、醜いもの、間違っているもの、偽りのものを判断できるようになるのです。

したがって、科学技術が進歩した現在ほど、美の芸術は必要不可欠だと思います。もし、美を無視すれば世界は、すなわち世界を構成する私たち一人ひとりは救われないのではないでしょうか。

明主様は、誰でも美に触れることが、実践することが可能な方法として「生け花」を提唱したのです。もちろん、音楽や絵画、舞踊などの芸術も大切にしなければなりません。

私は長年花を生けています。最近生け花の准教授という資格を取得しました。

准教授の資格試験を受けるためには一四四回の受講が必要です。つまり一四四回の生け花の実習が必要であり、明主様の生け花をはじめとする芸術に関する教えの学びも必要です。ひと月に三回受講すると、四年間かかります。

私の場合は、それだけの時間をかけるとロシアの皆さんに「生け花」を伝えることが遅くなってしまうため、短時間で猛特訓を受けました。一年と一〇か月くらいで一四四回の受講を終了し、その後、受験して合格しました。

明主様がお花を生ける時の思いを残していますので、ここで紹介します。

私は　花に対して　決して無理をせず
できるだけ　自然の姿のままに活けるので
生きいきとして　長持ちがする
花と話をして
その花の心をいけてやることだ
花の心をいけてやらなければ
花は決して喜ばない

花をいける時、この明主様の思いを意識することに努めています。私が自分で生けた花は写真で残しています。その中から、いくつか紹介します。

皆さんもご存知のように、私たち人類（ホモサピエンス）はアフリカの大地溝帯に、そのルーツがあります。私を含む日本人の先祖は、長い長い旅をして日本列島に到着しました。東南アジアの南方から海を渡ってきた先祖もいますが、間違いなく、広大な現ロシア連邦を含むユーラシア大陸を旅したご先祖もいるはずです。私は、シベリアの大地を流れる大河のうち、オビ川、レナ川、アムール川にも訪れましたが、その雄大な姿を眼にしたとき、懐かしさのような感覚に包まれました。私の遠い昔の先祖も、きっとシベリアの大地を東へと旅をして、きっと私が眺めた同じ景色を目にしたのだろうと思います。

　日本とロシアは、過去に、つらく悲しい戦争をした時もありましたが、アフリカからの長い旅をしたことによって、日本人とロシア人には同じ先祖（遺伝情報）が生きていると信じています。

　ですから、大方の日本人は、ロシア文学や、ロシア音楽が好きなのです。読んだり聞いたりすると気持ちが良いのです。

　ドストエフスキーの『罪と罰』を読みました。考える力をつけられたかなと思っています。「人間とは何なのか、どういう存在なのか」ということを思索する動機にもなりました。この小説を読む日本人は多いです。私と同じような感想を持っていると思います。

　たとえロシア文学への関心が浅くても、ロシアの大地に根差した音楽には、多くの日本人は慣れ親しんでいます。

　私にとって、ロシアは素晴らしい国です。多くの日本人、それもお年寄りはロシア（旧ソ連）をあまり好ましく思っていないのも事実です。直接の戦争や、東西冷戦時代を経験しているからでしょう。

　私が、ロシアを訪問するたびに出会う皆さんは、本当に心の温かい優しくて素敵な微笑みを浮かべる方達です。

　幼いころから青年時代までの私は、ロシアに全く関心がありませんでした。行きたいと思ったことは一度もありません。それが三〇代後半から、突然に強く意識したのは、私の中の先祖様の思いが湧き上がって来たのだろうと思っています。

日本で生活をしている時も、ふとロシアで訪問した町や、出会った方達、そして、広大な風景や、ボルシチをはじめおいしい料理を思い出し、懐かしく思う気持ちが湧いてきます。

私にとって、ロシアは大好きな国です。これには理由や理屈で説明する必要はないでしょう。

しかし　初めてロシアを訪問した時は、滞在期間中ずっと緊張していました。正直に告白すると、怖かったです。

一九四五年に第二次世界大戦が終了後、日本はアメリカの占領下となり引き続き、アメリカの全面的支援を受け、いわゆる西側の国となりました。したがって、ロシアについて受けた教育は、音楽などの芸術をのぞき、ほとんどが批判的なものだった影響が大きかったと思います。

また、日本人と比べて体格が大きく、腕の太さが二倍以上あるような男性が黒い服装で街を歩いていますから、恐怖は倍加しました。本当に怖かった！

それでも、イワンさんと一緒にお会いする皆さんは、誰でも、いつでも、こぼれるような笑顔で大歓迎をして下さいました。こうして、最初の恐怖感は消えていったのです。

心があたたかく、大きく包容力があります。そうしたロシアの皆さんに共通するものは広大な大地に、先祖代々から生き続けてこられたからだと思います。

　小さな島国の日本に住む日本人とは、習慣や、ものの考え方などなど、おのずから違いがあるのは当然です。

　日本人とロシア人、違いがあるからこそ、交流する価値があると思います。自分とは違う人が、この地上に同時に生きていることを自覚することもできると思うからです。

　現在も、政治や経済などの面では、日本とロシアの間だけでなく、地球上のどの地域でも紛争が絶えません。

　すべては、「自分（我が国）は正しい。相手（他の国）は正しくない」という主張です。時に、それぞれが信じる宗教の神様で争っています。

　あらゆる面で、あらゆる意味で小さくなった地球、近くなった国同士です。これ以上、争いを続けたら、地球そのものが大変なことになるのではないでしょうか。

　地球上に住む全ての人々、そして、地球上に生きる万物のすべてに創造された神様の命が輝き、生かされていることを、認める人が多くなれば、宗教や思想、地球資源などの物質の所有権を原因とする争いはできなくなるのではないでしょうか。

　私は、大きな大きなロシア連邦、懐の深いロシア連邦、温かくて優しい心の持ち主であるロシアの皆さんに、そういう面で大きな期待を抱いています。

話を終えると、遠山先生は私に侍としての儀式を施してくださった

ヴィターリー・ヴェルケエンコ

グループ会社「スモウトリ」社長
ウラジオストク

ロシアと日本は隔てられている。しかし、ロシアと日本は結ばれているとも言える。飛行機なら事実上数時間で、さほど距離は離れていない。また、ウラジオストクもアジア的なメンタリティーを持つ、日本に最も近いヨーロッパの都市だ。互いの歴史文化や共同のビジネス構想に関心を持っても不思議ではない。

私が初めて日本を訪れる機会を得たのは九〇年代初めだった。自家用車購入が目的だったが、それは冒険に満ちていた。また、その時は奇妙な方法で訪日した。私は小型の調査船乗組員の一員として小樽に行ったのだ。我々はオリガ湾水域を出発し、一二時間後に日本に到着した。様々な印象が残っているが、最も忘れられないことは、日本は独特の匂いがしたことだ。小樽は自然や風景がウラジオストクにとても似ているが、何か違った匂いがする。私はそう感じた。伝説のビールを飲み、大都市を見るために小樽から札幌に向かった。私はふたつの買い物をした。自動車と釣竿だ。後に、釣竿は私も含め乗組員全員を救ってくれることになった。

三日後、私たちの小さな船は停泊場の埠頭から追い出された。どうやら、支払いのお金が足りなかったようだ。内港で泊まっていると、嵐が来た。まる一日その場に留まり、二日、三日、四日と過ぎてゆく。五日目に食料が尽き、六日目には腐って悪臭のする肉を煮てスープを作った。何とかしなければならなかった。私は釣竿と釣具を取り出した。パンはすでに食べつくされており、乾いて硬くなったパンのかけらを見つけたので、水に浸し、甲板に出て魚を釣った。たくさんの魚が釣れた！　嵐が激しさを増してゆく中、私は毎日魚を釣り、炊事場に運んでは乗組員全員に食べさせた。

かくして、私の日本は始まった。どうやら日本は最初から私を離さなかったようだ。そして、日本は私や仲間が飢え死にすることもさせなかった。

自動車に関しても驚くべき物語があった。お金に余裕はなかったが、少しでも新しい車が欲しかった。私は完全に新しい「マークⅡ」を見つけたが、左の車輪がサスペンションアーム共々壊れ外されていた。この部品は車よりも高くついた。私は周囲に散々言われた。「一体何をしでかしたんだ？ 車を買っても、部品を買わなきゃ走ることができないじゃないか」と。最後の最後で、日本人が私をどこかの解体作業場に連れていってくれた。そこで目にしたものは、ああ、奇跡だった！ そこには壊れた「マーク」が置かれており、唯一、サスペンションアーム付きの左タイヤだけが無事に残っていたのだ。私はそれをねじって外し、自分で取り付けた。そして、新しい車を船に積み込んだ。いったいどうやってつじつまを合わせることができたのか！ と皆が驚いた。使えない車を買い、その後でぴったり合う唯一の部品を二束三文で見つけることができたなんて。おそらく、こうしたすべてが幸運の兆候だったのだ。

日本とのビジネスは小規模なものからはじまり、その後拡大した。私は日本のビジネス様式を取り入れた。それは、契約はさほど重要でなく、信頼関係が重要だということだ。概して二〇年にわたって日本と仕事をしてきたが、いつも握手と言葉だけで、パートナーシップにはこれで十分だった。もちろん私はこうした関係を大切にした。私たちは難しい局面に何度も遭遇したが、どんな時でも面目を保ち、引き受けた役目をすべてこなすことが大切だった。

初めての訪日からおよそ八年後、たまたま、ある日本人の仕事仲間から釣りに誘われたことがあった。そして、私は日本の違った側面を発見することになった。

日本の地に足を踏み入れる時、我々ロシア人がまず最初に驚くことは、美しく、手入れが行き届いた素晴らしい風景だ。私もまた、日本の組織化されてまとまった町、整った設備、高層ビルは目にしていた。

どれほど驚いたことか、日本の奥地はすべてが違っていた。真の日本は、七〇パーセントが山々、湖、川であり、心身が揺さぶられるほど美しい！ そして、私は山間の川に釣りをしに行った時に、別の日本を見た。

道中、日本の友人は売店に寄ろうと提案した。ロシアでは釣りに行く前にビールを買いに行くのが定番だが、日本では入漁許可を得るために寄るのだ。何しろ私たちはすっかり人里離れた森に行くのだから。入川券を買い、遊漁証を腕にはめる。すべて規則通りだ。売店から山までさらに長時間移動し、車を駐車した。森に目をやり、川のざわめきに耳を傾けた。そして車から降り、川釣り用のサスペンダーが付いた長靴を履いた。すると突然、私のほうにタヌキが現れた。私はこれまで生きたタヌキを見たことがなかった。大きくてふさふさで、大型犬のようだ。さらに思う、この「犬」はここで何をしているのか？耳がぴんと立ち、顔は細長く愛らしくて、ずんぐり体型でモフモフしている。茂みから現れ、頭を垂れてあちこちへ不器用に歩いていた。私は手にサスペンダーを持ったまま固まってしまった。タヌキは一メートル半ほど前で止まり、同じく固まった。私を見上げ、止まった。そして私たちは別々の方向に走った。私はカメラを取りに車へ、タヌキは茂みへ。タヌキはいない。私から逃げてしまったのだ。「もう、そこにいてくれたらいいのに！」と思った。するとどうだ、タヌキはエライ！止まって、後ろ足で立った！私はシャッターを押した。私とタヌキは気持ちが通じたのだ！お互いに満足だった。

道中、日本人が教えてくれた。「もし熊に遭遇したら、驚かないようにね。ここら辺でうろついているけど、あまり大きくないし、一メートル半ぐらいかな。胸が白い日本のツキノワ熊だよ。人が驚かせちゃダメなんだ。僕は熊を見たことないけどね。あ、ほら、イワナがいた！すごくキレイで美味しい魚だよ！」

滝の音、水のさざめきが聞こえたが、川の流れは激しくなかった。幅広い川で水が湧き立ち、最上流は膝まで浸かる深さだ。小さな入り江では魚がびちゃびちゃと音を立てている。私たちの釣竿には浮きも錘もなかったので、一体どうやって釣るのか、と疑問に思う。浮かせ釣りの経験は初めてだった。おとりの餌は赤い人工のイクラで、そのイクラを釣り針につけて、竿を投げる。そうすると、餌にイワナが食いつく仕掛けだ。開始してすぐに魚がかかり始めた。素早く割り箸を割り、魚を縦向きに刺して焚き火の周りに円状に置き、時々回しながら火にかざした。森のざわめき、川の流れゆく音が聞こえ、魚の美味しそうな匂いを嗅ぎつけたツキノワ熊が現れるのを待ったが、私は相変わらず相棒と二人きりだった。

心地よい眩暈を感じながら帰路についた。みずみずしい自然、澄んだ空気、風光明媚な景色に気持ちが和んだ。そして、日本的な意識と規律を理解することに一歩近づいたという内なる感覚があった。その後出張で来日する際には、せめて一日でも休みの日を確保し、日本を学び理解するために神社やお寺、歴史文化史跡を訪れるよう努めた。

しかし、私はウラジオストクを出て日本に完全に留まりたいと思ったことは一度もない。だが正確に言えば、帰国する度に、日本と同じ水準で暮らすにはロシアの何がダメなのか、と思い胸が痛んだ。良質な道路をつくること。まともな排水溝を設置すること。縁石を均一に敷き詰めること。木々を手入れすること。祭りを催すこと……。なぜ我々の国はそうでないのか、なぜ我々は良質に美しくできないのか、と。このような心痛を伴って私はウラジオストクに戻り、毎回何らかの新しい考えをまとめ、新しい試みを導入した。

日本人がウラジオストクに関して持つイメージの多くがステレオタイプである。寒い、虎、熊。何十、何百人もの日本人に新生ロシアとウラジオストクに対する見方を変えて欲しくて、その真実の姿を伝えるべく私は相当の力を入れた。私はロシアと日本の友好を深め、互いがもっと親

密になることを願った。多くの出会いや公の場で話す機会もあった。

一方で、我々ロシア人も自らの馬鹿げた印象を残しているではないか。九〇年代、ロシア人に対する考えは港町で形成された。車を求めるハンターたちが、いなごの群れのようにやって来ては駐車場を歩きまわり、カーマットを盗んだり、変速ギアのサスペンションアームからシフトレバーを回し盗ったりしていた。また、水兵や漁師、偽漁師たちは大酒を飲んで喧嘩騒ぎを起こしたりした。日本人はこうした無作法な事柄に肌感覚で傷ついていたのだ。伏木、富山、新潟では、こうしたロシア人の厄介ごとが多くの点で非難された。このことからも、心痛を伴うほど私はショックを受けた。

私は日本の温泉が好きで、機会があれば必ず入りに行く。ある日、伏木に隣接する金沢で、壮大なガラス張りの丸天井がある素晴らしいスパ温泉に行った。海賊船や滝、小川といったデザインが温泉施設に特別な魅力を加えている。屋外の湯船に浸かり、その後再び屋内の湯船に入る。サウナに行くのも喫茶室に行くのもよし。一日があっという間

に過ぎてしまう。外国人もたくさんいるが、ここで独特な「観光名所」をご紹介しよう。ロシア語で大きく書かれた注意書きがあるのだ。「湯船におしっこをしてはいけません」と。英語でも中国語でもパキスタン語でも書かれていないのに、ロシア語だけで書かれていた。つまり、ロシア人に悩まされたということだ！

公共意識を変えるにはどうすればよいのか？他人の湯船のみならず、自分の家で、自分が住む地域でいかにして規律をしつければよいのか？破壊行為や蛮行に積極的に対応することしかない。ロシアでは歴史的に、密告者や情報提供者というのは悪いこととされてきた。だから、もし誰かが売店を破壊していても、他人の車の方向指示器を盗み取っていても、人々の反応は「私の車じゃないなら、何を気にする必要があるのか⁉」となる。注意しないのみならず、無関心に傍を通り過ぎてゆくだけなのだ。行儀のよい振る舞いをファッショントレンドにするにはどうすればよいのか。犬の散歩の時にフンの後始末をさせるには？交通機関を利用するときには？潜在能力はあるはずなのにどうしてできないのか！

もっとも、おそらくロシア人は遺伝子レベルで気ままに振舞っている。日本では公共交通機関が頻繁に利用される。車でもよく移動するが、短い距離ならバスや地下鉄の方が便利だ。さてある時、私はいつものようにスーツを着て、ネクタイは締めずに書類かばんを持ってバスに乗り、会合に向かっていた。バスの中央部にあるドアから乗り、出口は前方のドアだ。様々なタイプがあり、前方のドアから乗ってお金を支払い中央のドアから降りるパターンもあれば、中央のドアから乗り前方のドアからお金を払って降りるパターンもある。私は考え事をしていた。ドアが開いた。人々が乗ってくる。そこで表示を目にすると、私が降りるバス停だ！皆乗ってしまった。そして、ドアが閉まってしまう前に私は前方に突進した。もう少しでバスから飛び降りるところだった。しかし、とても小柄で痩せた、身長一五〇センチメートルほどのおばあちゃんとおじいちゃんが、怒りの力を込めて私のスーツとかばん、手をつかみ、私を引きずり戻したのだった。

ドアが閉まり、バスが走りだした。人生でこれ以上の恥辱を味わったことはこれまでなかった。次のバス停まで行く間、バックミラー越しに見る運転手も含めて、バスの乗客全員が私のことを軽蔑の眼差しで見ていた。それなのに私ときたら文化について話している！私は、自分に対して、そしてすべてのロシア人に対して恥ずかしかった。

私はロシアで人々がバスの中のあの日本人と同じように振舞って欲しいと心から思ったし、自分の町を愛し、それぞれが秩序を愛して欲しいと願った。私はロシア語でも日本語でも何度も謝った。そして、前方のドアから降りた。

私は当初から日本語を学ぼうと努力した。生徒募集を聞きつけ、日本センターのクラスに申し込んだ。仕事と両立をしながら、三時間の授業を週に三回受けた。約二ケ月、こうした厳しいスケジュールをこなし、その後は数回の授業を逃して勉強が遅れてしまった。それからは独学するようになった。ひらがなとカタカナは難しくなかったので理解し、漢字もいくらか習得できた。主語、述語、補語の公式を覚えた。もっとも重要なことは、言語のメカニズムを理解できたことだった。足りなかったのは、練習と語彙だった。

私の訪日は継続していた。一年に六、七回で、通常一週間の出張だった。英語はそれなりにできるため、交渉の時は英語を使うようにしていたが、日常生活ではお店の人やタクシーの運転手を相手に、意図的に日本語を話すよう努めた。そうしてコミュニケーションを図るうちに語彙も増え、正しく発音できるようになった。タクシーでは、「明日の天気はどうですかね?」と尋ねる。タクシーの運転手はたいてい話し好きだが、長い間黙っている。そこで突如外国人が話しをしようとする。私は、きれいな発音でいくつかの決まり文句を覚えていた。すると運転手は明らかに知識のある人を相手にしていると思い、熱心にたくさん話しをしてくれるのだ。ある日、私は突如自覚した。言っていることが全部分かった!と。

ホテルではわざとテレビをつけっ放しにした。番組をBGMにして、私は見取り図や設計図を書く自分の仕事をした。テレビから聞こえる言葉は、回を追うごとに分かるようになっていった。

私たちの人生では、多くが「ある日、一度」という言葉から始まる。それはまるで別世界の扉を開く鍵のようだ。そういうわけで、ある日、私は偶然、車体に赤いカンガルーが目印の西濃運輸が所有する大型トラックの駐車場に行く機会があった。キャビンに座ってもいいかどうか、私は尋ねた。というのも、私は子どもの頃から長距離トラックの運転手になりたかったのだ! アメリカのアクション映画「コンボイ」で、主人公が皆に「ラバー・ダック」と呼ばれている映画がある。砂漠、街、橋、難しいミッション、マフィア、警察、といったすべてがロマンチックで、主人公の長距離トラック運転手はいつも貨物を運んでいた。そして、私はトラックを目にしてハンドルを握った時、稲妻に打たれたように電流が走った（身体で直接感じたのだ）、ほとんど内部から燃えるようだった。これは始まりだと理解した。大切で重要な仕事の始まりだ、と。

　運転席の内部はベロア調で、窓は軽く触れるだけで閉まり、車の中はオレンジの香りがした。そして背部には物資を輸送するための巨大な輝くコンテナがある。私の子どもの頃からの夢と実業家としての経験、すべてがひとつの点に合わさり、その時に思ったのだ。これぞまさに私がやりたいことであり、輸入すべきはこれだ、と。そこで同時に、日本人の手を握って「売ってくれるまでここから出ませんよ、こんなトラックが必要なんです！」と私は言った。日本人はこのトラックを売ることはできないと反論した。ルールがあるのだ。トラックは親会社の西濃運輸から日本国内の市場に出回り、その後で中古車として再利用される。「それなら、子会社から売ってください！」と私は主張した。日本人は、「いいえ、子会社から輸出することはできませんよ、車は製造されて廃物になるだけので」と言った。言葉の限りを尽くして説得し、とうとう同意してくれた。それまでこの会社が行っていなかった、親会社から輸送トラックを輸出することに同意してくれた。私にとってそれは夢の極致だった！「でも、ひとつ条件があります。輸出前に完全にメンテナンスを行います」と日本人が言った。

　これもまた、ビジネスにおける日本文化のひとつの特徴だ。悪くなったものを厄介払いするのではなく、品質に責任を持つ。ましてや、二万三千台のトラックがある親会社から輸出されるのでなおさらだ！更新は七年に一回。私たちは事実上その日に取引を結び、こうして私はウラジオストクに数千台のトラックを輸入することができた。トラックはあっという間に売り切れた。そして、赤いカンガルーは運送トラックの品質を示す印となった。これが、ビジネスに関するちょっとしたエピソードだ。さらに、トラックには証明証があり、私たちはトラッ

クを市場で売られているような高値では売らなかった。なぜなら、日本人が特恵関税を適用したので、それに従って私も高額な値段をつけなかった。私はこの売買で誠実に満足を得ることに努めたのだ。私には自動車を売っていた時期があり、正直な商売をした。ひび割れを粘土で詰めたり、フェルトペンで色を塗ったり、存在しない4WDについて宣伝したり、空気が入って曲がったタイヤを取り付けたりすることはできなかった。正直さは、ビジネスにおける基本事項だ。私は、二〇年前に私が車を売った人物と今でも交友関係を持っている。

そしてとうとう、トラックが仕事に出る日がやって来た。各々のトラックを販売した後、購入者がやって来ては、私の手を握って「ヴィターリー、ありがとう、半年で車のもとがとれたよ。このトラックのおかげで運転手の機嫌は良くなったし、配達も迅速になって収益が上がったよ。会社の成長とサービスの向上を助けてくれたのは君だよ」と言ってくれた。

徐々に、「HINO―ウラジオストク」は持ち株会社「スモウトリ」に成長していった。私たちは、顧客の満足度を高め顧客サービスの技術センターとして地位を確立するために、経営哲学とビジネスを構築した。後にトラック販売の分野で別の会社が現れるが、私たちが先駆者だった。

私は日本のパートナーから多くを学び、たくさんの人と温かい関係を築いてきた。その中には、例えば若園信幸《わかぞののぶゆき》先生のように威厳のある方もおられ、私は大変尊敬している。日本最大の日野自動車ディーラーで、セイノーホールディングス株式会社の子会社でもあるHINO（岐阜日野自動車）の専務取締役である。若園先生は、ウラジオストクに北海道から持って来た七本の桜の木を植えられた。その庭はウラジオストクのラボーチャヤ通り九一番地にあり、「若園ガーデン」の名が付けられている。

若園先生は、鵜飼を見に連れて行って下さった。これは日本に古くからある漁法のひとつで、鵜を使って魚を獲る。岐阜県の長良川ではこの独特の漁法が行われている。

日没になり、私たちは長いボートに乗り川の上流に上っていった。すっかり暗かった。すぐ目の前で舳先の吊桶に松明が灯され、火花が川に散った。川のざわめく音と主催者が奏でた日本のリズムに合わせて、ボートはゆっくりと下降していった。松明があたりを照らし、その光でアユをさそい出すのだ。私の間近で独特な服を着た鵜匠が立って、すべての指にひもで繋がれた鵜を操っていた。鵜匠は鵜が魚を捕らえたのが分かると、別の鵜と間違えることなくその鵜を引き寄せ、喉から魚を吐かせる。鵜の首には紐が巻かれており、小さなものしか飲み込めないようになっているため、大きな魚はひっかかる。そうして、たくさんのアユを捕獲する。

伝統や風習が徐々にひとつの絵になるにつれ、文化、歴史、哲学への興味がますます高まっていった。虚飾や余計なものがなく、自然や素朴さにおける美しさとしての「わび」「さび」「しぶい」といった概念を通して、日本の美意識がわかっていった。

日本を理解する過程で新しい友人もできた。そのうちの一人は、今もご健在の遠山昌夫《とおやままさお》さんだ。遠山さんは、一六〇〇社が参加する大規模な愛知中小企業家同友会の顧問を務めておられる。ある時、遠山さんは協会のイベントに招待してくださった。そこは、最年少の企業家がすでに六〇歳を超えており、四〇年前に設立された協会だ！遠山先生はとても経験豊かなビジネスマンであり、いくつかの企業は先生の指導のもとで大規模な企業に発展している。主なビジネスは、船舶や建物の正面壁用の現代的な塗料の生産で、塗料はただただ魔法のように素晴らしい。火災が起きた場合は高い防火効果を発揮する。塗料を五ミリ塗れば、火事の時に六〇〇度で塗料が発泡し、二ミリの層を形成しながら鋼構造のたわみを防ぐ。現代の日本の塗料を塗れば、家の正面壁は暗くならず、退色もせず剥がれることもない。会社は新しい科学技術を積極的に導入している。

日本人において最も高い信頼度を示すものは、家に招くことだ。こうした信頼はとても貴重だ。遠山先生が私をご自宅に招いて下さった時は、私はとても緊張した。家の入り口の前にガラス張りでドーム状の屋根があり、その下に侍だった御爺様の品が展示されている。本物だ。その後、遠山さんは家族のアルバムを見せてくれて、たくさん話しを聞かせて下さった。遠山先生は侍の子孫で、ご家族は侍家系の伝統に誇りを持っておられる。その後、私を家の別の部屋に通して下さって、おっしゃった。「ヴィターリー、この部屋には、家族以外の誰も入ったことがないんだ。君をここへ連れて来たいと思ってね」。ドアには低いかもいがあり、低く身体を曲げて中に入る。部屋には祖先の侍が使用した刀も含めて代々の遺物があった。さらに、親族の経歴やロシアと日本の相互関係の歴史など、あれこれ語って下さったのだが、話を終えると、遠山先生は私に侍としての儀式を施してくださった。これは、信頼、敬意が示された瞬間で、私の人生において、厳粛な兆しであり重大な瞬間であった。

（翻訳　樫本真奈美）

これまでにない緊張の高まり 京都の名刹に初の外国人修行僧

ドミトリー・ヴォルコゴノフ

如願寺副住職、大阪

仏教を学び日本で奉仕者になる、長く悩んだわけではなく、直感的に決めました。

私が仏教の教えに夢中になったのは、ウラジオストクで学んだ時でした。真言密教の創始者であり日本一流の書道家でもある、九世紀の偉大な日本の僧、空海の業績を教えた日本史の授業でした。空海の作品を研究したり臨書したりしながら書道を学びました。大学卒業後、私は四〇日間の四国八八カ所お遍路巡りを成し遂げました。これも空海と関連があります。私は、仏教と仏教芸術に魅せられましたが、自分の人生を劇的に変えるほどではありませんでした。それは後々起こったのです。

通訳ガイドの仕事を数年した後、私はウラジオストクに和食レストランをオープンした日本の会社に就職しました。支配人に任命されたものの、すべての面で日本人上司の指示を仰ぐ必要がありました。衝突のない日はなく、部下、経理担当者、サービス調査員たちが文字通り私を引き裂きました。こうしたネガティブな嵐の中で仕事を数ヶ月間すると、考えるようになりました。「これが私の仕事だろうか？この先どこへ行けばよいのだろう？」。

そして答えが出ました。これは義父からの提案でした（私の妻の実家は、大阪市の真言宗の住職で、私たちは仏前式の結婚式をしました）。私は即座に承諾して、仏門に入るための得度と面接のために来日しました。

義父の山本雅昭は、得度を執り行うために大阪の高僧を何人か招待していました。新米の僧は、後の得度の儀式で剃り落とすため三束の髪を残して剃髪します。式の時、キリスト教に極めて似ている戒律を守ることを誓います。

面接では、先生方が私に簡単な経歴を質問してから、私が日本風に正座で畳に座っている様子を評価しました（私は合気道をやっていたので、ある程度慣れていました）。「真言」、「空海」という言葉を漢字で書くこと、性格適正検査を受けることを指示されました。急いでいるとき、赤信号でも道を横断しますか、などです。

長い一ヵ月でしたが、最終的に良い決定が下されました。御室派総本山仁和寺にある仁和密教学院での一年間の修行です。これまでにない緊張の高まり、京都の名刹に初の外国人修行僧！　万一病気になったり、下駄で走って足をひねったりした場合でも、最初からすべてを始めなければなりません。それは、時間であり、お金であり、評価です……。先に言っておきますが、くじけて力尽きると感じたことも時にはありましたが、すべてうまくいきました。

八人の院生には各自広さ三畳に机、本棚、洋たんす付きの部屋が与えられました。部屋の中を整える間、腕時計と目覚まし時計以外に電子機器を持っていないか、二人の寮監さんが私たちの持ち物を丹念に調べました。携帯電話とお金は金庫に預けなければならず、下着は白のみです。

全体的に寮の生活が厳しいにも関わらず、時折目をつぶってくれていました。例を挙げると、食堂《じきどう》では、休憩時間の喫煙が許されました。このルールに驚いたのですが、たいていの喫煙者にとっては、ストレス解消になっていたに違いありません。

一学期の時間割と当番表が配られました。私と鳥取出身の同僚が食当になりました（仁和寺は修行僧が調理をしなければならない唯一の寺です。他の寺には調理スタッフがいます）。食材は週二回届けられます。許可されるリストの中から発注したいものを黒板に書きます。食事はもちろん菜食です。魚、卵、牛乳は例外でした。甘味は小豆のペーストの缶詰のみで、主にお供えのために使われていたのですが、私たちは事あるごとに小豆を注文したので、実際には「小豆」という文字が食材依頼の黒板から消えることはありませんでした。

朝食は伝統的な味噌汁とお粥（米と小麦を混ぜたもの）、昼食はそばかうどんでした。日曜毎に特別に中華麺を頂きました。夕食は天ぷら、新鮮な野菜の

サラダ、炊き込みご飯、変化をつけるために私はドラーニキ（じゃがいものパンケーキ）を作りました。週一回はカレー（固形ブイヨンを使って）を作ることが許可されました。院生達はご飯や麺類の希望の量を言うことができ、個人的な希望も考慮されました。例えば、お粥に塩を足すとか、サラダにトウモロコシを入れない等です。私たちには朝食、昼食、夕食の前に必ずする食事作法があり、あらゆる仏様に感謝をするという大まかな内容です。道場で祀られている御大師様には、朝お仏飯を用意し、昼食後に提げました。般若心経などを唱え、日本では子どもの頃からお馴染みの「いただきます」を言った後、ようやく食事をとることができます。

日課は一日目から確立されました。五時に灯りをつけることができましたが、私たちが起きるのはそれよりかなり早いので、洗顔、着替え、喫煙は、実際は真っ暗な中でした。勤行は学院内の道場で行われました。そのスペースの一部は通常の授業に使われており、机や椅子が置いてありました。畳の上で正座しての読経は二〇分間から始め、それが想像もできないほど長く感じられましたが、一カ月後には丸一時間我慢できるようになりました。読経の後、外へ出て仁和寺の境内のお堂を回り、各々の仏様に大きな声で拝む遶堂（にょうどう）という修行をさせてもらいました。

簡単に説明しますと、真言の教えとしては、「この身のまま仏になる、即身成仏」こと、つまり何回も生まれ変わることなく、この人生で「三密（身口意）」の方法で悟りを得ることです。それぞれの仏（真言には数百の如来や菩薩、天などがおり、その多くがヒンズー教からきています）には、自分の「コード（印）」（手の合わせ方、位置）とマントラ（音の組合せ）があります。これらの仏を真似てマントラを唱え、手を組み、また観想（心の中にイメージする）を行えば、必ずしも次の生を待つ必要はありません。

第一学期及び第三学期の平日には、一回二時間の理論的な授業が日に二回行われました。密教入門、仏教史、書道、サンスクリット語、茶道、生け花（仁和寺には自分たちの流派、御室流があります）です。茶道は、必ず添えて出される甘味を味わえるという喜びがある一方、二時間も日本式の正座をしなければならず、不慣れなために非常な苦痛でもありました。なにより時間が割かれたのは仏教の声楽、「声明」でした。

昼食後は通常、寺の清掃をしました。労働は地獄のように思われました。文字通りすべての筋肉が痛みました。しかしご承知の通り、人間はすべてのものに慣れていきます。

辛くなったとき、私は自分に言い聞かせました。私は自分で率先してここにいるのであり、しかも私たち学院生には、世界的に意義のある場所にいられるという特権が与えられているのだと。実際九世紀末に天皇の命令で建立された寺は、ユネスコの世界文化遺産です。

一六時半、夜の勤行が始まりました。その後再びマントラを唱えながらの「散策」です。二一時四十分から二二時までは自由時間で、その後犍雅《けんち》の音が響き渡ると灯りが消されました。睡眠時間は六時間あります。次の学期が示すように、これは修行僧としては多いほうでした。

毎週末の夜は、仏器磨きをしなければなりませんでした。仏器は光り輝いていなければなりません。作業の時間は短く、寮監達は遅いとか、きちんとしろとか私たちを叱りながら管理していました。

私たちの課題リストには、寺全体の行事運営の手伝いもありました。例えば、四月八日は釈迦の生誕日が祝われました。私たちの寺では、他の多くの寺と同様に、甘茶を用意し、希望する人すべてに配りますので、大きな看板を作る必要がありました。「字が上手いのは誰だ」という質問に、私は名乗り出ました（書道を習った経験がここで役立ちました）。そして、全員が内容を承認してからそれを書いて板に貼り付けました。その間他の人は、もちろん休んでいたわけではありません。釈迦像をご安置する花御堂を作っていました。

一学期は、本格的な段階への準備に過ぎませんでした。修行僧が正式僧侶になるには、四度加行という四段階の行をやらなければなりません。そこで拝む作法、真言の唱え方、印の結び方が伝授されるのです。第三段階は、様々な大きさの木の棒が燃される護摩行です。現在はこれらの材料は工作機械で作られていますが、私たちは伝統的なやり方を習得しました。丸太を切り出し、端を黒墨に浸し乾燥させ、その後斧でいくつかに割っていきました。最後に鉈《なた》で薄く割って仕上げました。毎回およそ五千本作らなければなりませんでした。

五月初旬に近づくと、平日は実際に終日分単位で予定が組まれたので、一五分でも自由時間ができると私たちは集まって護摩木作りをしました。寮監達に「ノルマを達成できなければ、できるまで学院に残ることになる」と脅かされたからです。幸い私たちは七月二一日までにすべてを終えることができました。

真言宗最大の研修道場がある高野山では、毎年何百という僧侶が学んでいますが、少なくとも一五人は途中で辞めているそうです。もちろん、現代の生活条件は以前とは異なっています。電気、ガス、温水シャワーはありますが、実際の修行の内容は変わっていません。仁和寺では毎年平均一〇名が学んでいますが、ほぼ毎回、最初の月で一人二人脱落します。私たちは八名でしたが、一学期の終わりに近づいても誰も棄権するものはいませんでした。

休暇というようなものはありませんでした。夏は自坊研鑽期間というのがあり、二学期の加行に使う次第を小筆で書き写すという宿題がありました。当然、八月はお盆なので自分のところのお参りなど手伝う実践でもありました。

二学期のほうが圧倒的に厳しかったような気がしました。一日に三回、道場で拝まなければなりませんでした。私たちは道場に入るのも出るのも、一緒でなければならないので、誰か終わりが遅いものがいると、皆が正座で彼を待ちました。テキストは漢文だったので、いつも遅くなるのは私でした。仲間に散々言われたのですが、やはり、自分のせいで皆が苦しんでいることを知っていたので、誰かを責めることはしませんでした。消灯後は灯りの無い中で自習することができましたので、休息の時間は更に短くなりました。一日に三座があり、場合によって三～四時間ずつかかるので起床時間は夜中の二時、或いは一時という恐ろしいほどの日もありました。

時には昼間、立ったまま眠り込んでしまうこともありました。夢と現実の境界が消え去りました。更に、まるで自分の映画を見ているかのように、どこか上から自分自身を観察し始めていることに気が付きました。何が起きても抵抗するべきではないと感じました。私は自分を小川の魚のように、流れに従って泳がなければならないと感じました。八人全員同じ服装、行動、思考だったので、この宇宙や身の回りのものと一つになったという感覚が起こりました。「自分」の意識がなくなりました。

二学期には不運な出来事がありました。私は同僚と二人で夕食の準備をしていました。四〇分間で調理、膳立て、そしてできれば食器の一部でも洗おうと、ほとんど飛び回っていなければなりませんでした。彼が、一番火力の強い台に天ぷら用の植物油の入った大きな鍋を置きました。私は野菜を入れようとしたその時、油が燃え上がりました。私は厨房の入り口近くにあった消火器に飛びつきました。彼はその時、火事が起きないように素手で鍋を掴み、外に出て燃えている鍋を投げすてましたが、沸騰した油が身体にかかりました。彼は痛みに唸り、赤い顔をしていました。同僚は救急車で病院に運ばれました。

夕食はご飯だけでした、そして誰も美味しく食べるという気分にはなれませんでした。夜、彼は包帯だらけで戻りました。顔と手はひどい火傷を負っていました。翌日、彼を再び病院に行かせました。熱が四〇度まで上がったのです。彼は、私たちと共に修行を終えることができず、すべてを初めから始めなければならないことを気にしていました。涙ながらに病院で加行をさせてほしいと学院長に懇願しました。医師は禁じませんでしたので、彼は私たちと同じように加行をしました。彼が戻って来て、私たちと同じように一一月二七日に成満できるように、毎夜就寝前に一座ずつをさせてもらうことを受け入れられるかどうか、寮監が私たちに聞きました。当然、誰も異議を唱えませんでした。彼は清掃を免除されました。彼にとって入浴も簡単ではありませんでした。包帯を新しいものに替えるために毎回介助が必要でした。しかし大切なのは、彼が修行課程を成し遂げるという希望を失わないことです。私たちは事あるごとに彼を励ますようにしました。こうして彼は間に合わせることができました。

一一月二七日、八〇日間の途方もない激しい日課の後、私たちを待っていたのは祝い膳でした。甘味の小包も頂きました。二学期中に私たちの親戚や友人たちが送ってくれた差し入れを寮監が保管していたのです。

この日私には、男の子が無事生まれたと伝えられました。出産は一一月一九日でしたが、修行に影響が出ないようにと、この喜ばしい知らせは私には伝えられませんでした（息子はロシアの祖父に因んで湧利《ユーリー》と名付けました）。

一二月一日は、重要な出来事がありました。伝法灌頂という最後の伝授です。早朝から深夜まで続き、クタクタだったのですが、無事に終えられました。

新年には帰宅を許されました。三学期は最も短い学期（六八日間）で、寺での法要の準備と遂行における実践的な技能を伸ばすことに費やされました。これはとても面白いものでした！　翌日、入居後に雪が降り、気温はほぼ零度まで下がりました。寺には暖房システムがないので、いつもひどい寒さに悩まされました。ガスストーブが救ってくれたのは、食事時と授業の時だけでした。皆な予備の下着を準備していました。白いセーターを持っている人もいました。しかし、勤行の時、手はどこにも仕舞えません。皮膚は赤くなり、卒業するまで痛みの感覚は消えませんでした。私のことを「君は本当にロシアから来たのか?」と言って笑いました。白状すると、このように一日中凍えたことは今まで一度もありませんでした。何より待ちに待ったのは就寝前の時間です。布団にくるまって、自分の熱で徐々に温まってくるのです……。

嬉しい瞬間もありました。私たちが卒業生や親戚、或いは友人たちから頂く小包の多くが甘味でした。その一方で、ほんの短い時間で、当然筆でお礼状を書かねばならないことが課題でした。三〇分の時間も見つけることは難しかったので、私たちは「じゃんけん」で「文書係」を選びました。

誕生日には、学院長がケーキとコーヒーを許可して、本物のお祝いをしてくれました。

三月二二日は、卒業式が行われました。修行の終わりに向けて七名が適合し、一人一人に、僧侶であることを証明する一〇以上の正式な証明書、様々な教科で学習を修了したことを証する卒業証書が授与されました。

私は、世界を別ものとして感じるようになりました。私にとっての世界は、新しい色、匂い、音で満ちています。この貴重な体験のお陰で、私は再び、私たちの住んでいる世界がどんなに素晴らしいのか、真の幸福を得るために人間に必要なものがいかに少ないのか、そして、人間をいかに不要なものが取り巻いているのかを感じました。

仁和寺に残ってはどうかと言われましたが、自分の寺に戻ることに決めました。私を育ててくれた寺とは大きさでかなり負けていますが、その代わりにここでは、スタッフでもある家族一人一人の努力が、いかに寺に有益であるかをはっきりと感じることができます。私たちの一日はだいたい朝六時の開扉、開門、ゴミ集め、庭仕事から始まります。住職の指導のもと、読経と様々なテーマで懇談をしながら、毎月檀家さんの家々を回っています。

寺は定期的にコンサートや蚤の市の広場になります。仕事には満足しています。家族は傍にいますし、この国で自分がよそ者であるとは感じません。もちろん、時には儀式を他国の人間が行うことについて保守的な日本人はどう評価しているのだろうと考えることもあります……。しかし実際、現代日本はあらゆる分野の仕事で外国人を魅了していますし、その上、仏教では寛容を説いています。

僧侶生活の喜びを味わいたい方は誰でも私たちの寺で、一日でもこれを実現することができますので、是非いらしてください。

御身大切に、心に感謝をもって生活してください。

（翻訳　小川久美子）

日常的に日本人とコミュニケーションをとることで、日本人ならではの面白い発見がたくさんあった

エカテリーナ・イワノワ
株式会社ソシオネクスト社員
東京

日本人の国民性について数えられないぐらいの本や記事などがある。その膨大な量の資料により、「結局、なんで日本人はこんなに日本人なのか」という問いかけに多くの外国人は明確な答えを出すことができないだろう。このエッセイは既に存在している日本人の国民性についての答えを出すものではない。日本人の国民性の謎は未回答のままの方が魅力的でさえあると思っている。

日本での生活を通して、日常的に日本人とコミュニケーションをとることで、日本人ならではの面白い発見がたくさんあった。そこで私はその面白い発見をメモすることを習慣づけた。本エッセイにて日本人について私が気づいたことを共有できればと思う。

繊細さについて

日本人の繊細さについての思い出は子どもの頃にまで遡る。私の祖父は仕事の関係でよく日本に行くことがあって、お土産として私に玩具や、お菓子などを持って帰ってきた。そのお土産の包装の細かさに非常に驚かされた。小さいキーチェーンなら三枚の袋でラッピングされており、マグカップならプチプチのラッピングの次に普通の紙があり、それをまた綺麗な紙で包んで箱に入れてあり、更に柄つきの紙袋に包まれその上にリボンが付いていた。お菓子の包装の場合だと、全部の袋を開けたら、やっとお菓子を食べられると思ったのに、お菓子は一つ一つ個別の袋に入っていた。その袋を開けるために、開け口に線があって、そこを引っ張るとやっとお菓子を食べられる。ちなみに、私には日本のキャラメルはロシアのキャラメルより滑らかに感じられた。

日本人は昔から細かいことに気が付くと思う。昔から花、木、露、雲などの日常生活に囲まれた一般的なものの美しさを見つけることができた。子どもたちは自然を敬うよう教えられて育てられてきたし与えたれた仕事を完璧にこなすよう教えられてきた。日本人は間違いなく完璧主義者である。

友達と宮島へ旅行した時に、小さなうちわ屋さんに入った。可愛いうちわを二つ選んで、お会計の方に向かった。そこにはおじいさんが座っていた。多分、うちわ屋さんのオーナーだったと思う。二つのうちわをラッピングするのに一〇分ぐらいかかった。もちろん、お年なので機敏にラッピングできないだろうと思いがちだが、彼がやった包み方は外国人の私たちにとって昔の芸能のように見えた。単なるうちわではなく、宝物をラッピングするように、紙を切る前にちゃんと長さを図ったり、サイズにぴったり会う袋を選んだりする様子を私たちは見ていた。

腕時計を買った時に、もう一つ面白い事があった。時間をかけて様々な腕時計のモデルを選んでいたが、二つのモデルのどっちにするか迷っていたところだった。私が迷っている様子を見て、「こちらの時計でしたら年間に約五秒の遅延だけです」と店の人は言った。「そちらのモデルは（それを言ったとたんに自分が悪かったように眉をひそめた）年間に約一五秒の遅延があります」と店員が言った。自分の人生の一〇秒でさえも無駄にするのは許されないことだと思ったので、最初のモデルを選んだ。私がお会計を済ませた後、店の人は日本のどこの店でも同じように店の出口で商品を渡すために私と一緒に出口のところに向かった。店はエレベータと近くだったので、店の出口ではなく、直接エレベータまで私を見送った。しかし、エレベータを待っていた人が多かったし、エレベータもなかなか来なかったので、階段を下りた方が早いだろうと言われて、私と一緒に階段を下がり始めた。店員は腕をまっすぐ伸ばし丁寧に私が買った商品を持ちながら六階から一階まで降りた。私は最初、店員の変な歩き方を可笑しいと思ったが、下りるまでに結構時間がかかったのでわざわざ私のために一階まで見送ってくれていることに対して少し恥ずかしくなった。デパートの一階の出口まで来たとき、聞いていなかったのに駅の行き方まで教えてもらった。

私のようなロシア人には、客に対して全ての要求に要求以上に答えるという、こうした日本人の振舞いにはなかなか慣れないものである。

綺麗さは第一

日本人は自分の身の回りを清潔に保つ。日本人は限られた面積で暮らしているので、仕方なく整理整頓を徹底するのは理解できる。しかし、日本の隣国で同様に限られた面積で暮らしている韓国でも道などは綺麗である。さらに小さなシンガポールでも綺麗である。綺麗だが、やはり、日本のほうが比べものに成らないほど綺麗である。最初に日本に来た頃に、外はどこでもシャンプーの匂いがすると感じた。店の前に洗剤を使ってアスファルトを洗っている店員を見かけて、「だから、シャンプーの匂いがするのか」と思った。夜遅くに、自分の店を片付けて、綺麗にする店員をたくさん見かける。その人たちは分別されたゴミを捨てて、朝になったら、そのゴミはもう片付けられてしまう。

ゴミの分別について一言を言いたい。外国人は、五種類のゴミ箱が並んでいる光景をみてびっくりする。「このゴミをどのゴミ箱に捨てればいいのか」と思ってしまう。しかし、ゴミの分別にもすぐ慣れて、ゴミ箱が一つしか設置されていない所でも自動的に他のゴミ箱を探してしまう。しかしながら、町の中にゴミ箱を見つけるのはミッションインポッシブルである。理由はいろいろあるが、大抵の場所にゴミ箱は設置されていない。それでも、ポイ捨てをする人はあまり見かけない。それでお菓子の袋などの小さいゴミをポケットに入れて、ゴミ箱が現れたら捨てるという習慣に慣れていく。

だが、日本人は理想的な掃除好きの国民達であると考えるのは間違いである。ほとんどの日本人はポイ捨てをしないし、自分の店を綺麗にしているが、家の掃除を皆が好きわけではない。それは、どこの国民でも同様だと思う。縄文時代から残っている貝塚みたいに散らかった日本人の家にいったことがある。それでも、家主はその散らかった家から必要な物の場所をすぐ探し出せるのには驚かされた。

日本人の身だしなみについて一言。傷が付いている汚い服を絶対に着ないが、しわしわの服は全く問題ない。しわしわの服は仕事が凄く忙しくてアイロン

をする時間さえないものであると解釈される。私がいつもアイロンをかけるのを知人の日本人が聞いたらとても驚いていた。

日本人の親切さについて

　親切さは日本人の国民性について話す時によく説明として出て来るキーワードである。日本人はいつも親切な笑顔をして、お辞儀をしている人たちである。ところが、サービス分野で働いている日本人の笑顔とアメリカ人のそれとは違う。アメリカでは三二個の歯が見えるような広い笑顔をしているが、日本人はちょっと恥ずかしいような笑顔をする。日本人の笑顔は建前だという話がよくある。ロシアでは理由なく知らない人に笑顔する文化がないから、日本人の笑顔は建前からくるものであると感じる。もちろん、羽田空港のインフォメーションカウンターで働いている日本人は本当は他人のことはどうでも良くて、自分の考えや悩みなどがいっぱいあるのに、それを相手に見せるのは絶対失礼だし、カウンターに質問に来た人を案内するのが仕事だから、笑顔を見せながら親切に対応してくれる。日本に長い間いると自分でも笑顔を作るようになるし、お辞儀をするようになる。なぜ笑顔を作るようになったのかと良く考えてみると、単純に周りの皆は親切に対応してくれるので、自分も少しでも相手に親切に見えるよう笑顔を作る事になってしまうとわかる。

　日本に住んだことがある外国人は間違いなく日本人の優しさと親切さの例が沢山思い浮かぶだろう。私が思い出すのは、日本人が困った人に手を差し伸べていた出来事である。用事があって、東京の郊外に行くことになった。その帰り道に近道だろうと思い道を曲がって一五分後迷ってしまっていることに気づいた。帰ろうと思ったが、周りに人家と畑しかないようなところだった。電車の音も聞こえないし、車も通らない。その上、携帯の電源が切れてしまって、外は暗くなっていた。道を聞く一人も周りにはいなかった。しかし、すこしさ迷い歩いた後、角から高齢のおばあさんが現れた。道を聞くためにそのおばあさんのところに

走った。おばあさんはこんな田舎にいる外国人の女の子がいたことに驚いたと思うが、自分の驚きを抑えて、私に道を教えた。お礼を言って、私はおばあさんが教えてくれた道に従い駅に向かった。しかし、かなり歩いても駅が見えてこなかった。そのおばあさんはきっと間違えたのだろうと思い始めたときに、誰かの声が聞こえた。振り向いたら、お年寄りが出さないはずのスピードで私の方にさっきのおばあさんが走ってきた。やはり、おばあさんは駅までの説明を間違えて、駅まで案内すると謝罪した。そのおばあさんは自分が間違えたと気付いても走って私を追いかけない選択肢もあったが、それは日本人が困った人に与えない態度である。

念には念を入れて

日本人は実際の行動をする前に、何回も確認する。確認してからやるというのはロシア人と日本人の間での一番大きな違いだと思う。仕事にしても、日常生活にしても、日本人はいつもマニュアルがある。日本人はマニュアルや説明書の作成のマスターである。例えば、電動歯ブラシの説明書を見たら、使い方を説明する項目が五〇箇所ほどある。第一項目には、「これは電動歯ブラシです」のような当たり前の文書が出る。

日本の生活はきちんとスケジュール化されている。電車の時刻表を見るだけでわかると思うが、八時四三分、一五時二一分、一三時五九分などの四捨五入されていない一分単位まで細かい時刻表示は他の国では見かけないだろう。駅に一分でも遅れて到着すると、電車はもう行ってしまう。日本の大学に留学したときに、最初のクラスから最後のクラスまでのこれからの全てのスケジュールが一番最初の授業で配られたことが不思議だった。例えば、日本語の文法の授業のスケジュールには「九月一五日（月）九時～一〇時半　〇〇テキストを読む（二六行～四一行）、文法（第七章～第一二章）、練習（三三～三四ページ）、作文の提出締め切り　一〇月二〇日（水）一三時五九分」などの細かいプランがあった。もし、時間がなくなってスケジュールに書かれている文法をカバーできなかったり、テキストを四一行までではなく四二行までに読んでしまったら、何かなるのかと私はずっと思っていた。しかし、日本にはスケジュールに対する「もし」がない。スケジュールがあったら、それを守るべきだという考え方である。

一緒にご飯を食べに行くために二ケ月後の一五日の土曜日の夜は空いているのかと日本人の友達に聞かれた時、

こんなに前もって聞くのはとても不思議だと私は思っていた。「空いているよ」と答えると、相手は手帳を開いて、二ヶ月後の二五日の土曜日の夜に私と会うということを書いた。私が気づいたことは、ロシア人の場合は手帳に書こうとは思わない「クリーニングへ行く」や「ミルクを買う」などの些細なことでも書きこまれていたことだ。日本に住んでいて、分かってきたことは、自分で作ったルールに従い住むのは日本人にとっての安心である。外国人はそのルールを自分の自由を限られている制限のようにしか捉えないが、日本人にとって、そのルールは住んでいる道を示してくれる目印である。

一方で、企画した通りに物事が進まない場合は、日本人はすぐ迷ってしまう。その場ですぐ答えを出して、クリエイティブな考え方をする場面には、日本人は混乱してしまって何をすればいいか分からなくなる。日本人の友達と飲みに行ったときに、家にコルクスクリューが無かったので、私はナイフでワインのコルクを開けた。日本人はそれにとても驚いて、写真とビデオを沢山撮って、それはロシア人の特別なスキルなのかなどと聞いてきた。だが、ナイフで開けたからコルクがビンの中に入ってしまったので、その開け方のデメリットだと言われた。デメリットではなく、ロシア人は開けたビンをその日に全部飲み終わるので問題ないと私は言った。外国人の私にはそれは問題ない行動だったが、日本人だったらちょっと失礼な行動かもしれない。

最後に、一般的に国民性について議論をするなら、日本人の国民性について誇張された点がもちろんあるかもしれない。日本人の国民性を全部持っている教科書のような日本人はいないだろう。それにしても、日本人は外国人が持っているイメージとある程度似ていると思う。当然ながら、各個人ごとに性格が違うし、日本人の国民性と全く似ていない日本人もいるだろう。しかし、日本人のことをよりよく理解するため、さらに自分のことを日本人によりよく伝えるため、日本人の国民性について少しでも知っておくのは役に立つだろう。

（本文日本語）

撮影　ダリヤ・チューピナ

エレーナ・イコンニコヴァ

『ママが書いたリーザの日記』（2011）、
『新リーザの日記、または再び日本』（2013）著者
ユジノ・サハリンスク

娘はその後成長してゆく「またいつか日本に帰ってくるの？」

二〇〇九年九月二五日、金曜日

さあこれから、リーザのフェリー旅が始まる。キャビンをくまなく見回し、リーザは他の場所の探索をはじめる。甲板、操舵室……。甲板の上にある低いついたてを飛び越えようと試みる。怖い……でもそのかわり、ほぼすべて学習済みだ。見て、触って、写真も撮った。六歳のリーザがついに日本に渡航する証として。もちろん、一人ではない。ママと一緒だ。キャビンに戻り、リーザはいったい「ベントウ」とは何なのか、見てみることにした。ママは弁当について教えたけれど、小さな女の子は実際にそれがどういうものか、まったく見当もつかなかった。

それは、ごく単純なものだとわかった。食べ物の入った箱で、きれいに整えられ、すぐさま料理法の分析に駆りたてられる。リーザのアレルギーは、弁当に次のように対処するよう主張している。オレンジジュース、すなわち禁止。魚フライ、禁止。ひとかけらのチーズ、なるべく控えるように。これは菓子パン、どうやら中に卵の粉末が入っているようだ。女の子は雪のように白いフワフワのパンのかけらにイチゴジャムを搾り出す。なんて美味しいの！

面白かったのは、フェリーの売店だった。ジュヴァチカと色とりどりのカラメルが売られていた。奇妙なことに、ママはなぜか何でも買っていいと言った。もちろん、自分で買うわけでないけれど……。売り子は、一〇分ほど（あぁ、言いようのない程長い！）リーザにとっては初めて響く文言で話し通しだった。このカラメルは「アメ」、ジュヴァチカは「ガム」だとわかった。子どもの夢を注文するためには、それぞれの言葉に「を」と丁寧語の「ください」と付けなければならない。キャビンから売店までの四メー

トルの距離を克服した後で、リーザは自分で「アメをください」「ガムをください！」と言わなければならなかった。ママは、こうして言語に興味を持たせようと決めた。リーザは、新しい言葉を必ず覚えなければいけないことを自分でも分かっていた。なぜなら、ママには「アメ」も「ガム」も必要なく、ママはそれを身体に悪いと考えていたからだ。

さて、とうとう売店にやって来た。あの禁断の「アメ」も「ガム」もある。リーザは、売店で娘が一人でお菓子が買えたことにママはさぞかし喜ぶだろうと思った。その二日後になってリーザは白状した。売り子のところに行くと、ママが教えた言葉を忘れてしまい、単に欲しい商品を指差したことを。にっこりと笑いながらピカピカのお札を差し出した。手にした買い物を実感すると、サハリンにいた時に覚えた「ありがとう」という言葉をすっかり忘れてしまったので、キャビンで落ち込んでしまった。ましてや、相手に対してより大きな感謝を表現する「どうも、ありがとう」となればなおさらだった。心の中では「どうも」「ありがとう」としっかり言ったので、実際には信じられないほど幸せだった。日本への旅は大きな白いフェリーに乗って、ほっぺにアメを含んで青い海（ある作家の子ども向けの本『青い海、白いフェリー』のようだ）を行く、これぞ本物の「どうもありがとう」だ。

二〇〇九年一一月三〇日、月曜日

朝、リーザは幼稚園に出かけた。いつものように、「イルカ」「スイカ」と書かれた脱衣所で服を脱ぐ。（幼稚園の先生は「イルカさん」「スイカさん」という呼び方で子どもたちを呼び寄せるのだが、一方の子どもたちは「ここです！ここです！」というフレーズを唱和し答えなければならない）。そういうわけで、リーザは上着を脱ぎ体操ズボンを履き替え、「いちご組」へ向かった。

ここでママは「向かった」と書いている。しかし実際は、リーザは走ってグループに飛び込み、ひざをついて座っていた先生の肩を思い切り叩いたのだ。なんて馴れ馴れしいことをするの！ママはこの様子を見て怒ってとびだした。が、当の先生は何も気にせず動じることすらない。これこそ、子どもたちには何でも許容することを意味していた。子どもたちは努力もしている！ママはリーザを見てそれがわかっている。でももしリーザがサハリンの幼稚園に戻り、先生のアレクサンドラ・ゲンナージエヴナに敬語で「こんにちは」と挨拶せずに、肩をたたいたりしたらどうなるだろう？

こうした軽率な行動にもかかわらず、リーザはさらに成長を遂げていた。娘は初めて覚えた言葉を読めるようになったのだ。ロシア語ではなく日本語だけれど。ママは以前、日本語の文字を遠慮がちに娘に見せては、その発音を口にしていたのだ。さらに、ママの生徒カーチャがリーザに母音をいくつか教えた。そして、覚えた文字で「あおい」という単語を作った。月曜日の夜は文字が書かれたカードを並べてママが「エニワ」*という言葉を作り、リーザは読んだ。ママはこれらの文字からさらに二つの単語を考え出した。「え」（絵）と「にわ」（庭）だ。この二つの単語もリーザは読んだ。さらにママが、「にわ」の文字の位置を入れ替えて「わに」（鰐）が出来あがった。そして、この単語をリーザはやすやすと発音した。その後も新しい文字でできた別の単語が次々とびだした。「いす」「りす」「て」……。

ママはお勉強の努力に対してリーザにアメのご褒美をあげた。アレルギーを起こさないように、添加物無しの砂糖シロップからできた透明のアメだ。これがリーザにやる気を起こさせ、ベッドに入ってこう言った。

「もう完璧よ！　そろそろ漢字のお勉強しましょ。ママより早く覚えるわよ……」

後半の発言は、日本語の勉強が足りないママに対する態度だ。ママはとても難しい漢字が書かれた面白いカードを沢山買い、図書館では問題集を沢山借りた。ママは漢字を学びに学んだ。書いては発音をして、町を歩く時は知っている表現を探した。しかしいずれにせよ、あの禁断の高みには程遠い。家にあるママの本はゆっくりゆっくりと読まれていった。

ついに、ママは児童文学をものにした。この種の本には、あまり難しい漢字はなく、漢字の上には平仮名で必ず読み仮名が書かれている。こうして、ママは児童文学作家の神沢利子《かんざわとしこ》さんの本をすでに何冊か読んだ。この女流作家は幼少時代を樺太（サハリン）で過ごした。そして今やおばあさんになり、かなりの老齢になっても自然や動物を題材に子ども向けの本を書き続けている。数年前に、樺太の思い出を伝える本が出た。わからない漢字が沢山ある。ママは本のページをめくり、真剣に勉強に取り組むよう自分を鼓舞しようとしていたのだ。そして他者の成功と自分の勉強を比べてみる。日本のニコライ大主教、ジョセフ・コンラッド、ヨシフ・ブロツキー。賢人の努力に劣ることを自分に許さなかった。

*北海道南部の恵庭市。ここで主人公リーザは「こすもす保育園」に通い、ママは北海道文教大学の研究プログラムで働いていた。

二〇一〇年二月七日、日曜日

一日一日はあっという間に過ぎてゆく。リーザとママはもうすぐサハリンに帰らなければいけない。少し悲しい。リーザとママの日本生活は穏やかで規則的だった。でも今日は二人の遠足だ。リーザとママは恵庭をバスでまわっていた。とても役に立つ、お金のかからない勉強なのだ。全部でたったの二千円で一時間以上ほぼ人のいないバスに乗り、恵庭のルートのひとつを一周できるのだから。まあ、ここには、リーザとママがまだ行ったことのない、なんとのどかな場所がたくさんあるんでしょう！ いつかここに戻って来るのかどうかは、誰にもわからない。

ところでつい数日前、広田先生が覚えたロシア語「スト」（一〇〇）をママに自慢しながら、リーザがいないと寂しくなる、と言った。リーザが帰国するからだ。娘はその後成長してゆく。「またいつか日本に帰ってくるの？」「その時は幼稚園に寄ってくれる？」と聞く先生に、ママは、リーザが何年も「こすもす」** に来られなくても、必ず絵葉書を送ります、と言って慰めた。

2010年　札幌

この会話でリーザのママと広田先生の話は終わった……。

でも、ふたりの心はやはり悲しい。悲しいけれど楽しい。だって、人生には人が好感の持てる良い人とお別れすることが往々にしてあるんだもの。永遠の別れ。こうして、ふたりが互いに前へ前へ進んでいるとしても、二度と会うこともない、リーザの本の主人公のように。前進あるのみ、でも交わることはない。でも、人生にこれ以上の慰めはあるだろうか。どこかすぐ近くで（あるいは遠くで）素晴らしい人が自分の道をまっすぐ突き進んでいることを知る以上に……かつてあなたの人生で出会ったことのある人。その人は歩みを進め、そのまっすぐな道でさらに新しい人たちに出会ってゆく……。この人は心の奥深くで出会った人を覚えている。そういうわけで、時や距離を越えて、この人たちはいつもそばに、一緒にいる。

はたしてママは日本語で広田先生にこのことを説明する

＊＊　この後2、3回リーザは北海道を訪れ必ず保育園に行ったが、短期間と思えたその間に職員が替わっていて、広田先生には会えなかった。

のだろうか？　いや、しない。同じく広田先生もリーザのママのことを考えている。しかし、二人の女性は互いに見つめ合い、さらに共に歩まねばならないことを理解しているのだ。

二年後の日記のメモ
二〇一二年三月八日、木曜日

今日は本当の緊急事態が起こった。学校が終わった後にいつも待ち合わせをしている場所で、リーザとママは互いの姿を見つけられなかったのだ。学校から家、そこからママの職場までの道のりは長いけれどほぼ一本道だ。ママとリーザが行き違うことはほとんどない。例外があるとすれば、誰かが二人のうちどちらかを違う方向に向かわせた場合だけだ。でもこの時は、まったく偶然起きた。ママが職場で少しもたついてしまい、一方のリーザは、三月八日が重要な日（ママの講演）だと分かっていたので、ママに会うためにいつもより速く歩いていったのだ。しかし、いつもの場所にママの姿がなく、リーザはママの同僚の家の方に方向転換した。ところが、すっかり落ち込んだリーザは違う人のドアのチャイムを押してしまったのだが、誰も出なかった。それでますますリーザは悲しい気持ちになった。

一方ママはこの時、道を急ぎ家にも寄った。しかし、そこにリーザの姿はなかった。リーザはほぼ泣きながら一人で大学のバスに乗っていた。大学に着くと、キャビネットにもママの姿はない。鍵がかかっていたのだ。

ママは越野おじさんに電話をして、三階（ママのキャビネットがある）にリーザがいないかどうか、またはリーザがよく行く、糊やら紙やらで何かを作って遊ぶ管理室にいないかどうか、確認してもらうよう頼んだ……でもリーザはどこにも姿を見せていなかった。ママはさらに走り出し、途中で、大学キャンパスの北側の入り口にいる当直員に、ロシア人の女の子を見なかったかどうかたずねた。「見てませんよ！」とあまり若くない男性は答えた。大学のバス停近くにある、当直所にいる他の人にリーザのことを聞いてみることにする。もしかすると、リーザが来たかもしれない。もし否定的な答えが返ってきたら、その後で学校に電話をしよう。もしかすると、リーザは朝学校に行かなかったのではないかしら？

ママは、日本語で正しく質問をするために、なんとか考えをまとめた。本当に通じるだろうか？ママは当直員を見つめ、およそ次のように言った。「キョウ……オンナノコ……ジャナクテ、ワタシノムスメ……ショウガクセイ、イチネンセイ……ああ、どうしよう（これはもうロシア語で発してしまった）、ゼンブ、ミズイロノフクヲキタコデスガ……キョウココニキマシタカ？」ママの言葉には、過去形も未来形もごちゃ混ぜだった。しかし、この過去と未来の間に全人生がおさまっているのだ。リーザが生まれた時に産声を上げた時から、そしてママが全く予期せず、「ママ！おめでとう！だって今日は三月八日でしょう！」と言ってくれた今日の朝まで。それなのに……。「いました、いましたよ。一五分ほど前にバスに乗ってキャンパスの北側の方へ行きましたよ。いま、娘さんが乗ったバスの次に、二台目のバスが来ますから」当直員がそう答えてくれたのだ。

かつて、日本語がこれほど明確に、これほど分かりやすく響いたことはかつてなかったからだ！一言一言が……。呼吸を整え、越野さんに一刻も早く電話をしなければ、と理解する。ママが「発信」ボタンを押す前に電話が鳴り始めた……。越野さんが、リーザが見つかったと言ってくれた。その後受話器に聞こえてきたのは、リーザのとぎれとぎれのすすり泣きだった……

これについては、一瞬、ママにもう二度と会えないと思った、と後にリーザはママに説明した。そしてママにも同じように思った瞬間が何度もあった。もし、リーザがバス停にいたという当直員の言葉を聞かなかったとすれば、その瞬間に心臓はその動きを止めてしまっていただろう。だって、ママの心はいつもリーザとシンクロしているから。いつもそうだ。リーザが幸せな時もふさぎ込んでいる時も、ママに腹を立てている時でさえも。だからママはリーザに何度も言う、ママにとって（パパにとっても）一番大切なことはリーザがそばにいることで、健康で、身の回りで起こる出来事すべてに娘が喜びを感じることだと。

もちろん、ママの講演は行われた。やらないわけにはいかない。落ち着いて振舞うよう努めた。変わらぬ声の調子で話し、テキストは事前に準備していた。セミナーの後で、

まだ聴衆が帰りきらぬうちに、リーザはママの懐に顔をうずめて、しばらく立ちすくんでいた。微動だにせず黙ったまま。……「見つからないなんて、もう嫌だからね！」とだけママに言った。その後の日々も再び楽しく過ぎた。パパとリーザの弟が帰ってくる日まであと少しだった。

今日、パパとリーザは郵便局に寄った。暇つぶしの好奇心からではない。リーザの家族では、新しい場所へ行った者は必ず家に絵葉書を送るしきたりになっているのだ。だからママとリーザは日本から何度も様々な手紙を送った。リーザの担任の先生にも、仲のいい友達にも、おばあちゃんにも、そしてもちろん家にも。今は家族の大部分が札幌にいて、ヴィーチャはひとりサハリンで寂しがっている。だからパパとリーザは郵便物を用意している。ヴィーチャへの手紙と共に、日本の住所を書いた返信用封筒と、他の人に送る封印した封筒も入れて……。人は電子メールでの手紙のやり取りに慣れてしまった。そのために生活はダイナミックになったが、何か別の、もっと大切なものが失われている。差し出し人の手書きで、どこの町から送られたかがわかる郵便局のスタンプと切手（特別な記念切手などもある）のついた手紙を受け取るのは嬉しいものだ。こうした手紙は、電子メールとは違って長く手元に残され、何度も読み返されるからだ。

（翻訳　樫本真奈美）

鳥取県と沿海地方は 1991年に友好交流に関する覚書、2010年に「友好交流協力協定」を締結しました

井上　智幹

鳥取県観光交流局交流推進課
ロシア交流担当係長

　鳥取県日ロ協会が中心となり、平和を願いウラジオストク市に建立した平和記念像が二五周年を迎えたことに併せ、日本とロシアの交流関係者が記念誌を発刊されますことを心よりお祝い申し上げます。

　鳥取県は日本海を挟んで沿海地方の対岸に位置し、大陸との交流の表玄関に当ります。渤海国の遺跡がウスリースク郊外にありますが、両岸は古くから交流がありました。

　両国が対立した時期でも、日露戦争の日本海海戦後、岩美町に漂着したロシア軍将兵の遺体を住民が手厚く弔ったという逸話があります。その後、一九六二年、同町出身で日本国初代国連大使の澤田廉三《さわだれんぞう》氏が慰霊碑を建立し、現在でも定期的に慰霊祭が行われています。

　東西冷戦後、日本海は、「対立の海」から「友好の海」になりました。一九九二年一月、ウラジオストクは外国人に開放され、二〇一二年のAPEC、近年の東方経済フォーラム開催を経て、ロシアの「アジア太平洋への窓」となっています。近年のビザ緩和で日本とも往来が活発になっています。

　鳥取県は、人口は五六万人と多くありませんが、多くの宝物に恵まれています。日本有数の名峰・大山、鳥取砂丘、ジオパーク、温泉、白砂青松の海岸という自然の恵みに加え、スキー、スノーボード、乗馬、トレッキング、ウォーキング、カヤックなど、体験型アクティビティの人気が高まり、国際リゾートとして認められています。読者の皆様も是非お越しください。

　鳥取県と沿海地方は一九九一年に友好交流に関する覚書、二〇一〇年に「友好交流協力協定」を締結しました。

日ロ友好協会沿海地方支部の御協力もあり、両地域の間には多様な交流が根付いています。

　ロシア極東地域の皆様とは、サッカー、柔道、囲碁等で交流しています。また、青少年エコクラブ同士が往来し、相手の取組を勉強しています。鳥取県で研修を受けた極東在住の若者が、鳥取県サポーターとして、鳥取県の広報やイベントの手伝いをしてくれています。こうした両地域の顔の見える交流が続いていくことで、日ロ両国の絆がさらに深まるよう努めてまいります。

鳥取県境港

　鳥取県と沿海地方は、共に政治の中央から遠いものの、相手国にとっての玄関口です。相互に協力し、魅力を高め合い、今世紀の世界の中心地であるこの北東アジアで共に発展していきましょう。

境港の水木しげるロード

ロシアの偉大な詩人が詩の原点に思いを馳せた時、それが遠い日本の詩歌だったことに、喜ばしくも、やるせなかった

樫本　真奈美

同志社大学、関西大学講師
神戸、横浜

もし私がロシア人だったら、「マリーナ」という名前がいい。大好きな詩人ツヴェターエワと同じ名前だから、というだけでなく、私は子どもの頃から海《marine》に縁が深い。両親は淡路島出身、育ちは港町の神戸、そして今、港町横浜にも住むようになった。留学先はペテルブルグ、最近はウラジオストクとの縁ができた。

マリーナ・ツヴェターエワ（一八九二―一九四一）は、現在ロシアで最も愛される詩人のひとりであり、最も過酷な運命をたどった詩人でもある。

一九一七年のロシア革命、それに続く内戦と、否応なしに時代の波に飲みこまれていった。一九二二年にソ連を出国し、ベルリン、チェコ、パリで約一七年間の亡命生活を送るが、経済的基盤を失った元ロシア貴族で、ましてや詩人が、外国で生計をたてるのは簡単なことでなかった。しかし、厳しい時代に翻弄されながらも、「生きること」は「書くこと」と意味を同じくし、言葉の可能性を探求し続けたツヴェターエワは、いかなる状況でも詩作を止めなかった。

一九三九年、ソ連に帰国するも、「反体制」詩人とされたツヴェターエワに作品を発表する場はなく、家族の逮捕や第二次世界大戦の影響で困難な生活を強いられた末に、帰国から二年後、疎開先エラブガで自ら命を絶つ。

帝政ロシア生まれ、モスクワっ子のツヴェターエワには、詩人としても、ひとりの人間としても、ソ連での居場所はどこにもなかったのだ。その後ソ連では、六〇年代の「雪解け」の時代に名誉回復がなされるも、ほぼ半世紀にわたり不当に抹殺されていた。ソ連崩壊後は、詩集や伝記、

評論が次々に出版され、圧倒的な個性と言葉の力に多くの人が魅了されている。

私がツヴェターエワを知ったのは、二〇〇三年まで神戸市外国語大学のロシア学科で教鞭をとっておられた、渡辺侑子(旧姓 安井)先生の影響によるところが大きい。「ロシア文学が好きで、好きで、たまらなかったの」と、ソ連はモスクワに留学していた頃の話をしてくれた、優しい笑顔をよく覚えている。侑子先生の著作『青春 モスクワと詩人たち』(晶文社、一九八七)や『ペテルブルグ悲歌 アフマートワの私的世界』(中央公論社、一九八九)を読み、激動の時代に生きた芸術家たちの過酷な運命に心を震わせた。それと同時に、難解な「言語芸術」を自分で読み解いてみたい、という強烈な好奇心と欲求が生まれた。それからはもう、「なんでも見てやろう」の小田実的精神で、神戸外大図書館にある二〇世紀初頭の作家、詩人を中心に、ロシア文学の世界にのめり込んでいった。特に、「書くこと」「記録すること」が直接「死」に繋がるような社会的背景にあっても、言葉の力を信じて自らの言葉を紡ぎ、詩的言語を探求し、時にはその理解を後世の人に託すこともあった、そんな詩人や作家たちにとてつもない生命力と人間性を感じ、シンパシーを覚えた。たとえ同時代の人に理解されずとも、その命が尽きようと、生き続ける言葉に全てを託した人たちがいたのだ。

遂に、私はツヴェターエワをテーマに卒業論文を書こうと決め、侑子先生が退職されるのと同時に休学をして、ロシアに渡航したのだった。思えば、当時は就職氷河期で、そのメリットの無さから、ロシアなんぞにロシア語、ましてやロシア文学を学びに行くという人はいなかった。周囲から見れば、就職戦線を離脱して自暴自棄の放浪に出たなという程度にしか映らなかっただろう。ちなみに、侑子先生のお父様は、国際法学者で平和運動家の安井郁さんで、一九五八年に国際レーニン賞を受賞された。その際、侑子先生が受賞スピーチの通訳を務めたことがきっかけで、フルシチョフから留学の許可が出たという。また、明治時代の神戸の国際化に大きく貢献した三

1958年9月　レーニン賞授賞式　右にエレンブルグ、侑子先生

田藩主、九鬼隆義の末裔であるお話もよく伺った。白系ロシア人で、神戸のチョコレート製菓店「モロゾフ」（後に「モロゾフ」は手放し「コスモポリタン製菓」に）の創始者、ヴァレンチン・モロゾフ氏と親交が深く、九鬼子爵であった侑子先生の御爺様がチョコレートを愛好されていた頃からのご縁だというから、三田の御姫様がロシア文学の傑作を次々と翻訳、日本に紹介されたという事実に胸が躍った。今まで、共通の友人ロシア人とは、「ユウコヒメサマ」と呼ぶのが習慣になっている。

ツヴェターエワ愛好家にとってはもはや聖地ともなったタタルスタン共和国のエラブガでは、不定期でシンポジウムが行われている。二〇一四年、私は初めてこの地を訪れた。息子と二人で間借りしていた最期の家は博物館になっており、すぐ傍には詩人が愛したナナカマドの木が大きな赤い実を揺らしていた（ロシアのナナカマドは葉も実も日本のものよりも大きい）。参加者全員で墓地を訪れ、私はツヴェターエワの詩をひとつ翻訳し、日本語で朗読した。ロシア人の耳に心地よく響くよう、言葉選びや押韻にもできる限り気を配った。後に、シンポジウムの一環でツヴェターエワの作品を題材に独白劇を行ったある女優さんが、「日本語はとてもきれいな響きだった」と感激してくれたので嬉しかった。

「百万本のバラ」の作詞詩人ヴォズネセンスキーと侑子先生　1988 年　奈良にて

ご主人の渡辺雅司さん（左）、大江健三郎さん（中央）

かつて詩人も歩いたであろう道を歩きながら、ツヴェターエワが過ごした最期の日々に複雑な想いを抱いた。貴族出身、亡命ロシア人、反体制という、幾重ものレッテルによって、ソ連体制になった田舎の地で彼女に救いの手を差し伸べる人はほぼ皆無だったのだ。孤独と極貧の極限状態にあり、道端に落ちていた玉ねぎを拾っていたという証言もあると聞いた時は、胸が締め付けられた。こうした「孤独地獄」の中で、ツヴェターエワは死の直前にふと、しばらく詩を書いていないことを思い出し、驚くべきことに当時の日記の中で日本の詩歌に言及している。

思いついた、「アヂノーカ　カク　サバーカ」（「犬のように孤独」の意味 筆者注）……詩人であることの証……「オーカ　アーカ」……

自然に生まれる（偶然なものなど決してない）音、揺るぎない音、おそらくすでにそれだけでも意味がある。「アヂノーカ　カク　サバーカ」、この一行だけで、もう抒情詩が出来た。きっと日本人とその千年以上の伝統は正しい。最初に与えて、次は残しておく、つまり、一行だけで、すべてはたった一行で記され、あとの解釈は読者に委ねられる……

エラブガ　ツヴェターエワ最期の家

ツヴェターエワの墓前にて。筆者の隣には詩人の妹アナスタシアの孫にあたるオリガ・トゥルハチョヴァ

ツヴェターエワの伝記から、日本の詩歌を愛読していたという証拠は見つからないし、ましてや日本語など知るはずもないのだが、来日経験があり、親交の深かった詩人バリモントとの交流やジャポニズムブームの影響もあって、詩の翻訳に触れたり、そのエッセンスは理解していたのだろう。ロシアの偉大な詩人が詩の原点に思いを馳せた時、それが遠い日本の詩歌だったことに、喜ばしくも、やるせなかった。

＊貴重な写真を快く提供してくださった、ロシア思想史研究家の渡辺雅司先生に心より感謝申し上げます。

運命《ロック》ーウラジオストク

二〇一七年九月、「太平洋子午線」の名で親しまれているウラジオストク国際映画祭に参加した。ロック・ブリンナーに会うことが目的だった。「命ある限り毎年父の故郷に来るぞ！」と公言するロックの「父」というのは、ミュージカル「王様と私」や黒澤明監督「七人の侍」のアメリカ版「荒野の七人」で一世を風靡した俳優、ユル・ブリンナーのことだ。「ロック・ブリンナー賞」部門もあり、毎年ニューヨークから駆けつけてはフェスティバルを盛り上げている。

ユルの祖父にあたるユリウスは、一九世紀末から二〇世紀初頭にかけてウラジオストクで鉱山経営や海運業で財を成した大実業家で、極東ロシアの開発に尽力した人物のひとりだ。ウラジオストクに渡る前は、長崎や横浜に住み、日本人女性と結婚していたという事実もある。孫にあたるユルが一九二〇年にウラジオストクで生を受けた時はロシア革命の最中で、干渉軍の日本兵が家の敷地に出入りしていたというから驚きだ。ユルが六歳の時にハルビンに渡り、パリを経てアメリカへと移住、俳優としてのキャリアを築くことになる。ユルの息子ロックは、曾祖父ユリウスから始まるブリンナー家の人生行路を当時の時代背景を絡めながら家族史としてまとめ、アメリカで出版した。二〇一六年にはロシア語で翻訳が出版されている。神戸外大の先輩が日本語で出版する企画を提案してくださったので、翻訳する機会に恵まれた（群像社より近日出版予定）。

ちなみに、ロシア語で「ロック」と発音する言葉は「運命」を意味する。ソ連時代は、世界的に有名なハリウッド俳優がウラジオストクの貴族の家庭に生まれたということはロシア人にも知られていなかった。ユル自身もその出自をアメリカで正確に語ることは生涯なかった。ロック曰く、両国の関係を考えれば、父の故郷を訪れることになろうとは夢にも思っていなかったというから、運命《ロック》がロックをウラジオストクに導いたことは間違いない。

そして翌年、再び映画祭に合わせてウラジオストクへ。今度は沿海地方南西部にある「ヒョウの森国立公園」の傍を通って南下し、ヤンコフスキー半島に行くことにした。ここは以前「シジェミ」と呼ばれていたが、帝政ロシア時代にこの地を開拓したポーランド貴族ヤンコフスキーにちなんで改称された。（ヤンコフスキー家に関しては、我らが誇る「フォト・ハンター」福田俊司さんの捧腹絶倒の著書『タイガの帝王アムールトラを追う』に詳しい）半島東部の村ベズヴェルホヴォに行って、確かめた

ロック・ブリンナーと
女優リーザ・アルザマソワ

いことがあった。この村に帝政ロシア時代に建てられたブリンナー家の別荘跡と家族のお墓が残されており、地元の行政局長ヴァシュケーヴィチ氏の地道な努力によって、当時の様子を伝える博物館も創られている。

晴天。ウラジオストク市内から車で約三時間かけてシジェミへ向かう。同行者は数日前に知り合ったオリガ・マリツェヴァ。シジェミ行きの件を話すと、地元に友人がいるということで現地に連絡をとってくれて、同行してくれることになった。

半島の海岸沿いに着くと、心地よい磯の香に包まれ、幼い頃から馴染みのある淡路島の入江にも似ていて驚く。かつてユル・ブリンナーが幼少期に遊んだ浜辺を歩きながら、ブリンナー家のオデュセイア（叙事詩）に想いを馳せた。この素敵な場所をどれほど愛したことだろう。オリガさんが小さな穴の開いた貝殻を数枚拾ってくれた。なんでも、穴の開いた貝殻は幸運をもたらすと信じられているとか。林のほうへ進むと、青々と茂る木々や草のきれいなこと！前日は雨だったので、少し雨露に濡れた地面が木漏れ日で光り、その匂いもたまらない！素朴な自然の中にパルテノン神殿のようなブリンナー家の納骨堂が見え、思わず息をのんだ。周囲の風景に似つかわしくない豪華なお墓の中は何もない。ロシア革命の際に略奪されたと言われている。そこから少し歩いて別荘の跡地へ。ブリンナー家が所有していた二つの屋敷は残念ながら当時の姿をとどめておらず、ひとつは石造りの外壁を残すのみで、もうひとつは豪邸の礎石しかない。それでも、豪華な別荘であることはよくわかり、約百年前の貴族の暮らしぶりを想像すると、感慨深い思いだった。地元で教師をしているというチャーミングな女性が案内してくれたのは幸運だった。礎石しか残っていない豪邸跡を見ながら、どこに何があったのかを説明してくれたおかげで、想像力が膨らんだ。素敵な螺旋階段があったというあたりに、花がポツンと咲いていたことが忘れられない。

オリガさんの友人、タマーラさんとヴィクトルさんご夫妻が手作りのウハー（魚スープ）やピロシキを中心に美味しい昼食でもてなしてくださった。青空の下、きれいに手入れされた広い庭で頂く昼食は格別で、ヴィクトルさんが自作の詩を朗々と披露して

生家の前に立つ
ユル・ブリンナー像

くれたこともロシア人ならではだ。皆さんが温かく受け入れてくれたことに感謝の気持ちで一杯だ。（……戦利品としてブリンナー別荘跡から帝政ロシア時代の煉瓦を二つと釘を失敬し、日本に持ち帰ったことを正直に告白します。ごめんなさい！）

ワシーリイ・アフチェンコ

私が『右ハンドル』を知ったのは二〇一二年頃で、思えば、それまで極東ロシアと縁がなかった私が、初めて興味を持つきっかけをくれた本でもある。当時携わっていた通訳の仕事の関係でウラジオストクの車事情を知る必要に迫られ、無味乾燥な統計やレポートにうんざりしていた時、偶然インターネットで見つけた。

日本海の対岸にいる同年代の作家が書いた作品を辞書を引きつつ読み（辞書にはない極東独特のスラングも多く、わからないことは盛り沢山だったが）、そのユーモラスな文体も相俟って一気に惹き込まれてしまった。翻訳をして日本に紹介したいという思いがあったが、その後本人にその意向を伝えた時には別の翻訳者が既に着手していることが判り、叶わなかったという事情がある。……そういうわけで、アフチェンコは私のことを人に紹介する時、「こちらマナミさん、『右ハンドル』を訳し損ねた日本人です」と言う。

現在、海に囲まれた豊かなウラジオストクの魚事情と石や鉱物をモチーフに沿海州を描いた二作目の作品『透明なフレームのクリスタル』を翻訳準備中。次は、「『クリスタル』を訳しとおせた日本人」になるべく奮闘している。

私は今、この『2時間で逢える日本―ウラジオストク』に寄稿する、恐らく最後の著者としてこの文章を書いている。日々の仕事に加え、翻訳や校正作業などに追われていたため、自分の文章を寄せるどころでなかったからだ。今回は黒子に徹すると決めていたものの、漸くゴールが見えてきたため、この本の最大のテーマ「日ロ相互理解」について思いを巡らせつつ、拙稿を提出するに至った。

ちょうど一年前、大好きなゾーヤ・モルグン先生から「友人が日本人の翻訳者を探しているのであなたを紹介してもいいか」と聞かれ、ふたつ返事で了承したのが運の尽きだった。他ならぬゾーヤ先生のお願いを断れるはずもない。オリガさんから本の趣旨を聞き、賛同し、引き受けた翻訳だけを迅速に済ませてお役御免となるところだったのを、著者の皆さんの手元に本をお届けするまで役目を果たすことになったのは、あまりに素敵な出逢いが奇跡のように繋がり、ひとえに皆さんのご尽力とご厚意に報いたいと思ったからだ。

本が完成するまでの紆余曲折の過程で、日本人とロシア人のメンタリティの違いを表すこんな卑近なアネクドートを何度も思い出した。

プーチン大統領が首相に声をかけた。
「危機から脱出する方法を二つ思いついた。一つ目は、自力でなんとかして危機を乗り越えること。二つ目は火星人がきてロシアを助けてくれるのを待つこと」
すると首相はこう答えた。
「大統領、一つ目の方法は非現実的だから検討すべきではありません」

一九五七年のアメリカ映画「十二人の怒れる男」をリメイクすれば、ロシアではミハルコフ監督によって現代ロシアの社会問題を背景にした「十二人の怒れる男」（ロシア語タイトル「十二」）が制作され、日本では三谷幸喜監督によって「十二人の優しい日本人」に結晶した。どちらも、「～人らしさ」が存分に表現されていて面白い。

つまり、日本人とロシア人は永遠に違ったままだ。ただし、歩み寄ることはできる。

「とてもロシア人らしい仕事」に翻弄される度に、私は度々オリガさんに「今後巨大な台風が襲撃したら、その台風をオリガと名づけるわ」と言って彼女の苦笑を誘ってきた。オリガさんも私の「日本人らしい仕事」に辟易したことが、きっとあっただろう。

これも、「ロック」だ。

ともかく、この企画を思いついたオリガ・マリツェヴァに敬意を表したい。

鳥取県中央印刷株式会社の会長、松下栄一郎さんが救世主「火星人」となってくださった。寛大な心と優しさで日本語版の印刷を快く引き受けてくださったことで、『2時間で逢える日本―ウラジオストク』は日の目を見た。この場を借りて心から感謝の気持ちを申し上げたい。

＊ツヴェターエワの日記の引用は、ツヴェターエワ全集（エリス・ラーク出版社、一九九四―一九九五）の第四巻六一二頁より拙訳

「百万本のバラ」を歌うことになった時も、父がアラ・プガチョワの日本招聘に奔走し、コンサートでの共演を果たすことができました

加藤　登紀子

～真心を込めて～

歌手、東京

ロシアと日本の交流について語るに当たって、はじめにお伝えしたいのは、「国と国ではなく、人と人の出会いこそが大切な歴史である」ということです。

長い時間の中で、戦争や革命、分断や差別、抑圧や逃走という苛烈な運命に晒されながら人々は生き、どんな時も家族とともに生き抜くために、人生を選択します。社会体制の違いや、人種の違いが厳しいハードルとなる中でも、人と人が、出会い、交流し、楽しい時を共にすることが出来る、ということはなんと素晴らしいことでしょう。

私はロシアの文学、音楽、歴史、人々、そしてその厳しい風土、何もかもをこよなく愛し、いつも故郷のように懐かしくロシアを思って来ました。というのも、私が生まれたのが、一八六九年帝政ロシアによって建設されたハルビンという街だったからです。

一九四三年、第二次世界大戦の当時日本の占領下におかれた旧満州国、今の中国東北部です。

私の父は、一九二〇年にハルビンに設立された「日露協会学校」に一九二九年に入学し、ロシア語、ロシア文化を学びましたが、とりわけロシア音楽に魅せられ、自分自身でも歌い、歌手を目指すほど愛しました。

残念ながらその夢は果たせず、満鉄に入社し、私の生まれた頃には軍人でした。

戦争が終わった時、父は朝鮮半島の前線に派兵されており、私たち家族は母、兄、姉と私の四人、ハルビンで難民として生き延び、一九四六年に日本に帰国しました。

幸い、父もそのよく年には帰国。

音楽を愛する父は、レコード会社に就職し、たくさんの音楽家を育てましたが、一九五七年、東京にロシアレストランを開きました。

　というのも、ハルビンに暮らしていたロシア人の多くが、日本に渡ってきたからです。

　ハルビン時代、私たちが親しくしていたロシア人たちは、革命後に移り住んだ移住者がほとんどでした。他にも帝政ロシアの頃から、なんらかの理由で東欧やバルト三国から移住した人、ユダヤ人も多かったそうです。

　日本に住むことになったロシア人が働き、集うことができるように開いた父の店では、コサックの頭目の娘だったという女性が、シェフとなり、たくさんのロシア人が毎日集う賑やかな場所になりました。

父、幸四郎と母、淑子の結婚式
ドレスは淑子の手作り

　ハルビン生まれとは言っても、二歳で帰国した私にはなんの記憶もなかったのですが、幸運にも、このお店がまるでハルビンそのもののようで、一〇代の私が、生まれ故郷に溢れていた音楽、料理、ロシア語に包まれて青春時代を送ることができたのです。

　父は一九六一年に歌舞伎のモスクワ公演の実現に奔走し、その後、ロシア料理店組合も設立し、幾度となく日本からソ連への旅行を計画、日本からソ連への交流団を送り込む仕事に邁進しました。

　私が歌手となり、「百万本のバラ」を歌うことになった時も、父がアラ・プガチョワの日本招聘に奔走

兄の幹雄、姉の幸子、母の腕に登紀子

し、コンサートでの共演を果たすことができました。

一九九二年、父が計画したウラジオストクコンサートの目前、父は急死。

それでも残された私たちで、なんとかコンサートを実現。ただその時、父と一緒に行く予定だったサハリン旅行は諦めました。

今年、それから二五年以上が過ぎて、やっとサハリン、ウラジオストクコンサートを実現、父の思いに答えることができたと思います。


私が初めてソ連旅行をしたのは一九六八年、歌手として七都市でコンサートをしました。タリン、リガ、ヴィリニュス、モスクワ、サンクトペテルスブルグ、ミンスク、スフミという素晴らしい街と出会うことができ、偶然にも、「百万本のバラ」の曲が生まれたラトビアにも、歌詞のモデルとなった画家ピロスマの生まれたグルジア（ジョージア）にも行くことができていたのです。

のちに「百万本のバラ」が私の代表曲になるとは夢にも思わず、でも大切な伏線があったということです。

今も、六八年の演奏旅行の素晴らしさ、行く先々での人々との出会い、街の美しさ、しっかりと胸に刻まれています。

その後、二〇〇〇年にもモスクワコンサートがあり、去年はロストフへの旅にも行きました。

今年がロシアと日本の交流年になり、日本では珍しいバラライカ奏者、北川翔さんとも共演。秋にはウラジオストクからトリオ・ムジカントの三人を日本に招き、彼らの素晴らしい演奏を日本の人たちに聞いていただくのを楽しみにしています。トリオ・ムジカントの皆さんとは、一九九七年に日本で、ロシアロマンスの名曲の数々を私自身が日本語に翻訳して、レコーディングしていますので、レパートリーがいっぱいあります。今回はまた新しいレパートリーが増えるのが何より嬉しいです。

私の音楽の中では、ロシア音楽は特別のもの。何より深く体で奏でることができます。ロシア音楽の温かさに包まれると、不思議な力が湧いてくるようです。これからももっともっとロシアで歌う機会を作り、ロシアの皆さんと出逢いたいと思います。ロシアは日本から一番近い隣国であることを、日本の人たちに感じて欲しいと思います。

ロシアの国民的歌手アラ・プガチョワと共演

「マグロ外交」で世界を平和に！

木村　清

株式会社喜代村　代表取締役社長
東京

「マグロ大王」と呼ばれる私の原点は、貧しかった子ども時代にあります。母は子どもたちに少しでもおいしいものを食べさせたいと、あるとき、法事で出されたマグロの刺身を二切れ、家に持ち帰ってきてくれたのです。二片の刺身をさらに半分に切って、家族四人で分け合って食べました。そのときのマグロの味は忘れられません。将来はおふくろにおなかいっぱいマグロを食べさせたい、と強く思いました。ですから私にとってマグロは特別な魚なのです。

質の高いマグロを確保するために、私たちは世界各国に進出し、現地の人たちと力を合わせてマグロ漁に取り組んでいます。私自身も七つの海を巡り、漁場から漁場へと移動します。この時期はアイルランド沖、次はボストン沖と、毎年、世界中を駆け巡っています。疲れ知らずと驚かれますが、疲れたら寝ればいい。溢れるエネルギーは宇宙からもらっています。

これまでに取引した国は、八五カ国を数えます。現在、取引しているのは五〇～六〇カ国ありますが、二〇一七年七月から注力しているのがロシアです。モスクワ、ウラジオストク、カムチャツカ、サハリン……現地にも何度も足を運びました。一年間での投資総額は一〇億円以上にのぼります。

ロシアでは、メドベージェフ首相やロシア上院議長のマトヴィエンコ氏、農業副大臣で漁業庁長官のシェスタコフ氏ら、要人の方々にもお会いしています。プーチン大統領の友人で、二〇一三年にロシア国籍を取得したフランスの映画スター、ジェラール・ドパルデューにも会いました。みんな私に会いたいと言ってくる。もちろん、ハラショーですよ！最近はロシアでもすっかり有名になってしまって、空港で見知らぬロシア人に握手を求められたりします。

二〇一八年四月にモスクワを訪れた際は、自民党の二階俊博幹事長、メドベージェフ首相らが列席する「日本・ロシアフォーラム二〇一八」のレセプションで、マグロ解体ショーをおこないました。日本から一二三七キロの新鮮なマグロを持っていき、皆さんの目の前で解体して、お寿司にしてふるまったのです。このマグロは、メドベージェフ首相にも召し上がっていただきました。これぞ「マグロ外交」ですよ。

ロシアでは、市場を作りたいと考えています。まずはウラジオストクに、いつでも新鮮な魚が食べられるような環境を作り、ゆくゆくはそれをモスクワに広げたい。物流がなければ、寿司屋も成り立ちません。今、ロシアに日本食と銘打った寿司レストランはたくさんありますが、そこで提供しているのは本物の寿司ではありませんからね。

日本では、ロシア進出を躊躇する企業が少なくありません。ロシアでのビジネスはリスクが高い、と尻込みしているのです。しかし、ロシア人が日本人のことを何と言っているか知っていますか？「日本人は嘘つきだ。品物を買っても代金を払わない、値切る、クレームをつける。とんでもない国だ！」一方、日本人がロシア人のことを何と言っているでしょうか？「ロシア人から品物を買っても、約束したものが届かない、遅い、余所に売ってしまう」。お互い、疑心暗鬼になりながらビジネスをしているわけです。

ロシア上院議長マトヴィエンコ氏と

それなら、私がやってやるぞ、と思ったのです。騙すなら騙してみろ、一度や二度なら騙されてやろう、と。その代わり、私は真実一路、本気で相手に向き合います。本気で付き合わなければ、信頼関係は築けません。腹の中で思っていることは、透けて見えます。それはどこの国の人でも同じです。砂漠に住む人であろうと北極のエスキモーであろうと、下心があれば、それは私の本能が察知します。

私はこれまで、アフリカや中南米などでもマグロ外交を展開してきました。なかには私が交渉に出向くまで、日本との関わりがほとんどなかった国もあります。私の場合、そういう国に飛び込んでいって失敗したことは一度もありません。

日本政府はよく、無償で発展途上国を支援しようとします。たとえば外務省管轄のＪＩＣＡ（国際協力機構）は、五〇〇〇億円も提供して新興国のインフラ整備をおこなったりしています。しかし無償で与えるのでは、その国を本当の意味で支えることにはなりません。ボランティアではなく、ビジネスにするべきです。相手国も潤い、日本も潤うビジネスをすればよいのです。

私は、漁業だけでなくあらゆる経済を通して、世界平和を実現することを目指しています。たとえば農業。わが社では、中国から百人単位で農業研修生を日本に呼び寄せ、三カ月間、米作りや野菜の栽培をみっちり学んでもらうというプログラムを実施しています。国のお金は一銭たりとももらっていません。その研修生たちは故郷に戻って、みな農業で成功していますよ。

ＯＤＡ（政府開発援助）に何千億も使うくらいなら、私のところへ持ってきなさいと言いたい。世界を平和にしてみせますよ。実際に、外交担当の政治家は「木村さんのお金の使い方は素晴らしい」と、私のところに話を聞きにきました。身銭を切らずに人にやってもらうだけ、与えてもらうだけでは、何も身につきません。

私は四歳のとき父を亡くしました。母は女手ひとつで三人の子どもを育てながら、多額の借金を返さなければなりませんでした。田植えの時期になると、親戚が手伝いに来てくれるのですが、そのとき母がみんなにこう言われるのです。「母子家庭なのだから、国のお金をもらえばいい。そうすれば、子どもたちにもう少しいい服を着させられるのに」と。

でも、母は生

活保護を受けようとはしませんでした。継ぎ接ぎだらけの服でも、毎日きれいに洗って着せてくれていました。どんなに貧しくても、人に後ろ指をさされないよう、恥かしくない生き方をしなさいと教えられました。「人からもらったものは身につかない」という哲学は、その頃の母の教えなのです。

ロシアは広大です。大富豪もいれば、トナカイを売ってなんとか生活している人たちもいる。民族もさまざまです。総人口は一億四六〇〇万人強で、日本より二〇〇〇万人ほど多い程度ですが、資源が豊富で、労働力もある。それをちゃんと活かせば、あっという間に成長するでしょう。GDPが日本の一〇倍、二〇倍になる日も遠くはないかもしれません。

海産物にしても、マグロだけでなく、ウニ、サケ、ヒラメ、カレイ、キンキ、カニなど、ロシアでは実に豊富に獲れる。また、エビ、イカ、タコ、白鮭の筋子もそうです。自然で獲れる海産物の他に、養殖にも関心があります。ロシア政府は沿海地方の養殖業を支援していますね。養殖で獲れた海産物が「すしざんまい」で独自の地位を得ることもあり得るでしょう。また、深海魚も魅力的な食品です。メバル科に入る様々なタイプのメヌケは、グルメの間では高く評価されているので、日本市場でも需要があるでしょう。特に、黄色のメヌケは美味いんです！

日本でロシア産の海産物が売れるようになれば、ロシアの漁業も安定するはずです。そのためには、ロシアの素晴しい海産物を「すしざんまい」に売るだけではなく、世界に売れるようにしなければなりません。日本とロシア双方にとってWin-Winの関係を築くことが大事なのです。

ロシア海域で獲れるスケトウダラにも注目しています。日本では学校給食や病院食で三〇〇〇万食の需要があります。ただ残念ながら、現在のロシアの加工方法では日本で使える状態ではないですね。というのも、肝心のロシアでスケトウダラがあまり食べられていませんね。猫などのペットの餌にするものだと思われているんですから！　しかし実際は、新鮮で活きの良いスケトウダラは非常に美味しい魚ですよ。

今まで四〇年以上、海産物に携わりながら、魚の鮮度を保つ新しい方法がないかずっと考えてきました。

私の目標は、ロシアの信頼できるパートナー会社と一緒に、お互いに利益が出るビジネスをすることです。

日本の最新技術をもってすれば、ロシアで水産加工のインフラ改善をすることもできます。そして、日本で自社チェーン店「すしざんまい」がロシアから鮮度と活きの良い海産物を仕入れるのです。もちろん私は、ロシアの皆さんにも新鮮な魚を食べて欲しいと考えており、現在、ウラジオストクで「すしざんまい」の店が開けないか検討しています。一言でいうと、「マグロ外交」で世界を平和に！

俳優ジェラール・ドパルデューと

日本はどんなだろうか、と知ることに常に興味をもっていました

リュドミーラ・コノプリョーヴァ

日ロ親善協会沿海州支部責任秘書
ウラジオストク

　愛する国、日本を私は何度も訪れました。それも、様々な季節に、様々な交通手段で、様々な県の様々な街に行きました。最初の旅行は船「アカデミック・カラリョーフ号」でした。近づいてくる日本の陸地を、私たち乗客がどんなに嬉しい気持ちと心地よい興奮、好奇心をもって眺めていたか、とてもよく覚えています。それは下関港でした。

　高学年の時、私は沿海州ナホトカ市で学びました。港で頻繁に外国の船や船員を見ました。ブロークンな学校英語で私が話をした人生最初の外国人は、日本人でした。驚いたことに、彼はとても礼儀正しく、そして（対等に）敬意をもって私たち子どもと接してくれました。日本人と日本は長い間私の心に刻み込まれ、そして、日本はどんなだろうか、と知ることに常に興味をもっていました。

　「カラリョーフ」は自動車プロジェクト用に日本車を運んでいたので、停泊は短期間でした。運が良くても三～四日です。一九九八年の寒い冬、時化のため三日のところを半日間、私は日本に滞在しました。見学のひとつも行けずに、待ちに待った国を泣きそうになりながら去りました。人生初のオートフォーカス付き日本製カメラ Nikon D50を入手することで状況を甘受しました。私が長い間欲しかったモデルです。

　その後、二回目の海の旅がありました。船の「アントニーナ・ネジダーノヴァ号」です。そして再び不運が。「ネジダーノヴァ」が日本での停泊期間を丸一昼夜縮めたのですが私は七日間陸に残ることになりました。というのも、私が散歩から戻ると、向こうから船の船員がやってきました。もうすぐ出航なの、と尋ねました。「すぐだなんて!? 夜中の二時ですよ！」彼の答えに迷いましたが、私は方向転換して、女友だちのためにティーポットを買いに、彼を追ってお店に行きました。彼女はティーポットを収集しています。しかし、船員は船の乗務員で、私は乗客であることを考えに入れていませんでした。ティーポットを持って船に戻ったとき、当然のことながら私は一斉に叱りつけられ、その後航海から外されました。入国管理局の業務時間は終っていました。私は、初めはひどく気落ちし、心配していました。しかし、その時の私のように「不運」な者のサポートを任務とする会社の代行者の業務上の配慮で元気が出ました。彼は、私が子どもの頃ナホトカで会った日本人に似ていました。とても魅力的で礼儀正しく、英語とロシア語ができます。私を港のホテルにチェックインさせると、船が来るまでの間私が控えなければいけないことを教えてくれました。私はそれをしっかりと守りました。

状況はロシアのことわざで言う「不幸があるから幸福がある」というものでした。日本に九日間！　後々私はこれを「二〇〇〇年の一年間における九日間」と名付けました。私は喜んで今の平成時代の市民生活の風景を見物しました。公園を散策しながら、タクシー運転手、郵便配達員、電気メーターの検針員の仕事を観察し、年金生活者が好きな趣味をしながら時間を過ごしているのを見ました。ある時、埠頭で日本の自衛隊の隊員がトレーニングをしているのを見学しました。これほどきつい身体的訓練を私は見たことがありません（私の父は軍人でした）。

有名な兼六園のある金沢（石川県）が思い出されます。二時間ほど散歩をする予定でしたが、快晴の暖かい春の日、公園に入るなり日本庭園の雰囲気の虜になり、夕方まで公園で過ごしました。何回か門まで行きましたが、もっともっと観賞したくて、また戻るのでした。この楽園のような場所から本当に離れたくなかったのです！　伝統的な日本庭園

のすべてが兼六園に揃っています。茶屋、大名屋敷、神社があります。梅林では、人工的に枝を結んである他所では見られない紅白の梅花、金色の鯉がいる池のそばの茶亭、石の噴水、日陰の多い小径の終わりにあるあずまや、島々の浮かぶ池に架る苔に覆われた橋を写真に収めました。

「日本文化を学んでいると、より幸せに、より嬉しくなる」と告白したのは偉大な画家ヴァン・ゴッホです。まったく同感です！

私は時間を無駄にはしませんでした。富山にある三つの博物館を訪れ、立山連峰の雪の山頂を観賞し、有名で美味しい富山の水を飲みました。見学しては、貪欲に写真に収めました。桜の開花が始まったばかりで、枝はたくさんの蕾で覆われていました。四月二回目の日曜日が近づいてきました。さくらまつりです。「あと一週間日本にいられればいいのに」という厚かましい考えが脳裏をよぎりました。

その後、私は桜を見るために二回日本を訪れました。そして、日本人が皆この素晴らしい花見のイベントを歓迎し、愛していることに驚きました。秋の旅行もありました。紅葉した楓、紅葉の観賞です。

二〇〇〇年は、私にとってとても運のよい星まわりでした。私は日本の三つの県への三通の招待状をいっぺんにもらいました。そして、中にはとても遠い場所―日本人でも知らない人がいる隠岐諸島がありました。そこはとても素晴らしい場所です！

すべては新潟の生け花の上野先生の招待状から始まりました。私がフリーランスの写真特派員として所属する日本センターの日本文化クラブは、生け花ファンを中心に昔から先生と親しくしていました。上野恒洲師匠が、ご自身が司所長である生け花「嵯峨御流」司所創立二〇周年の祝賀のために私たちを新潟に招いてくださったのです。新潟の後、私は、生け花を学ぶナターリヤ・パンチェンコとともに新幹線で大阪に行きました。その後飛行機で隠岐諸島に着陸しました。ここで私の初めての写真展が行われ、ナターリヤは日本の師匠たちとともに、日本人観客の前で生け花のデモンストレーションをしました。私たちはふたりともドキドキしていましたが、すべて素晴らしくうまくいきました。私たちが宿泊したのは、佐倉さん、橋本さん宅の伝統的な日本の木造の家でした。（佐倉真喜子さんはウラジオストクでもよく知られた方で、交換に日本の子どもたちを私たちの「オケアン」に連れてきます）この魅力的な女性たちが、とても温かく、配慮をもってもてなしてくれたことを生涯忘れません！

長年わたしは奥谷明子さんと文通をしてきました。ウラジオストクとの友好関係を支える戸泉米子さんの崇高な事業を継続している方です。ある時、奥谷明子さんから招待状を受け取り、私は考え込んでしまいました。福井県は、ウラジオストクの向かいの日本海沿岸にありますが、それほど近いわけではありません。

福井の戸泉さんと彼女と志を同じくする方々が、毎回どれほど長い道のりをかけているのか、私はいつも驚かされます。最初に乗り継いで東京に行き、その後直行便でウラジオストクまで行きます。その上、私は単なる旅行者でいたくはありませんでした。私たちの街―彼女にとっては懐かしい街であるウラジオストクを愛した戸泉米子さんが始めた民間外交に、自分なりの貢献をすることを夢見ていました。そして、私は写真展「ウラジオストクの風景」のために鯖江に行くことに決めました。展示作品として、光沢紙三〇×四〇インチの六〇枚のカラー写真を準備しました。

写真展は鯖江市の三カ所の図書館施設で行われました。日本の仲間たちが協力して、興味深い持ち物をたくさん持ってきてくれました。葉書、写真アルバム、バッチ、記念コイン、日本語版の戸泉米子著『リラの花と戦争』。展示品のなかには、「ＣＣＣＰ」（ＳＳＳＲ）と書かれたＴシャツ、素敵なサラファン、バラライカ、グジェリ、ホフロマ、地図やソ連時代のタイプライターまでありました！

更に、展示品は毎日リニューアルされました。日本の方々は好奇心と関心をもってすべてを見学していました。写真展にはたくさんの人がいました。近隣県からも来ていました。来訪者の中にはロシア人もいて、花束を持ってきてくれました。後で分かったのですが、二冊の感想ノートがあり、そこには親切な言葉が残されていました。戸泉さんの下の息子

さんご夫妻もいらっしゃいました。

日刊の福井新聞と読売新聞が二回私にインタビューをしました。

五月一八日朝、戸泉米子さんの墓参りに行きました。太陽が暖かく明るく輝いており、その天候のおかげでそれほど気分が重くありませんでした。墓は控えめで、手入れが行き届いていました。私たちは墓石の両側に花を手向け、ろうそくを灯しました。ウラジオストクで仏教寺院浦潮西本願寺の場所にある石碑を訪れるとき（集団ボランティアや単にひとりで訪れます）、私はいつもチュクチ人作家ユーリー・ルィトヘウが、「人間は死なない、この世界を離れる（雲を通り抜けて去っていく）のだ」と書いたことを思い出します。戸泉さんも雲を通り抜けて行ってしまい、今は上から私たちを見ているのだと、私はいつも思っています。彼女のお墓の近くで、私は特にこの感覚にとらわれました。ひとりひとりが心の中で彼女と話しをしている静寂のとき、私は、彼女の愛するウラジオストク、彼女を知るすべての人たちを代表して、彼女に挨拶をしました。

仏教信仰が与えた墓石正面の戒名の中には、「露」、「春」の漢字があります。

写真展最終日の前日、兵庫県から山本千津子さんがいらっしゃいました。彼女は私の（私だけではありませんが）古い知人で、七年間ウラジオストクに住んでいました。ウラジオストクで有名な日本学者ゾーヤ・モルグンと共に（ふたりとも戸泉さんと個人的な知り合いでした）回想録『リラの花と戦争』の第一章をロシア語に翻訳しました。

千津子さんは、写真展を見て私たちの熱意に驚かれていました。実際、この共同芸術プロジェクトは一般の日本人とロシア人の力で実現しました。夜、ホテルで千津子さんは親切にも日本人の反響を訳してくれました。ある人は、写真展は美しいウラジオストクを見せてくれていると書き、またある人は、街は「より静かで美しくなった。そのとき（二〇年前）は、汚くて、古い車があった」と言っていました。図書館の宇野徳行館長は、シベリアに送られた父親の悲しい思いを語りました。「……彼らは、東京に帰すと約束されていたのです」もちろん、大多数の人たちは、感謝の言葉とウラジオストクに行ってみたいという希望の言葉を書いていました。

奥谷明子さんの自宅近くにある川の岸辺に私たちは三本のライラックの苗木を植えました。

写真展というのは、いつもお祭りです。それが記念日と重なれば、喜びは二倍になります。奥谷さんはそれを見越していました。私たちのグループ全員が、とても居心地のよいレストランに集まりました。私を祝ってくれ、ロシア語で歌を歌いました。夕食の後、「私が休息できるように」とサバエ・シティーホテルに送り届けてくれました（特別なサプライズです）！

二〇一四年一一月の日本旅行の時には、福永路易子さんのお宅でホームステイをさせていただきました。私にとってこの旅行は、音楽的な認識を広げてくれるものでした。私はまだウラジオストクにいるときから分かっていました。私はなんてラッキーなんだろう！　知人の浅野真理さんが「福永さんのご主人はイギリス人で、ピアノ店のディレクタでとても忙しくしている」と私に伝えてくれました。

私は子どものころ音楽学校のアコーデオンクラスでちょうど二カ月学びました。辞めなければならなかったのは、あまりにも遠いためでした。普通教育の学校で私の成績は「三」に下がりました。両親は絶対的でした。私の魂に触れる古典音楽を、私は愛しています。「日本のピアノ店は、恐らくＹＡＭＡＨＡかＫＡＷＡＩで、音楽は高尚な古典！　このような店について、私は何も知らない！」という考えが頭をよぎりました。東京の福永宅に着いて、彼女のご主人はアメリカ人で、お店はイタリアのピアノブランド「Fazioli《ファツィオリ》」のものだと分かりました。二階建ての福永宅のショールームに入り、鏡のように光沢があり、輝き、磨き抜かれた黒いイタリアのハンサムボーイ、ファツィオリを見て、私は感動で棒立ちになりました。子どものころから、Petrofのピアノや Primorje のピアノ（ペレストロイカ前までアルチョーム市で生産されていました）があることは知っていましたが、ファツィオリ!?　いいえ、私はこのブランドを知りませんでした。私は周囲をゆっくりと回りながら、感激してコンサートピアノを四方八方から眺めました。そ

して、更に驚いたのはディスクの数でした。フォルテピアノ芸術の古典作品毎に一〇枚では収まりません！

福永路易子さんと私はすぐに仲良くなりました。真理さんと一緒に自宅を簡単に案内された後、私は夕食に招待されました。その夜、福永さんはシカゴから来たご主人の仲間、アメリカ人のケンとケイティと一緒にご主人を待っていました。ですので、最初の夜、私は「インターナショナル」なパーティーにいたのです。露易子さんは、真理さんとは日本語で話し、アメリカ人とは英語、私とはロシア語で話しました。驚きです！分かったことは、彼女は二〇一〇年代にウラジオストクにあるロシア人の学校で学んだということです。その上、ドイツ語も堪能です。というのも、アメリカでビジネススクールを終えた後に、ドイツの会社で働いたからです（そこで、将来の夫となる人と知り合いました）。フランス語で読むこともできます。家には、世界の様々な言語の本がたくさんあります。

露易子さんはとても社交的で、とても素早く知らない人との共通点を見つけることに、私は気づきました。夕食時は、ざっくばらんで友好的な会話の中で、アレクが私たちのためにピアノを弾いてくれました。翌日には、この家族とは昔からの知り合いだったかのように感じられました。お客さんが去ると、私と露易子さんはピアニストの話しを始めました。そこで私は、マツーエフを知っていることを「自慢」しました！露易子さんはお返しに、ロシアのピアニストや有名なコンクールの入賞者の名前をたくさん挙げました。そして、このテーマに関してロシア語の本を三冊読むように渡されました。私はその本に夢中になり、東京の博物館や公園に遠征をした後、毎夜遅くまでベッドで楽しく読書をして、「日本の家でロシア語の本を読むために日本に来たの!?」と自分自身を笑うほどでした。私は、毎夜家中に広がるフォルテピアノの音楽を聴きながら、有名なピアニスト、舞台裏の生活、卓抜した音楽家同士、ピアノメーカー同士の競争について読みました。バックミュージックはアレク自身が演奏していたり、ディスクの古典音楽が聴こえていたりしたからです。

もちろん、私は彼らの店をとても見てみたいと思っていました。そして、すぐにその日がきました。入口でアレクが私たちを出迎えてくれました（ヨーロッパ風のスーツとネクタイ姿です）。現代風の売り場に入るとすぐに色々なサイズの美しいファツィオリのピアノが見えました。一番大きなホールのためのもの、クラッシック、プロや学習者の演奏用です。その先の部屋では壁に様々な楽器が掛けられており、越智晃さんという調律師が集中して作業をしていました。露易子さんは、ロシアの調律師は世界的にも優秀なのだと話しました。私は、若い調律師でありコンサート技術者であるアッティラ・フェケーテをとても気に入りました。かれはハンガリー人でブダペストにあるF．リスト音楽院の旧楽器修理学科を卒業しています。アッティラは、私を気遣い、私が撮影をしようとしているのを見ると、簡易で便利な三脚を持ってきてくれました。私が店舗を見学したり撮影したりしている間、露易子さんとアレクは隣のテーブルに座って、二人の日本人と打ち合わせをしていました。打ち合わせの後、露易子さんと私は彼女の小原流生け花教室に行きました。私は、露易子さんが、先生の指導の下で花を生ける様子を見ました。日本人女性たちが教室を去り、別の日本人女性たちが入ってきて、先生とコミュニケーションをとっている様子を観察するのはとても面白かったです。生け花のお稽古の後、露易子さんはトレーニングジムへと急ぎました。

一週間ほど経った頃、露易子さんは私を東京オペラシティの交響楽団コンサートに招待しました。東京のＮＨＫ交響楽団とイスラエルから招待された有名なピアニスト、ボリス・ギリトブルグが共演すると彼女は私に言いました。

彼は三〇代になるまでに、一（！）の国際コンクールに入賞しました。評論家は、「彼の演奏はまるで、音楽が話しているようだ。フォルテピアノの演奏は、聴衆に対する音楽家の語りに似ている。彼の音楽は、話し、呼吸をし、生きている。そして、音楽家自身もこの音楽によって話し、呼吸をし、生きており、聴衆も、それをなぞって彼の素晴らしい思考、語り、演奏の作用の下におかれる」と評していました。私もそれを感じました。

私は初めてグリーグの協奏曲を聴き、ピアニスト、ギリトブルグを見ました。この夜東

京で私に起こったすべてのことが初めてでした。初めて、最も礼儀正しい聴衆でいっぱいの、この上なく素晴らしいホールに座り（静寂は理想的で、この静寂さが聴いていたのでした）、初めてホールの建築物と絶妙な演奏の素晴らしい共生が醸し出す快い雰囲気を感じました。コンサートの始めのグリンカのオペラ「ルスランとリュドミーラ」の序曲によって私の楽観的な気分は強くなりました。私は、愛国的な誇りで満たされるようにさえ感じました。ボリス・ギリトブルグは、店から提供されたファツィオリのグランドピアノでグリーグの協奏曲を演奏しました。聴衆は長いこと演奏者に拍手を送り、彼は何回もアンコールに応えて舞台に出てきました。その後、感謝の印に自分の変奏曲を演奏しました。

　コンサートの後、私たちは音楽家と知り合いになりたくて楽屋に行きました。彼を祝い、花束を渡し、一緒に記念の写真を撮りました。皆な英語を話しました。彼は疲れたようでしたが、幸せそうな顔をしていました。私は自分の感動を表さずにはいられませんでした。ボリス・レオニードヴィッチはロシア語を聞くと、すぐにロシアの「強者」に変わりました。実は、彼は一一月二日にモスクワ郊外のジュコーフスキィで行われたコンサートでブラームスの協奏曲第一を演奏した後、ロシアから日本に飛んできたのでした。

左から福永露易子さん、音楽ジャーナリスト藤巻 暢子さん、ボリス・ギリトブルグ、アレク・ヴェイル

　ボリス・ギリトブルグは外国語学習と写真に夢中です。私は彼の発言がとても気に入りました。「写真は、ウイルスのように、偶然あなたに浸透してすべてを感染させる。写真は、私を屋外に引っ張り出す」。

　私たちが話しをしている間に、グランドピアノの撤去が行われていました。脚は丁寧にファツィオリの良質な箱に入れられ、「本体」は柔らかい毛布に包まれ、ロープを巻かれ、台車で貨物用エレベーターに運ばれました。グランドピアノに付き添って行ったのは調律師でした。これにはファツィオリの日本代理店（ファツィオリジャパン株式会社）の全従業員が立ち会いました。その夜私たちは、中華レストランで、華やかなイベントのお祝いをしました。

　この音楽的なホームステイのお陰で、私は日本における代理店の代表取締役の生活スタイルについて知ることができました。彼は、朝食後その日の朝刊を持って、少しグランドピアノを弾いてから、スポーツ着に着替え、車の渋滞で店舗までの道のりの障害になることはないと確信をもって、自転車で（家のドアの近くにはメルセデスの自動車が停めてあるのですが）毎朝一四キロ走ります。彼には休日もなく、朝から夜遅くまで働きます。アレック・ワイルは、スポーツ選手のような体格で、エネルギッシュで、いつも楽観的です。ピアノが素晴らしく上手で、音楽、作曲家、楽器のことをとても良く知っていて、仕事が終わった後は、自分の代理店の従業員の皆と気楽に新宿のカフェで過ごすこともあります。

活動的で責任感の強い福永露易子さんは、店舗の仕事や電話での打ち合わせの合間をみつけてグランドピアノを弾き、自転車でスーパーマーケットに食料の買い出しに行き、生け花のお稽古に出て、トレーニングジムで走り、夜までには必ず美味しい食事を準備します。私には、この魅力的なご夫婦、露易子とアレックが、夜遅くに偉大な作曲家の古典音楽を聴きながら夕食をとり、優雅なファツィオリのある居心地の良い、明るい客間で現代ピアニストの演奏を聴き、彼の大いなるグランドピアノの魅惑的な音が家中に広がっている様子を容易に想像することができます。

私は魅力的な日本女性、福永露易子さんと出会えた運命に感謝しています。彼女は私をグランドピアノの世界に夢中にさせ、今では古典ピアノ曲に更に親しむようになり、ピアニストの国際コンクールや、古典音楽とピアノのブランドに関する全てのことに興味を持つようになりました。

私と日本との逢瀬はこのようなものでした。そして中国の諺に言うように「以前のまま旅から戻るものは誰ひとりいない」のです。

（翻訳　小川久美子）

写真　コノプリョーヴァ

ご覧の通り、私の日本のお父さんは、本当に賢明な人です

タチアナ・クラピヴィナ
三代律男

クラピヴィナ　日本専攻、ウラジオストク

三代　「ロシア理解講座」会員、島根県松江市

一般的には、日本人はロシアのことをほとんど知らないと思われています。私たちの国のイメージは、寒い、マトリョーシカ、ウォッカ、熊、プーチンなどの、ごく限られた概念で成り立っています。でも私は、島根県に二年住み、日本をたくさん旅する中で、特に中年から老年の日本人の方に少なからずお会いしました。そうした方々は、ロシアの文化を相当よく知っておられ、愛好していて、日本語でロシア文学を読み、バレエやオペラを鑑賞し、ロシアの作曲家の音楽を聴いているのです。

島根県には、ロシア理解講座という名前の会もあり、私はロシアと島根県庁の間の連絡調整役として仕事をした時にこの会と知り合いました。歓迎会の夕食で、この会の代表でおられるご夫妻、田中克典さんと田中朝子さんは、日ソ関係の歴史の数ページを参加者と夢中で話し合い、私はかなり集中して耳を傾けました。というのも、私が生まれたのはソ連崩壊の数年前で、その時期の日ソ関係に関しては教科書の知識しかなく、それに比べて、ここでは生きた歴史が聞けるからでした。その後、私たちは一緒に「カチューシャ」、さらに「百万本のバラ」、「モスクワ郊外の夕べ」、「ともしび」、「波止場の夜」等を歌いました。

しかし、ロシア理解講座の参加者の中で私が最も深い感動を覚えたのは三代律男さんで、とてもきれいな発音のロシア語でそれぞれのフレーズを話され、チャイコフスキー、ラフマニノフ、リムスキー・コルサコフ、プロコフィエフ、ショスタコーヴィッチといった作曲家の名前をおっしゃったのです。三代さんは、自宅に日本人軍事捕虜の歴史に関する、ロシア、ソ連時代の本を数多く所蔵していると話し

てくれました。また、中庭に白樺の木を植えたことについてもです。

三代さんは知り合ってから、奥様の三代幸子さんと私をよく様々な所に誘ってくれました。りんご狩り、地元のお祭り、花の公園……。ロシア理解講座の他の方々ともロシア水兵の墓を数回訪れました。そのお墓は、地元の日本人が心を込めてお世話されています（一九〇五年日露戦争の対馬海戦の後、水兵の遺体が島根県の地域も含め日本の西海岸に漂着した）。私のほうからは、日本のアパートでロシア料理を作って夕食会を開いたりしました。秋も深まったある時、私は全体暖房のない日本の住まいの寒さに不慣れだったことから、風邪を引いてしまったことがあります。すると、三代さんと幸子さんが私に薬と果物、暖かい綿詰めの上着を持ってきてくれたのです！ それ以来、私はお二人を「日本のお父さん、お母さん」と呼ぶようになりました。

幸子さんは看護教員で、とても優しく面倒見のいい方です。米子市に老人ホームをお開きになりました。三代さんは、広島で長い間塗料を製造する会社で営業として働き、今は年金生活をしながらレモンの木や花を栽培して販売されています。家の隣にある温室には、レモンの他に、熱帯のツル植物なども含めて私の知らない様々な種類の花や木々が生えており、密に生えているためジャングルにいるような気分になります。さらに、小さなキウイ園まであるのです。

そもそも、三代さんは植物に格別の愛情があります。私たちが一緒にピクニックに行った時は、私の日本のお父さんは、植物を見せては説明をしてくれて、その名前を日本語だけでなくロシア語でもしばしば教えてくれました。三代さんとは共通の趣味があります。それは、山登りです。私たちは、島根県と広島県の県境にある山脈の山頂をいくつか征服しました。こうして、三代さんのおかげで今や私には高山植物の名前リストが出来上がりました。

どこに行くときも、

日本のお父さんはいつも車でロシアのクラシック音楽をかけています。今でも覚えているのですが、あるメロディーを口ずさみながら私に、「ターニャ、この曲は何といったかな、作曲家は誰だった?」と聞いたのです。恥ずかしながら、私は知りませんでした。「チャイコフスキー第五番」、と言って三代さんはにっこり笑いました。

三代さんは、何度か私やロシア理解講座の代表の方々を自宅にお招きくださって、ロシアと日本にまつわる映画鑑賞会を開いてくれました。例えば、「オーロラの下」、「おろしあ」、「クラウディアからの手紙」などです。特に、「クラウディアからの手紙」はとても感動しました。この映画は、軍事捕虜になった元日本兵、蜂谷弥三郎さんのドキュメンタリードラマです。捕虜になった日本人が故郷に帰る際、スパイ容疑をかけられたせいで弥三郎さんは帰国を許されませんでした(映画によると、同じ日本人仲間が弥三郎さんを陥れた)。鳥取県に妻と子どもを残していたのに、ソ連に留まらざるを得ませんでした。シベリアの町で暮らし、そこでクラウディアという名の女性と出会います。いつか日本に帰れる日はないだろうと思い、結婚しました。三七年間、二人は共に暮らしたのです。ソ連崩壊後、弥三郎さんは名誉回復を果たし、出国の許可を得ました。日本にいる妻から、娘と共に健在で、今でも夫の帰りを待っているとの手紙が届き(この場面で私の目から雨あられのごとく涙がこぼれ落ちた。五〇年も帰りを待ち続けたなんて!)、妻に相談します。二人にとってとても辛い決断でしたが、クラウディアは賢明な答えを出したのです。

「他人の不幸の上に幸せは築けない」、と。一九九七年、蜂谷弥三郎さんは五〇年の別離を経て日本の家族と再会しました。妻のヒサコさんとは、ヒサコさんが他界されるまでの一〇年あまりを共に過ごしました。クラウディアとは一週間に一度は電話で話しをし、心温まる手紙のやりとりを続けたのです。私がこの映画にすっかり感激していると、三代さんが、「弥三郎さんはまだ生きておられるから、もし会いたければ会いに行けるよ」、と言ってくれたのです。もちろん会いたい!それは、二〇一四年の夏のことでした。私は、三代さんと田中さんと一緒に鳥取県倉吉市の病院に行きました。九五歳の弥三郎さんは、すでに思い出せる人は少なく、娘の久美子さんのことですらわかるのに一苦労するほどでした。でも、久美子さんは私に、「父とロシア語で話してみて」、とアドバイスをしてくださいました。そして、私が弥三郎さんに一言二言ロシア語で話しかけると、思い出して答えてくれたのです。ロシアから誰かが尋ねて来たことに、どれ程喜んでくださったか！　残念なことに、その後まもなくして、二〇一五年に弥三郎さんは他界されました。

三代さんは、島根県に沿海地方からグループがやって来た時は歓迎会に参加してくださって、ロシア文化交流を続けておられます。毎年行われている事業「交流の翼 in しまね」の時は、ロシアから来る学生をひとりかふたりはホームステイに受け入れています。

私の日本のお父さんは、文化交流プログラムでウラジオストクをより頻繁に訪れるようがんばっています。二〇一七年と二〇一八年の夏には、島根県庁の代表メンバーの一員として「オケアン」子どもセンターの子どもたちに日本の書道を教えてくれました。

私は自分のロシア人の母親と、いつも自宅でお客さんのために食事会を開きました。もちろん、お互いにプレゼントを交換しました。その中には、私たちの伝統で必ず「イワン・チャイ」（日本名「ヤナギラン」）があり、それは三代さんがとても好きな花で、ロシアと出会った物語を連想する花なのです。

「三代さん、どうしてそんなにロシアに関心があるんですか？」と私が尋ねると、三代さんはこう話してくれました。

ロシアと聞いて思い出すのが、シベリア鉄道の列車の窓から眺めたイワン・チャイの花です。何年か前、シベリア鉄道に乗ったとき、ウラジオストクから数時間経つと、鉄道の沿線にイワン・チャイがいっぱいありました。ずーっと沿線に沿って……。とても、印象的でした。種は列車風で運ばれたのでしょうか。イルクーツク辺りにもすごく広い平らな大地があって、そこの中にイワン・チャイの草原があるんです。自分の中では、ロシアとイワン・チャイは切っても切れない関係です。

実は、私の父は第二次世界大戦後、ソ連で抑留されていて、父から、ソ連はすごく広い土地で、大きな太陽が上がってくる、と聞きました。私は今でもシベリア鉄道に七日間乗って、草原をずっと見ていても飽きることはないです。それは父が見た景色と同じだからです。特に記憶に残っているのはブラゴヴェシチェンスク辺りの夜の風景です。広い草原の上に月が綺麗に見え、時々白樺がポツンと立っていました。夢みたいでした。日本ではあんなに広い草原を見たことはありません。

私の父はソ連時代の四五年から四八年までの三年間、極東のコムソモリスク・ナ・アムーレで抑留され、レンガを造って家を建てました。抑留生活の食事は、少しの黒パンとカーシャ（穀物のお粥）しか与えられず、とにかくお腹が空いたそうです。冬は収容所の中はひどい寒さで、体が冷えないように、倉庫にあった干し草の中で寝ました。栄養不足から壊血病にもなり、とても苦労しました。ただ、夏には一般のロシア人たちと一緒に畑でジャガイモの収穫を手伝いました。抑留所の生活は苦しかったのですが、一般のロシア人はとても親切だったそうです。

イワン・チャイの花

父は日本軍に所属していて、最後にソ連兵に連れていかれたことを話すのがどうも嫌なようでした。ソ連の抑留生活は色んな苦労があったからです。私も父が可哀想で、あえて聞こうとはしませんでした。けれどもある時、食事中に父も私もお酒を飲み、その勢いで何気なく、「またソ連に行ってみたいか」と聞きました。すると、父は「行ってみたい」と意外な答えを言ったのです。

それで、私は「父をソ連に連れて行ってやりたい」、と思うようになりました。ところが、約一年後に突然六四歳で死んでしまいました。父はあまりしゃべる人間ではなかったし、そういう話をこちらから聞くこともなかったけれど、やはり、父を連れて行けなかったのは心残りでした……。どうしようかな、と思って、「シベリアに行き、父のために石を拾って、墓と仏壇に置こう」、と決めました。父は戦争を憎んだけれど……、だけど、一般のロシア人のことはまったく憎んでいなかったと思います。その人たちと会いたかったでしょうし、ロシアの大地をもう一回見てみたかったんだと思います。

私も、父がロシアのどういうところを見たか、自分の目で見たかったんですね。それで、ロシア語が分からなかったらどうしようもないから、ロシア語の勉強を始めました。最初は自分で勉強しましたが、発音がわからなくて、あまり進みませんでした。当時、私は広島のペンキのメーカーで働いており、岡山に出張した時、ロシア語教室を見つけました。値段が高かったけれど、そこでグルジアの人に教えてもらいました。そして、少しずつロシア語の勉強をして、三〇年前に初めてソ連に行き、ウラジオストク市からモスクワ市までシベリア鉄道で走りました。岡山でロシア語を教えてくれたグルジア人の女性がモスクワに住んでいて、彼女の自宅も訪問しました。その時にロシアが好きになって、素晴らしい国だと思いました。ソ連崩壊後も、五、六回ぐらいモスクワとサンクトペテルブルグへ観光ツアーで行きました。特に建物が綺麗なサンクトペテルブルグは気に入っています。

しばらくして、松江市で「ロシア理解講座」を開いている田中克典さんという素晴らしい人と出会いました。ロシア理解講座は民間の団体で、島根県と沿海州の友好協定一〇周年を機に二〇〇一年に発足しました。その団体にはロシアが好きな人がたくさんいて、よく交流のためウラジオストクに出かけています。田中さんと知り合ってから、私もロシアのヨーロッパ側より、ウラジオストクへよく行くようになりました。何回も、何回もウラジオストクに行きました。

私はもちろん旅行が好きだけれど、交流という活動を始めたら、やはりロシア人に喜んでもらうことが、とても嬉しいことに気づきました。今年も日露交流で「オケアン」という青少年センターに行きましたが、旅行というより、社会への貢献というか、少しでも喜んでもらえることが楽しいです。一人でも、二人でも、今回の「オケアン」の子どもたちのように、日本に来てみたい、そういう人が現れることが大切だと思います。微力ですが、健康が続く限り、そうした活動に貢献したいです。

ロシアに行くようになった最初の頃、私は歴史的な建物に魅力を感じたと書きました。……そういえば、ロシア人についての最初のイメージは「冷たい」だったのです。三〇年前には、カメラで周囲の人達を撮影しようと思ったら、睨まれました。その後、徐々にそれは緩くなってきました。いま思うのは、ロシアの人たちは、とても明るいということです。そして、とても義理堅いです。こちらが何かしたら､必ず返してきます。ウラジオストクでは、我々はロシア人の友人の家庭に招かれ、パーティーに参加させてもらいます。ロシア人は明るいですよ。ウラジオストクには友人のエレーナさん､リュドミーラさん､ターニャさんがいます。我々が家を訪ねて、それをとても喜んでもらえれば、うれしいです。普通の旅行者にとって、そんなことはありませんね。

ロシア理解講座の巡り合わせで、島根県庁文化国際課ともだんだん親しくなりました。話しやすいし、日露の友好を大切にする価値観は同じですから、一緒にウラジオストクに行くのは楽しいです。皆さんと会えたのは、父がそうしてくれたのかもしれないと思いました。運を感じます。父にとても感謝しています。

微力ですが、体は続く限り、ロシアとの関係を続けたいし、少しでもロシア人に喜んでもらいたいです。そして、もちろん私も喜びます。ロシアの人達は日本に来てほしいし、日本人もロシアに行ってほしい。そして、どんどん交流を深めてもらいたいです。平和であるように。お互いが理解できるように。それが私の目的というか、生き甲斐ですね。

お互いに誤解している面もあるでしょう。ロシア人は日本を誤解している面がたくさんあるし､逆の場合もあるし、少しでも交流を増やせば、私たちみたいに、おそらく今日来られた日本人の皆さんは感動すると思います。あれだけ歓迎してもらって、やさしくしてもらえれば、私たちの意識も変わります。

ご覧の通り、私の日本のお父さんは、本当に賢明な人です。

（翻訳　樫本真奈美）

文化交流事業「交流の翼 in しまね」で
ロシアの学生を受け入れる三代さん

ヴァレーリー・クルラポフ

通訳翻訳者、ウラジオストク

最も豊かな印象が残っているのは、一九九〇年代初めの沿海地方ゴーリキー・ドラマ劇場の日本公演だ

七〇年代の初めに知り合いの日本人から聞いた話では、日本人がウラジオストクを一応知っているのは、日本の新聞に定期的に「空母『ミンスク』がウラジオストクに入港」「空母『ミンスク』がウラジオストクを出港」といった見出しが登場するが故にのみだということだった。この恐ろしき「ミンスク」は、日本では皆知っていた。

軍隊や艦隊に関することはすべて、長い間閉鎖都市であった我々の町に来た、数少ない日本人ジャーナリストの間でも最大の関心事だった。当時の日本人が抱く沿海地方の首都に対する標準的なイメージは、恐ろしい武器を構えた陰気な海軍基地のイメージに集約されていた。

日本人が自らの目で見る機会あるものすべてを珍しがったとしても、驚くにあたらない。町が風光明媚で陽気で、若くて可愛らしい女の子や若者で溢れていることや、ソヴィエトの人間は鬼でもなく好戦的でもない　どうやら微笑むことすらできるじゃないか、と。

日本の筑波で行われた科学万博「つくば'85」で、少年が私に近寄ってきて手を差し出した。日本人は外国人の手を握って挨拶するのが好きだ。私は少年の手を握った。すると、少年は両親に向かって「早くこっちに来て！　見て、手があったかいよ！」と叫んだのだ。一瞬にして行列ができあがった。まるで動物園だ。

同じくつくば万博で、私はある時、ソ連館の警備をしていた日本の警察官がこっそりと恭しく、あるロシア人従業員のブロンド美女のゴージャスな髪に触れたことに気づいた。結局のところ、お互いをもっと良く知りたいと願えば、実際に交流したり、尋ねたり、触れたり、また仕事や楽しみ、食卓や住まいを共にする機会に匹敵するものはないということは、当たり前の事実なのだ。

おそらく私にとって、ロシアと日本の文化、風習、趣味の類似点や相違点に関して、最も豊かな印象が残っているのは、一九九〇年代初めの沿海地方ゴーリキー・ドラマ劇場の日本公演である。ミュージカル「荷役と王」の一座は、三年間、秋の公演シーズンになると西日本や日本海沿岸の一〇数県をまわり、どこに行っても歓喜をもって迎えられた。

ツアー公演を実現させたのは、日本ショービジネス界の大家ではなく、普通の、芸術とは縁遠い実業家や日ソ友好団体の活動家だった。例えば、最初の秋、一座に随行していたのは、ごく普通の若い女の子で、鳥取県境港市の水産会社の従業員だった。彼女たちは　音楽的才能に恵まれたドラマティックなロシアの俳優たちや、アレクサンドル・ジュルビンの素晴らしい劇中歌を歌う役者たちと誰よりも親しくなった。日本人の観客の心を虜にした、魔法のような発声の秘密を伝授するちょっとした講習会まで受けていた。

当然、俳優たちはロシア語で歌い話すのだが、各場面の前に日本語で観客に場面内容の簡単な内容が説明された。我々は常に観客の反応を注視していた。二〇世紀初頭のオデッサに固有の事物から果てしなく遠いこの異国人が、奥深く詩的なバーベリのラヴストーリーの魅力をすべて理解できるのか、舞台で目にするものを気に入るだろうか、と。どうやら、こうした芝居は、特に音楽は観客を無関心にはさせておかない、ということが完全に目に見えて分かった。私は、友人でもある俳優たちが誇らしくて胸がいっぱいになった。しかし、いずれにせよ疑問は残った。

極めて独特なオデッサ人の話し方とユーモアなのだ。いくらかの独特なやりとりの台詞を日本語でやることが決められたが、このツアー公演の主な発起人のひとりだった吉田和子さんが、この企てに徹底的に反論した。彼女は函館日ロ親善協会の理事のひとりで、「カチューシャ」の通称でよく知られていた。吉田さんの考えでは、オデッサのモルダヴァンカ地区に住む住民の下品な言葉に、何の知識も持たない日本の聴衆はショックを受けるだろう、ということだった。劇場の芸術監督であり芝居の監督でもあったエフィム・ズヴェニャツキーにとっては、カチューシャは最も信頼する相談役だったため、彼もようやく始まった実験的試みを否定した。

白状すると、我々は言語の壁を乗り越えるために事前に準備していたのだ。訪日の前にツアー参加者全員に対して短期日本語クラスを行った。俳優というのは、機転が利いて想像力のある人たちだ。彼らは日本語の文言を覚えるためのより効果的な方法を迅速に考え出した。例えば、日本語の「こんにちは」は、私の機知に富んだ生徒は「コーン・ニチェヴォ」（馬は大丈夫）と語呂合わせをしてうまく頭の中に留めた。「さようなら」は、「（フ）スヴァヨ・ナラ」（自分の穴蔵に）、だ。

特に、「ちょっと待ってください」は絶妙にはまっていた。それはすでに日本で考案された。境港のボランティアの中に、とても努力家な好青年がいて、他の誰よりもこの文言を使っていた。そして、私の生徒であった女優のオリガ・ホフロワは、この文言をとっくに「ク・チョルトヴォィ・マーチェリ」（罵声の「くたばれ」）に作り変えていた。皆の人気者がこの極めてナイーヴなあだ名でもって呼ばれるようになったことは、驚くべきことではない。この人の好い青年は「ちょっと待ってください」だと思い込み、不敬な訛りは大目に見ながら呼びかけに応じていたのだ。

境港から私たちのフェリーが出港する時、この若者は遅れていた。ついに彼が埠頭に現れたとき、入り江では親しみを込めた「ク・チョルトヴォィ・マーチェリ」が最後に響いたのだった……。

言語をめぐる同様のコミカルな事件は、異国の言葉を母語の範疇で理解しようとする双方の素人めいた試みのせいで、少なからず起こっていた。ある時、ロシア一座のリーダーが、ちょうどその境港市の水産会社の社長に敬意を表して乾杯の発声をしたが、社長の苗字をテーマに情緒あふれる想像力を駆使することに夢中になった。「海を表すなんて詩的な苗字なんでしょう、オー！　モーレ！（おお！海よ！）」といった具合だ。社長の姓は大森さんといい、漢字で書くと「大きな森」を意味するのだが……。私はその時どう切り抜けたのか、もはや覚えていないが、この傑作を通訳しながらなんとか切り抜けた。それでも覚えてい

る限りでは、パーティーの主人公となり祝われたご本人は満足していたし、「乾杯の音頭をとった」人物は、拍手をさらっていた。

もっとも、はるかに深刻で複雑な厄介ごとは、言語的な難しさから生じるのではなく、双方の国の文化的特性、風習や習慣に対する無視や軽視によって生じる。私はもちろん、この点においてツアー公演の参加者たちに分かってもらうよう努めたが、短い時間で伝えられることは限度がある。その上、周知の通り、人間は自分で火傷しないうちは予め注意されたことを身につけないように出来ているのだ。

次の公演で、私たちが旅館にチェックインをした時のことだ。その時私は忙しかったので少し遅れて到着すると、私たちのスポンサーの中では最も聡明で冷静な勝部さんが、憤慨していることがわかった。彼は、傍にいる完全に戸惑ってこわばったロシア人俳優や舞台スタッフをあらん限りの罵声を尽くして叱り飛ばしていた。判明したところによると、ロシア人が外履きの靴を脱がず、室内用のスリッパに履き替えずに旅館内をうろうろしていたから、という理由だった！ 私は謝らざるを得なかった。勝部さんはなんとか落ち着いてくれた。ロシア人は相当困惑していた。

ロシア人俳優は、さらにもっと気まずい体験をすることになる。京都で、レストラン「キエフ」の加藤幸四郎さんが私たちを招待してくれた。加藤氏は非凡な人物で、シベリア抑留も含め数多の人生経験を持つ人だ。加藤氏は二人の同い年の友人と共にシベリアの収容所で五、六年を過ごしたが、ウラジオストクの若き俳優たちに向かって、ソ連の人々は極めて優しく良い人たちだということを熱心に説いていた。ロシアでは当時、自己否定の風潮が吹き荒れており、祖国への愛を語ることは不愉快だったのだ。そこへもって、加藤さんはソ連を侮辱することなく、愛し、有名な歌手になった娘の加藤登紀子さ

んにその愛着を語り継いだのだ。登紀子さんとは特に友情を育み、彼女のコンサートで共演できるよう招待までしてくれた。数年後に登紀子さんは父の教えを守り、ウラジオストクでコンサートを行った。ほんとうに残念だったのは、お父上がその時には他界されていたことだ。

八〇年代は、ウラジオストク市民は生身の外国人との関係をきちんと受け入れる用意ができていなかった。日本のテレビ局員がソ連時代のペレストロイカについてドキュメンタリー映像を製作した時、当時ウラジオストクに自然発生的に現れた露店の列も撮影していた。そこでは、市民が困惑しながらも、誰もが売れるものは何でも売りに並べていたのだ。撮られていることに気づき、素人の売り子は「ちょっとあんたたち、何撮ってんのよ?」と憤慨して言った。まるで、何か恥ずべきことをして悪質な摘発を受けているかのようだった。もちろん、通訳者の端くれとしてその場にいた私は、正直に言うと、苛立ちを覚えた群衆に対して、この人たちはジャーナリストで自分の仕事を全うしているだけだ、と説得するのは容易ではなかった。ぶん殴られる可能性もあった。しかし、有難いことに何事もなくおさまった。

加藤幸四郎さんと淑子さん

その時もウラジオストクにやって来たあのカチューシャ(吉田和子さん)が私たちを慰めてくれた。日本でも戦後はヤクザの罵声やばか騒ぎがあったが、徐々に静まり、ならず者たちはしっかりしたビジネスマンになって文化や若者の育成に投資をしている、と言って。「あなたたちの国もいずれそうなるわ」と説き伏せてくれた。

もっとも、カチューシャはそもそも特殊で、典型的な日本人ではない。勇敢で理解を超えていて皮肉的だ。ちなみに、彼女の祖母はロシア人だった。一般的な日本人に関しては、カチューシャを基準に判断してはいけない。では一体誰を基準にすればいいのだろうか!?

己の人生経験とごく普通の人々との触れ合いから得た確信を信じることが何よりも簡単である。ある時、旧友の河原さんに、自身が取引きするロシアのウォッカを友情で宣伝してくれないか、と頼まれた。私は同意し、「少し」と言って、ピンクの頬をしたバーテンダーに小さな杯を差し出した。バーテンダーは少しだけ注いだ。「注いで注いで!」と河原さんが命じた。「でも、この方は『少し』とおっしゃいましたよ」と、若者は訝しそうに言った。「ええ！ロシア語の『少し』は、日本語のそれとはまったく違うよ、さあ、注いで！」と、河原さんは奨めた。

要するに、ロシア人と日本人が本当に信頼して良い隣人関係を築くためには、コミュニケーションをとることによってのみ、互いの魅力的な側面をより一層知ることができるのだ。よって、日本公演参加者の個人の感想の中で最も価値があり生き生きとしたものは、劇団の音楽監督、ヴィクトル・リベルスキーの言葉だったように思う。「私の人生で、米子で過ごしたあの夜ほど豊かで心の通った会話は今までなかったよ。見知らぬ日本人の漁師と桟橋に座ってほとんど朝方まで、何の辞書もなしにあれこれとしゃべったんだ、とても楽しかったよ」。

（翻訳　樫本真奈美）

撮影：アレクサンドル・ヒトロフ

日本の基金にも関わらず、「日本」ではなく、祖国「ロシア」に対する功績が例外的に認められた

アンドレイ・マルティノフ

モスクワ現代美術国際ビエンナーレ総監督（2008 － 2016）
展覧会企画キュレーター、モスクワ

古池や蛙飛びこむ水の音　松尾芭蕉

七〇年代はじめ、遠い昔のレニングラードでの学生時代、ある素晴らしい知り合いのおかげで芥川龍之介の二巻選集を手に入れた。まさにこの選集で日本に対して初めて興味が湧き、この驚くべき国のユニークで多様な文化に対する説明し難い本物の愛に徐々に発展していった。他の発見もあった。川端康成、安部公房、谷崎潤一郎、もっと後には三島由紀夫の本だ。文学作品の他にも、当然フセヴォロド・オフチンニコフの『サクラの枝』は読んだ。目に入るものはすべて、日の出ずる国に関連するものばかりだ。生け花、盆栽技術、歌舞伎などについての本の数々……。こうして、ちょっとした蔵書が出来上がった。「日本」という単語そのものが、私にとっては一種の心を奪われる魅力のシンボルとなり、この国と文化についてもっと知りたいと思うようになった。次の発見は、黒澤明と小津安二郎の映画だった。両者ともに大きな遺産を残した。さらにもっと後になって、インターネットの出現と共に日本の映画媒体にただただ熱中するようになり、そこに最初に生まれた好奇心にも似た、数多くの興味を覚えた。

　学業を終えた後は、海洋学技術者の卒業証書を手に極東勤務の辞令を受けることになった。最初はナホトカで軍事用の水路測量をして働き、その後はウラジオストクのソ連科学アカデミー太平洋海洋学研究所極東支部で働いた。多くの調査遠征のルートは日本からほど近い場所を通った。つまり、サハリンと北海道を隔てる宗谷海峡を通ってオホーツク海に出たり、太平洋に出る時は北海道と本州の間の津軽海峡を経由し、南海に出る時は日本と朝鮮半島の間を通過した。一九八一年のある時、学術調査船「科学アカデミー・クルチャトフ」に乗った遠征の時、東京に入国する計画があったが、残念ながら実現しなかった（その代わり、事実上の長い交渉の末にホノルル入りが承認された。当時としては夢のような幸運だった）。海に出る仕事の特殊な点は、かなり多くの自由時間があることであり、そのため読書がたくさん出来るのだ。というわけで、定期航路に出る時は毎回、常に補充されていった私の「日本蔵書」から本の山を持って行った。

極東で約一〇年働いた後、ノヴォシビルスク（私が生まれた所だ）へ転居せざるを得なくなった。……住宅問題によって極東生活が台無しになったのだ。ウラジオストクに戻るつもりでいた。しかし、人生は違う方向に舵をとった。実際は、ロシア科学アカデミー電算センターのシベリア局で働きながら、定期的に出張でウラジオストクを訪れていた。一九九〇年には、「科学アカデミーヴィノグラードフ」船でさらにもう一度航海に出たり、学会に数回参加をした。しかし、困難な九〇年代に入り多くの人々の生活が変化した。ビジネスをする才能はなく、私は学問の世界で働き続けた。一九九一年と一九九三年に、学術交流でカナダには二度行った。

その後、ウラジオストクで行われた学会で韓国の学者（彼に私を紹介してくれた当時の太平洋海洋学研究所の学長ビャチェスラフ・ロバノフに感謝している）と知り合った後、韓国で働いた。ウラジオストクから飛行機で韓国に向かう時、私は上空から日本を目にした。当時（一九九六年）、北朝鮮上空を飛ぶことは不可能だったからだ。

学問に対する関心は次第に薄れていった。学者の少ない給料で生計を立てるのは非常に難しかった。様々な英語の論文を翻訳するアルバイト（沿海地方商工会議所との繋がりも含め感謝している）を常にこなし助かったが、カナダや韓国で稼いだ時のように少しの間だけだった。九〇年代末期、電算センターの仕事を続けながら、オープン・ソサエティ財団の支援を受け、ノヴォシビルスク国立美術館にインターネットセンターを設立するプロジェクトを立ち上げた。一九九七年の秋に作業を開始し、一九九八年の冬にはセンターがオープンした。開設して間もなく、私が日本人版画家の三好百合子氏と一緒に企画した大規模な日本現代版画展「40＋1：生きた顔」が美術館で行われた。知り合ったのはインターネットを通じてだ。当時、百合子さんは一九八七年に版画家の宮山広明氏が創設した国際版画交流協会「プリントザウルス」の秘書の仕事と連絡役を務めていた。

ノヴォシビルスクの後は、カリーニングラードの国際グラフィック・ビエンナーレの一環としてこの展覧会が行われた。この展覧会を終えた後に作品数点が寄贈され、ロシア国立東洋美術館と国立プーシキン造形美術館のコレクションに加えられた。このプロジェクトから私の仕事と日本の芸術家たちとの友情がはじまり、今日まで続いている。

海洋学技術者にとっては、一九九八年も非常に興味深い年だった。その年の春、私はあるアメリカ人と連絡を取り、彼はポルトガル、リスボンの学会に招待してくれた。そこでは同じ時期に海洋学研究に関する国際博覧会が行われていた。数ヶ月の間に私は同僚と急いで衛星データを用いて太平洋の循環をモデル化する一連の数値実験を行い、ポルトガルで報告した。私たちの方法と結果は査定の余地がありまだまだ不十分だったが、方法そのものは有望であり得た。しかし、作業が幹部の承認なく実施

され、その結果大きな問題を引き起こした。私は徐々に仕事への興味を失っていったが、この種の紛争があると、関心を持ち続けるのは難しいものだ。

プリントザウルス

私が初めて日本の地に足を踏み入れたのは二〇〇二年八月で、それは、不本意な形で研究者としてのキャリアが終了したのと同時に起こった大事件だった。私は全く別種の仕事に完全に切り替えた。それは、様々な造形美術に関連する展覧会のプロジェクトを実施する活動であり、まさに現在私がしている仕事である。

この訪日はあまりにも大きな印象が残った。完璧に期待通りだった。旅の一番の目的は、日本、ロシア、バルト三国の現代版画家の展覧会を開くことだったが、毎日日本の芸術家と新たに知り合い交流をしたり、宮山弘明氏とも再会し、美術館、博物館を見てまわり、温泉に入った（富士山が見える場所で！）。富士山に登り山腹で夜を過ごし、ご来光を拝むという素敵な「おまけ」もついてきた。その上、日本のデジタル写真の先駆者の一人である写真家の小林のりお氏をはじめ、彼の支持者や学生たちとも知り合うことができた。

私は当時、日本の写真をよく知らなかった。この日本旅行の数年前、フランクフルトで行われた有名な荒木経惟の大規模な展覧会を訪れたことがある。後になって、個性、伝統、独自のスタイルを持つ完全な写真の世界を発見した。当然、最初の成果となった展覧会はまず、小林のりお氏の「デジタルキッチン」で、ノヴォシビルスク、ペテルブルグ、モスクワで開催した。そして、写真というテーマは、私が心を込めて専念する重要な仕事のひとつになった。

フジテレビ

二回目の訪日は二〇一〇年だった。宮山広明氏のおかげで、フジテレビが日常生活における現代アートの役割を扱った、ゴールデンタイムの番組に出演するよう招待してくれた。現代アートはどれほどアクチュアルなのか、伝統芸術にルーツを持つのか？　伝統芸術は今どうなっているのか？　日本や諸外国の様々なアーティストたちがどうやって生き延びているのか？　番組には芸術家や各国のキュレーターが参加し、私はロシア代表だった。例え短い時間であっても、日本のテレビが世界と触れ合う極めて面白い時間だった。私はアーティストの弟と一緒に東京で数日間を過ごしたが、帰国後、日本は弟をしばらく「離さなかった」。コントラストがあまりに顕著で弟はひどく気分が落ち込むことすらあり、苦しんでいた。

国際交流基金（ジャパンファウンデーション）

二〇一一年一二月五日から一六日にかけて、ロシアの様々な美術館や文化機関の代表団の一員として私は再び日本を訪れた。これは、国際交流基金によって組織された視察旅行だった。正直に言えば、私は相応しい年齢のキュレーターではなかったのだが、次のモスクワビエンナーレの準備で多忙を極めていたにも関わらず、日本に行きたくて仕方がなかったので、私は直接日本の主催者に懇願した。すると、奇跡が起きた！　私の願いに応えてくれたのだ。日本の基金にも関わらず、「日本」ではなく、祖国「ロシア」に対する功績が例外的に認められたのだ。私は実際に、日本の生活と芸術の様々な側面を紹介するありとあらゆる数多くの企画（基本的には展覧会企画）を率先して行い、ロシアで首尾よく結果を残していた。そして今でも、人も羨むほど定期的にこの仕事を続けている。

それは、忘れられない旅になった。滞在中、私たちはバス、新幹線、普通の電車、飛行機、モーターボート、フェリーなどを使い日本国内を移動した。東京、大阪、京都、広島、金沢など、日本の最も重要な美術館を巡った。直島にある複合アート施設にまで行けたのは幸運だった。心が揺さぶられる程素晴らしい作家の博物館や、自然の中に有機的に建てられた美術館やインスタレーションもさることながら、インスタレーション作家の杉本博司氏は永久に心に刻まれた。

ダシー

ロシアにかなり有名な彫刻家のダシー・ナムダコフがいる。彼の卓越した彫刻は、カザン、アスタナ、ゴールナヤ・ショーリヤ、その他の場所で見ることができる。彼は日本に行くのを夢見ていた。二〇一二年はダシーにとって嵐のような年だった。ロンドンのハイド・パークの隣で行われた、チンギスハンの彫刻を発表する大規模な展覧会、また、東京のジュエリーカレッジで（ミニチュア彫刻の）ちょっとした展覧会があった。本人は展覧会のオープニングのために数日間訪日した。一緒に鎌倉に行き、東京の現代アートを展示する森美術館を含め、数々の美術館をまわった。ダシーの名声と滞在費は十分に補償されていたおかげで、数日間ホテル「ハイアット」に泊まることができた。自分では泊まることができなかっただろう。旅はサクラが咲く時期が終わる頃と重なり、ダシーの夢はうまく叶ったのだ。

アキ、おがわまゆこ

私はアキ（原田明和氏）とソウルで出会った。きっかけはもう思い出せない。京都出身で、ちょっとしたギャラリーを持っている。日本の芸術家と同様に、韓国の芸術家とも一緒に仕事をしていた（ここで我々の興味が一致したのだ）。私は定例の、第五回モスクワ現代美術国際ビエンナーレの準備をしながら、そこに日本のアーティストたちが参加できるように、個別に特別プロジェクトをすることに決めた。モスクワでは、運命に導かれるようにロシアに来た、おがわまゆこ（小川真由子氏）がこのアイディアを現実化し、一方、日本ではアキが積極的に動いてくれた。

日本のグループ展の参加者のひとりに、安喜万佐子氏がいた。後に彼女は私の再訪日の段取りを手助けしてくれた。二〇一三年六月、京都精華大学でロシアのビデオ・アートについての講義をするために日本を訪れたが、大学を訪問し講義を行うのは面白い経験だった。京都で数日を過ごすことになったが、これが素敵なプレゼントでなくて何だろうか。数日の時間があっても、日本の重要都市をすべて見るには極めて足りない。京都のすべての名所（本当に沢山ある）をゆっくり観てまわるには、もっと時間が必要だ。現地に一週間以上滞在し、実際に街の雰囲気に浸るのがいい。確かにここでも幸運だった。東京の現代アート美術館のベテランキュレーター、長谷川祐子氏と一緒に小さな「食堂」（事前に予約しなければならなかった）で「そば」のランチを食べ、哲学の道のすぐ近くにある彼女の家でお茶を飲んだ。東京に向かう列車に遅れそうになり、私はタクシーの中に携帯電話を忘れてしまった。これぞまさに正真正銘の日本らしい話である。電話は紛失しなかったのだ！すでに東京に着いた私のもとに返ってきたのだから！

二〇一八年の年は、ふたつの出張を私にプレゼントしてくれた。六月は造形大学のロシア写真に関する講義だ。ついでに鎌倉にいる古くからの知り合い、ピーター・ミラーを訪ねた。彼は新しいデザイナーズ住宅を建て終えたばかりで、友人を迎えてくれる開放的な家だ。ピーターとの交流はいつも面白い。彼はいつもアメリカで過ごした若い頃の話やいろいろな話をし、私は自分の旅の印象を話す。あらゆることを考え話し合い、私もピーターもこうした付き合いが好きだ。朝は鎌倉の沿岸に散歩しに出て、日本人が連れている犬を観察したり、サーファーを眺めたり、「お決まりの」水泳をしたりした。ピーターと奥さんの裕子がいつも送っている生活リズムを壊さないように自分の日々の仕事をこなし、庭の芝生刈りを少し手伝ったり、自転車に乗って一緒に旧家に行き、梅の実をとったりした。

ピーター・ミラー「富士山」

鎌倉から東京に移動し、毎日様々な人と会い、時には夜遅くまで会合は続いた。ホテルに戻ると、私は必ず湯船にしばらく浸かった。日本のホテルにはたいていどこでも設置されている。この時主に会ったのは写真家で、その中でも藤原敦氏だった。私たちはギャラリーをまわり、リニューアルオープンした東京都写真美術館を訪れた。敦も私を新宿ゴールデン街にある写真家にとって有名な酒場「こどじ」に連れていってくれた。店内の壁一面は写真展の案内状絵葉書が飾られており、写真集も沢山置いてあるので、このバーで長時間「居座る」ことも可能だ。敦はウィスキーのコーラ割りをおごってくれて、あれやこれやと話をした。東京では時間が経つのも忘れてしまった。

今年二回目の訪日が待ちきれず、目下準備中だ。新宿御苑前のアイデムフォトギャラリー「シリウス」で「ロシア風景のミステリー」と題した展覧会を予定しており、旧友たちと会い、ピーター・ミラーと裕子と一緒に、一年前に杉本博司氏が設立した小田原文化財団に行く予定だ。必ず敦ともバーに行く（次は私のおごりだ！）宮山氏との会合（とても会いたい）も予定しており、河内成幸氏（もうひとり、長年知り合いの版画家だ）、来年で活動五〇周年を迎える写真家の小川勝久氏との会合も予定している。ぜひロシアでこの記念すべき年を祝いたいと考えている。

これで私の日本の物語が終わらないことを望んでいるし、この驚くべき国をさらに一度ならず訪れる機会があることを願っている。

展覧会の仕事はもちろん続いている。特に、ロシアにおける日本の写真家たちのグループ展だ。これは、宮山氏の銅版画展「源氏」に劣らぬ大成功を収めると予想している。「源氏」は、ノヴォシビルスク、オムスク、バルナウル、チェリャービンスク、サマラ、トリヤッチ、エカテリンブルグ、サラトフ、ペルミ、モスクワ（ロシア国立東洋美術館）、クラスノヤルスク、トムスク、マイコープを巡回した。ウラジオストクだけでも約一万人の来場者があった！　反響から判断すると、多くの来場者は日本文学とその根底にある作品、光源氏を主人公とする『源氏物語』を初めて知ったように思えた。このようにして、日本文化に触れていたのだ。

（翻訳　樫本真奈美）

真木柱

宮山広明

In the garden of Genji

花見立て源氏物語

玉鬘

私はこの驚くべき国を訪れることができませんでしたが、語られた話はすべて「私の」日本でつながっています

ナターリア・マチャーシュ

バサルギン記念図書館職員、
教員

私たちの世界がこのように大きいとは驚きです！　なんと多くの国、何と多くの民族！　一見すると私たちは皆とても様々で、とても遠く、お互い似ているところも無いように見えます……。しかし、もっとじっくりと見てみると、特に文化、芸術、単なる日常の話というプリズムを介してみると、私たちに共通するものはとても多く、私たちをより近しく、理解し易くします。

日本―桜の咲く国、ロシア―白い幹の白樺の国。これらの詩情豊かなシンボルの背景には、美しい伝説があります。それらは、精神、美しさ、詩情においていかに近いことか！ふたつの樹木は、愛、自然の清らかさ、女性の美しさのシンボルです。

白樺にまつわる伝説があります。親戚に腹を立てた娘がルサルカ（水の精）になり、森の湖に住んでいました。月の夜、彼女は岸辺に上がって遊んだり、はしゃいだりしていました。ある時、ルサルカが夜明に気づかずにいると、太陽神のホルスが二輪馬車に乗って現れました。彼は素晴らしい娘を見ると、恋をしてしまい、彼女を湖に帰したくなくなりました。こうして今、彼女は白樺になって岸辺に残りました。

桜―ニニギノミコトが天上から日本に降臨しました。彼を出迎えたのはオオヤマツミでした。オオヤマはニニギに自分の娘たち、花咲（コノヤノサクヤヒメ）と岩（イワナガヒメ）を妻にと差出しました。ニニギは、岩は美しくないと言って、花咲を選びました。オオヤマはそれに腹を立てて言いました。「もしも岩を選んでいたなら、日本人の命は永遠でしっかりしたものになっただろうが、これで

は、命は花のように美しくとも、儚くなるだろう」。花咲が亡くなる日、彼女の髪はピンク色になり、墓には美しい樹木が育ちました—桜です（桜色は訳すとピンク色になります）。日本中どの公園、庭、広場にも桜が植えてあります。そしてどの家にも、純粋さと優しさのシンボルである桜の絵や写真があります。

　この驚くべき国と運命的な関りのあった人々について語りたいと思います。

　札幌で開催され、大好評だった自分の個展も含めて、画家のウラジーミル・スタラヴォイトフ（スターリィヴォイト）は、何度も日本に行きました。「隣に住んでいながら、私たちはお互いを知りません。しかし、日本人は概して私たちを理解しようとしてくれて、ロシアの画家の展示会をよく開いてくれます。すべてにおいて繊細、といったメンタリティーの違いがあるように思われますが……。私が驚いたのは、彼らにとってはぞんざいに見えるはずの私の作品を、細微まで感じてくれていたことです。私のやや粗い手法は、細部に至る日本の細線仕上げとはかなり異なるものです。それでも彼らは気に入ってくれました」。

スタラヴォイトフのアトリエ

　日本はウラジーミルに大きな印象を与えました。彼はこの国の住民の他にはない率直さ、自由さ、そして彼にとっては異質な彼らの文化を理解することを切望していると話しています。

　キシック親子、ジナイーダ・イヴァノヴナとレオニード・バリーソヴィッチの作品では、驚くべき様式で日本とロシアの手法が絡み合っています。すべては、早い子ども時代から始まっていました。家族の父、イワン・アヌフリーエヴィッチ・キシックは、日本人捕虜のラーゲリで働い

スタラヴォイトフ「古い家々」
札幌、1998 年

ていて、捕虜たちとのコミュニケーションをできる限り図っていました。彼は高級家具職人でした。娘のジナイーダは人物を描き、父はそれを小さな彫刻にして家具の装飾にしました。ラーゲリのヤマグチヒロシという日本人が彼の目に留まりました。ヤマグチは、木から動物、花、日本の衣装を着た人形を彫りました。イヴァン・アヌフリーエヴィッチにとって、この職人との仕事は興味深いものでした。それ以来、家には日本人捕虜の写真二枚とヤマグチヒロシからもらった英露辞書が保管されています。それ以外にも、彼は日本に帰る前に、知り合いのロシア人たちに水彩画、いくつかの木彫り、ぴったりと貼った絹地のアルバムを残しました。これら愛すべきものすべてがキシック家の家宝であり、一家を日本の芸術に夢中にさせるきっかけとなった職人の懐かしい思い出なのです。

ジーナ（ジナイーダの愛称）は小さな彫刻に興味を持ちました。描いたり、粘土彫刻をしたり、色々な手法を試したりしました。しかし、最も印象的な作品は、息子レオニードは、母親の指導の下で作ったものでした。レオニードは、母親の影響もあってプロの芸術家になりました。太平洋艦隊博物館で、母親が日本から贈り物として受け取った展示品に彼の注意を向けたとき、彼は七歳でした。少年は、日の出ずる国の文学や芸術、有名な画家、北斎、広重、歌麿の作品に興味を持ちました。その結果、映画や、「龍王太郎」を含む物語のイラストを多数作りました。レオニードは日本の匠を模倣し、風刺画、リノリウム版画を制作し、日本人形を手作りし、日本のイメージをフラワーアレンジメントで表現することを考えつきました。この芸術家の隣国への関心は消えません。彼のコレクションには、挿絵、蔵書票、絵画、さらには、彼が自ら縫って展示している衣装も

ジナイーダの彫刻

L. キシックの青年時代の作品

あります。母と息子は、自分たちの夢の国を訪れては、ある家庭に滞在していました。恐らく、これが日本とロシアの友好と文化協力を強化する「民間外交」なのでしょう。

今度は、たわいない日常生活のお話です。

ナジェージダ・サモーイロヴナ・エゴーロヴァの戦後の子ども時代の思い出は、日本とつながっています。故郷の村グラゾフカの畑で日本人捕虜が働いていました。子どもたちは徒党をなして脇に立ち、好奇心から彼らを見ていました。突然、捕虜のひとりが指で幼いナジェージダに手招きをして、彼女にニンジンを差し出しました。女の子は「スパシーバ（ありがとう）！」と、小さく囁きました。「スパシーバ、スパシーバ！」と強い訛りで繰り返し、彼は嬉しそうにうなずきました。ナージャ（ナジェージダの愛称）は家で日本人の予想外の行動について話しました。夫が未だ戦争から戻らず（なんらかの理由で遅れていました）、四四歳で息子の戦死公報を受け取った母親は、瓶にヤギの乳を注いで言いました。「ほら、不運な人に持っていきなさい、私たちに役立っている人だろうから」。捕虜たちを祖国に帰すことになった時、この新しい知人がナージャに袋を差し出しました。中には、ほとんど新品の毛皮のブーツが入っていました。姉は冬の間ずっとそれを履いて歩きました。笑われました、本当に、おとぎ話にでてくるたちまち遠くに行ける靴だと言われました、でも足は暖かかったのです。何年経ったでしょう、ナジェージダ・サモーイロヴナはこのことを覚えていて、自分の物語を終えるとき、いつも「人間は、人間でいなければいけない」と言うのです。

覚えています。一九七〇年、一九八〇年代には良い伝統がありました。いわゆる「友情の船」で日本に行くのです。大勢のアーティスト集団がコンサートに出演し、色々なやり方でレセプションを行い、スポーツ競技に参加し、そして、もちろん、観光にも行きました。お互いが近しくなり、知り合える素晴らしい形態です！

私たちの図書館は、非凡な沿海州の作家イワン・ウリヤーノヴィッチ・バサルギンの名称を冠しており、手紙を含む彼の文学的アーカイブの一部が私たちのところに保管されています。その中のいくつかで、彼は自分の日本滞在を語っています。これは創作的な出張（一九七四年二月〜四月）で、作家はモーター船「カピタン・リューチコフ号」のグループの一員でした。ついでながら、

イワン・バサルギン

バサルギンはソ日協会のメンバーでした。船は、日本の神戸港、横浜港、東京港、富山新港に寄港しました。バサルギンは船員と一緒に記念墓地やその他のモニュメントを訪れました。しかし、何より私が心を動かされたのは、日本の港々で山のようなロシアの木材を見た、と作家が胸を痛めて語っている文章です。「これは、私のウスリータイガの細片であり、デウス・ウザラー、アルセーニエフ、私の祖先、私たちのタイガに暮らしたすべての人、小さな杉の一本一本に心を痛めるすべての人の魂の細片です。こうした『小さな杉』がここには何千本、何百万本とあります」。このクレームは、日本に対するものではなく、こうした契約を締結した自分たちの政治に対するものです。日本を訪れたバサルギンは興味深い情報を収集しましたが、残念ながら、現地の住民とのコミュニケーションはあまりとれなかったと嘆いていました。それでも、日本についての印象は残りました。「驚くべき、神秘的な、多面性をもつ国」。

そして、これもまったくユニークな話です。何年か前、バサルギン記念図書館に子どもクラブ「若き家系譜研究者」がありました。クラブの参加者への課題のひとつに家族伝来の品について語るというものがありました。アリーナ(第六六学校八年生)は、アントン・チェーホフの故郷であるタガンロックで生まれた自分の祖父について愛情を込めて語りました。一九七六年、祖父は砕氷船レニングラード号の修理のために横浜に行きました。市内を歩いている時に、ポスターに目が留まりました。日本の劇団がチェーホフの戯曲「三人姉妹」の舞台準備をしているのです。祖父は興味を持ち、舞台監督のところへ行き、戯曲について自分の見解を語りました。船員である祖父はヴェルシーニン役を提案されました。日本語の文章はロシア文字で書かれました。舞台は大成功でした。家族には熱狂的なレビューの新聞の切り抜きが保管されていました。祖父は知事のレセプションに招待され、そこで象徴的な市の鍵を授与されました。こうして、この家族に日の出ずる国からの思い出の伝来の品が生まれました。

私は、この驚くべき国を訪れることはできませんでしたが、語られた話はすべて「私の」日本でつながっています。私は多くを読みますが、自分で書くことは稀です。「その日が来た」、「最初の川」、「私はおばあさん」、「昔猫が住んでいた」、「簡単な話」。今、作品の貯金箱にもうひとつの物語が加わりました。ウラジオストクにいつも桜の枝が、そして白樺は遠くて近い日本の街々にありますように!

(翻訳　小川久美子)

極東ロシアの人たちが如何に日本人に対して暖かい思いを抱いてくれているかを伝える義務がある

前田　奉司

株式会社
BUSINESS COORDINATION JAPAN
代表　(http://bcj-ltd.com/)

　中学時代、国語の先生の指導で初めて接したトルストイ、プーシキン、ツルゲーネフなどのロシア文学に感動し、それ以降、社会に出てからも五〇年余りにわたり、ロシアとの交流に携わって来た。一九六八年六月、二四歳の時にその年二月に結婚したばかりの新妻に横浜港で別れを告げ、ナホトカ、ハバロフスク経由で最初の赴任地であるモスクワに向かい、その間、新妻とは一週間に一通の手紙をやり取りし、一度も帰国しなかった。

　それ以来、モスクワに二回延べ一一年間、極東ロシア（ウラジオストク、ハバロフスク）に二回延べ一一年間駐在し、合計ロシア駐在は二二年間に及ぶことになった。この間、五年間は家族共々でモスクワに滞在したが、残りの期間は、単身赴任であり、家族に大きな負担をかけたことを申し訳なく思っている。ただ、モスクワで家族共々過ごした一九九〇年代の楽しかった思い出は今でも懐かしく思い出せる。

　モスクワでの生活はソ連時代で物資も十分ではなかったが、家族と共に過ごせた四年間は楽しかったし、一般に物資不足の中、外国人である我々は金券ショップを利用でき、一般のロシア人には買うことができない商品を安く買うことができ、ロシア人から羨ましがられた。

　ただ、外国人に対する規制が厳しい時期であったため、一般のロシア人との個人的な付き合いは全く出来なかった。小学生であった私の娘がアパートとして使っていたホテルの従業員の家に呼ばれていっただけで、彼は後でいろいろ聴取を受けたりしてせっかく娘を招待してくれたロシア人にも迷惑をかけた。

　一九七〇―八〇年代は日ソ貿易が急拡大する時期で、

炭田開発、石炭販売、ヴォストーチヌイ港建設、木材加工工場建設、自動車販売、重機械販売、肥料の三国間取引等非常に多くのビジネスの機会に恵まれ、きわめて多忙であったが、それなりの充実した時期であった。

その後、九〇年代のソ連崩壊時にモスクワに滞在した時は、ハイパーインフレとルーブルの大暴落があり、我々外国人は外貨さえ持っておれば大変安い買い物ができたが、一般のロシア人には少ない物資を買い求めるために長い行列をするなど耐えられない苦しみを味わっているのを傍で見た。

その後、ウラジオストク、ハバロフスク等極東に延べ一一年間滞在した。

この時期は、ソ連崩壊後、ロシアも急速に経済の自由化を図り、混乱した時期でもあったが、石油等エネルギー価格の高騰などにも恵まれ、ロシアの経済が大きく発展し、ロシアのビジネスマンの意気込みも非常に大きかった。非常に優秀なビジネスマンが多かったが、共産主義国からいきなり資本主義の社会になり、それまでの社会では上からの指示に基づき確実に計画を実行することが仕事であると考えていたが、資本主義の中では自分で考えてビジネスを展開する必要があり、その方法が理解出来ないと困っているビジネスマンも多かった。

私は三五年に亘る総合商社での経験を生かしてロシアのビジネスマンに対して資本主義諸国とのビジネスのやり方を指導する立場にあったので彼らに対しては、資本主義社会の中でビジネスを行うということは、お金を相手からむしり取るのではなく、売り手と買い手が「信頼関係」に基づきお互いに納得できる取引を行うことが基本であること、特に、日本人は信頼関係を最も重視することを強調し、指導してきた。

モスクワでの勤務を終えて、極東ロシアでの駐在を始めた時に感じたことは、極東ロシアは西側のロシアと全く異なる世界であったことで

あった。

　モスクワの時代には外国人との交流が厳しく規制されていたが、この時期にはソ連が崩壊したこともあり、外国人に対する規制も少なくなり、お互いに自由に交流が出来るようになり、外国人に対する関心が非常に高く、且つ日本人に対する現地ロシア人からの親しみに満ちた応対に感動した。

　モスクワ、サンクトペテルブルグの西側のロシア人と極東ロシアのロシア人は考え方が大きく異なり、西側の人たちは必ずしも日本を向いているわけではなくむしろヨーロッパを向いており、日本は東の国の一つとしか見ていない。これに比べ、極東ロシアでは日本の存在感が大きく、現地の人たちの日本に対する親近感の大きさに驚かされた。

　極東ロシアでは、現地の人達の温かいもてなしで一回も寂しい思いをしたことがなかった。一一年間の単身赴任の間、とても楽しく現地の人たちと交流が出来たことを本当に感謝しており、これらの交流は自分にとり大きな財産となった。

　考えてみれば、日本とロシアはすぐ近くの隣国同士として一〇〇年以上前から様々な交流を続けてきており、一九世紀末に長崎―ウラジオストクの間で往来があった。一八七八年にはウラジオストクで最初の日本見本市が開催され、北海道の商品が展示された。第二次世界大戦終結前には五〇〇〇人の日本人がコミュニティーを形成し、いろいろな日本企業が経済活動を行い、当時、世界最大の日本人町を形成していた。この当時のことは極東連邦大学のゾーヤ・モルグン先生が詳しく研究されており、いろいろな本も出版されている。

　モルグン先生に教えていただいた実話として、日露戦争の日本海海戦で日本側の捕虜になったロシア兵を日本側は武士道精神に基き丁重に保護し、熊本、長崎そのほか多くの捕虜収容所に収容した。その時、ロシア兵の一人のオシップという兵士が熊本で滞在中に日本人女性久子と知り合い、二人は恋に落ち、オシップが捕虜生活を終えて帰国する際にウラジオストクまで久子を連れて帰り、ウラジオストクで久子はロシア国籍を取得し、二人は結婚した。その後、革命軍がウラジオストクに入ってきて、オシップは捉えられ、シベリア送りとなった。久子は彼の後を追い、シベリアのクラスノヤルスクの近くの田舎に二人で四〇年近く過ごし生涯を終えた。

ウラジオストクのモルグン先生の知り合いがクラスノヤルスクで彼らと付き合いがあったとの事で、モルグン先生がこの話を聞き、この美しい実話を極東大学の校内紙に掲載されたという。私はモルグン先生からこの原稿をいただき日本語に翻訳した。出来ればこの美しい愛の物語を基に映画を作りたいと考え、日本の映画会社と打ち合わせしているが、まだ実現していない。

もう一つの実話として革命軍に追われた白系ロシア人達一万人がシベリア経由逃げ延びてきて、ウラジオストクを最後の砦として立てこもった。当時、ウラジオストクに滞在した日本軍がそれを保護し、革命軍から守った。しかし、一九二二年一〇月に日本軍がウラジオストクを引き上げた後、革命軍がウラジオストクになだれ込んだ。ウラジオストクに立てこもっていた白系ロシア人達は一五隻の船でウラジオストクを脱出し、インチョン、上海、日本を経てマニラまで落ち延びた。この際、日本軍の黒田提督が、日露戦争で戦った敵方のロジェストベンスキー提督が一万人の白系ロシア人達を率いて逃げ延びるのを憐れみ、これも日本の武士道精神に基づき日本軍艦隊がマニラまで護送した。この実話については小説『遥かなる祖国』に詳しく記載されている。

私がウラジオストク、ハバロフスクに駐在中に毎年、年に一回、日本人墓地の清掃を当時駐在中の日本人を集めて行った。その際、気が付いたのは、我々が清掃するまでもなく、いつもきれいに掃除されているのに驚き、現地の人にどうしてこれだけきれいに掃除をしてくれるのか尋ねたのに対し、現地の人達は、自分達が子どもの時、家族はほとんど父親がいなかった。父親たちはドイツとの戦争に駆り出され、帰らない人が多かった。その当時、捕虜として現地に滞在した日本人達が自分たちの父親代わりに親切にしてくれたことに感謝しており、この人たちに感謝する気持ちで掃除をしているとの話があった。

ロシア現地に長く滞在する内に現地の人達が暖かく自分を受け入れてくれることに感激し、その理由を考えたときこれだけ近いところに大きな日本人町が存在したこと、長い歴史の中で現地の人達と日本人の心温まる交流があったという事実に思い当たり、現在の日本人にはこれらの事はほとんど知られておらず、一般にはロシアに対する認識が薄く、ロシアに対するネガティブな印象が抜けきれていないことに大変残念な思いがした。

もう一つの思い出として、自分が少年時代からプレーしてきたテニスを通じて極東ロシア駐在中に東京、新潟のテニスクラブとハバロフスク極東テニス連盟との交流を始めた。これまで毎年交互に相手国で交流会を実施してきた。毎回、すばらしい交流が出来、昨年度で一七回目を日本で実施した。今年は、ハバロフスクで一八回目の交流会を行う予定。

　昨年、新潟で八～一二歳の日露の少年少女グループのテニス交流会を実施した。テニスのプレーはもとより、テニスの後の交流会では少年少女達はお互いに言葉が十分に通じないのに歌ったり、踊ったり、プレゼントを交換したりして素晴らしい交流を行い、我々大人を感動させた。自分達大人が出来ないことをどうして彼らは、このようにスマートに出来るのか不思議に感じた。この原因をじっくり考えた結果、彼ら両国の少年少女達には何も前提条件もなく、ただ人間同士の友達として付き合っただけであり、まさにこれが我々にとり最も必要かつ重要な事であることに思い当たった。

　以上の如く、五〇年間以上に亘り、ロシアの人たちとの交流をしてきた自分として、現地の人々特に極東ロシアの人たちが如何に日本人に対して暖かい思いを抱いてくれているかを伝える義務があると感じ、この目的を実行するために自分で「株式会社 BUSINESS COOEDINATION JAPAN」を立ち上げた。

風力発電プロジェクト

昨年、九月のウラジオストク経済フォーラムにおいて極東連邦大学と日本のWINPRO　GLOBAL社の間で合意した風力発電のロシアにおける共同生産プロジェクトは日ロ間の協力のシンボルとして各方面から非常に期待されており、極東連邦大学との信頼関係をベースにして日ロ間の企業の協力により実現するべくこの会社を通じて協力していく予定。

木材加工プロジェクト

二〇年間にわたり、日本の木材加工企業五五社と協力して極東ロシアに木材加工技術者養成センター設立プロジェクトを実現するべくワークしており、昨年、一二月ハバロフスクに於ける日ロ中小企業効率化フォーラムに日本の木材加工企業とともに参加し、ロシア企業と具体的な話し合いを行った。今後もこれらの企業との交渉を支援してゆく予定。

ロシアビジネスマンの日本企業との交流支援

ハバロフスク日本センター所長時代に設立したハバロフスクビジネスマンクラブ及びロシア大統領経営者養成プログラム卒業生のグループ及びその他の日ロ企業間の交流の支援をしている。

これらの日ロ間の交流の場を提供する為に東京府中市にロシアレストラン「ペーチカ」を開設した。二〇年前に加藤登紀子さんの父である加藤幸四郎氏がイルクーツクから招き、それ以来、二〇年間にわたりロシア料理を日本に広める努力をしてこられたセルゲイ・ニーナご夫妻に、私の目的を理解してもらい、滞在されていた福岡から東京へ移住していただいた。このレストランで本格的なロシア料理を提供し、日ロのビジネスマン、東京外国語大学等の学生達の交流の場として活用してもらい、日ロ間の相互理解を深めてもらうことを期待している。ハバロフスクビジネスマンクラブ関係者からは、このレストランを日本における活動の拠点にしたいとの申し出も来ている。

自分のこれまでの経験に基づいて日本とロシアとの交流の在り方をこの会社及びこのレストランを通じて一般日本人及びビジネスマンに伝えることが出来、これを参考にして、若い世代が信頼関係に基づいた素晴らしい関係を築いてくれることを心より祈っている。

以上の件につき、最近開設した我が社のホームページ（http://bcj-ltd.com/）で紹介している。

ロシアレストラン ペーチカ

ПЕЧКА

東京都府中市府中町2丁目6−1
プラウド府中セントラル 2F
TEL: 042−368−8830

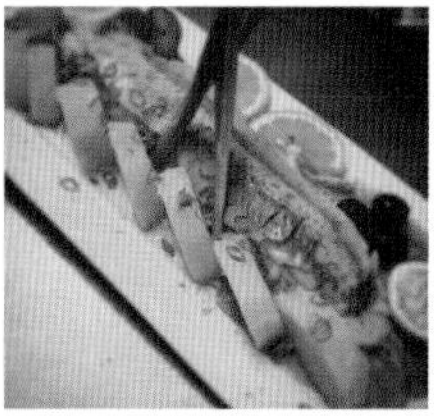

日本とソ連の戦後第１号の取引であり、それ以降は私の契約した条件に合わせて日ソ貿易が開始し今日に至っています

前川　昭一

元前川製作所社長　東京

冷戦の最中で日ソ間にビジネスがなかった時代、私は日ソで初めて「のべ払い」によるプラント輸出を成功させました。

これが、日本とソ連の戦後第一号の取引であり、それ以降は私の契約した条件に合わせて日ソ貿易が開始し今日に至っています。

一九六〇年八月、モスクワのソコーリニキ公園でジェトロ（JETRO）が日本の見本市を行いました。私の会社、前川製作所も自社の冷凍機を出品しました。その時、アテンダントとして私が訪ソしました。ある日、ソ連の外国貿易省から呼び出しがあり行ってみると、ソ連は今食料が不足しているため、一万トンの肉を貯蔵できる冷凍設備一式を一二の都市に購入したいということでした。その当時、前川製作所は社員五〇〇人程の小規模な会社でした。そこに一万トンの食糧用冷凍設備一二セットは、あまりに大きなオーダーでした。社長である私の父は、失敗した場合のリスクを恐れて、辞めて帰って来るよう促した程です。私はロシア語は出来ないうえに、技術者でもなかったので、そうした専門家をモスクワへ応援によこしてくれるよう頼みましたが、父は反対をして、この注文に応じるなと言うので応援は来ませんでした。

ただ、私は諦めませんでした。結果論ですが、昭和三五年に四億円利益を出した契約ですから、日本でこれ程の大きな注文を受けたことはありません。もし前川製作所が受注できれば、それは大ヒットです。私は下手な英語でソ連のトップと本腰を入れて交渉すると決意し、三ヵ月にわたりモスクワで粘り強い交渉を続けました。もちろん、簡単ではありませんでした。当時は携帯電話もインターネット

もありません。通信手段は電報とテレックスの時代で、電話は申込み制で、申込みから日本に繋がるまで四時間もかかり、八時間の時差がある日本とモスクワでは非常に不便でした。ただ私の場合、事あるごとに日本の上司に承認、決定を仰がねばならない大企業と違って、私自身が決済について決定を下し、諸条件を決めることができたため、話を迅速に進めることができたのです。

反対していた父には、私が作った実際の契約書を見て、リスクがあると判断すればキャンセルすればよい、やるだけやらせて欲しいと説き伏せました。

結果的に、競争相手である三菱重工と日立製作所を差し置いて、前川製作所が受注したのです。その後帰国し、日本政府に輸出許可を貰いに行ったところ、この条件ではソ連に対する輸出許可は出せないと言われました。事実、当時は米ソ冷戦時代であり、日本政府は共産圏に対して対共産圏輸出統制委員会（COCOM）が特別条件を課していたので、私の契約した要件はそれに合いませんでした。私は、モスクワで骨の折れる交渉を続けた結果、ビッグオーダーを取り付けたことでもあり、どうしても輸出を実現させたい一心でした。今度は日本政府と輸出許可をめぐるハードな交渉が始まったのです。そして、その結果を持って再びソ連を訪問し、ソヴィエト政府と交渉に入りましたが、ソ連政府も資本主義国に対する高い規制を設けており、ソ連側の了解を得るにはひと月以上かかりました。日ソ双方の政府から問題点を徹底的に聞き出し、ひとつひとつ解決していきました。ココムの時代に、日ソ両国政府を説得して輸出許可を取り付けた時は、感慨深いものがありました。

こうしてソ連（その後ロシア）とご縁が出来たことにより、ロシアではモスクワの他にサンクトペテルブルグ、クラスノダール、ユジノ・サハリンスクを訪れ、妻と共にヤルタやヤースナヤ・ポリャーナに行ったり、モスクワ芸術座やボリショイ劇場に行ったりしました。私はロシア文学が好きで、特にチェーホ

日ソ貿易の先駆けとなった前川製作所とソ連政府の契約

「1961年ソヴィエト連邦 冷凍設備設置」

フが好きです。ソ連トップ女優であるアナスタシヤ・ヴェルティンスカヤを紹介してもらった時、その美貌と知性に魅了されました。彼女は、詩人で歌手のアレクサンドル・ヴェルティンスキーの娘であり、有名女優になり落ち着いた立派な振る舞いをしていました。華奢で謎めいていて、他の人たちとは似ても似つかないような、別世界の女性でした。

私はヴェルティンスカヤさんと親しい友人となり、何回もレストラン「桜」で会いました。

当時、ソ連のサービスは西側に較べて極端に悪く、レストランのテーブルにつくにも長く待たされ、その後メニューを持ってくるウェイターを待ち、挙句の果てにメニューの料理の半分はない、という始末でした。そしてさらに、注文した料理を持ってくるまで待つ羽目になります。

ある時、ソ連商工会議所の幹部である私の友人がダーチャ（別荘）に誘ってくれました。ほろ酔い気分になり、思わずソ連のレストランのサービスの悪さ、食事のお粗末さについて文句を言いました。西側の世界を知っていたその幹部は、私の意見に同意し、商工会議所が日本レストランを作ると決め、予算を確保したのです。その上で私に協力要請があったのですが、私はレストランを経営した経験もなければ、ビジネスとしても小さなため魅力を感じず、当初は断りました。しかし、予算をとった彼らはぜひ実現させたいからと、私の助力を懇願してきたのです。

そこで、仕方なく私は、和食は日本文化の表れなので中途半端なことはできないことを伝え、次のような条件を提案しました。場所はモスクワの一等地であること、内装は純和風で、たたみ、屏風など必要なものは日本からすべて取り寄せ日本人の大工に施工させること、日本の食材、特に新鮮な魚と肉を日本から空輸すること、フロアマネージャーも料理人も日本から連れてくること、という条件です。正直に言うと、これだけ無理難題を突きつければ、ソ連側は諦めてくれると思ったのです。

しかし、ソ連側は私の条件をすべてのみました。その熱意に後押しされ、私は「東京魚国」社の社長だった西さんに相談し、東京魚国の支援のもとでレストランのオープンに着手することにしたのです。場所は、日本人をはじめ、外国人が多く泊まるホテル「メジュドゥナロードナヤ（インターナショナル）」の一階が選ばれました。社会主義のソ連では西側のレストランは一軒もなく、このレストラン「桜」が唯一西側の空気を感じられる場所だったため、モスクワに駐在する外国人には大変好評でした。

桜は日本の魂であり、開花の儚さと刹那さを象徴し、出会いの場でもあります。レストランの名前を考えるようロシア側から頼まれた時は、他のバリエーションは思いつきませんでした。

また、別種の難しさもありました。一九七八年、ソヴィエトの法律で外国人はソ連で企業活動ができないので、私は仲介人と顧問だけの仕事でした。こうした事態にも関わらず、リスクは随分減りましたが、レストランオープンまでの過程で、克服しなければならない難題が少なからずありました。たとえば、火災検査はなかなか許可を出しませんでした。日本の障子や屏風は簡単に燃えやすい素材で出来ていたからです。しかし、それがありのままですから、どうしようもありません！　ロシア人の代表がなんとかこの火災検査の合意を取り付けてくれました。一歩一歩、自分の経験で日本とロシアの文化、歴史、性格の違いを認識することになったのです。交渉せざるを得なかったすべての審査はそれぞれが互いに関連性を持たずに行われており、彼らは自分のルールだけを守り、他者に起こす可能性のある問題に関しては全く考えていませんでした。

最新の冷却設備

一九八一年一二月にレストラン「桜」がオープンした時は、苦労は全て忘れ、日本の着物を着た若いロシア人女性も丁寧でにこやかに客を迎えていました。私は、東京魚国の西さんとレストランの開店記念パーティーに参加しました。

モスクワの和食店の成功は、ロシア側の期待を遥かに上回るものでした。常に人気を博し、利益も上々で、会計は外貨のみでした。レストラン「桜」ができるまでは、サシの

株式会社 前川製作所

入った牛肉で食べるしゃぶしゃぶや、マグロ寿司がモスクワで食べられるとは想像すら難しかったのです。未だに我々がソ連と協力して不可能を可能にできたことに驚いています。ずっと不思議に思っていたのは、どうしてソ連初の外国料理店を開くに際して日本料理が選ばれたのか。フランス料理やイタリア料理ならよくわかるし、アジア料理なら中華が妥当です。おそらく、決定を下した主要人物が、大の寿司好きだったからでしょう！

一九九五年、私たちはレストランから撤退しました。今ロシアは市場経済国なので、どんな外国料理店でも開くことができます。「桜」が質の良いレストランサービスをする唯一のオアシスだった時代は去り、日ロ関係の興味深い一ページを人々の記憶と歴史に残しました。

約五年前にモスクワで再びアナスタシヤ・ヴェルティンスカヤに会いました。最も並外れた、謎めいたロシアの女優さんです。実際、時が経っても彼女は全く変わっていませんでした。以前のように自尊心があり、エレガントな謙虚さとロマンチックな女性らしさがありました。相変わらず目を逸らさずに彼女を見つめていたくなりました。

私はソ連時代の唯一のお客さんでもあるソ連政府の幹部と知り合い、その人達に率直に「ソ連共産党政権が嫌いだが、ロシア人は好きだ」と言って付き合っていました。今後もロシア人と付き合うためには、ロシア政府は手強い相手ですが、ロシア人とは仲良くして頂いて、日ロ間の貿易や文化の面で活躍してほしいと思います。

西川さん（左）、オリガさんと

ピーター・ミラー

フォトグラビュール銅版画家
鎌倉

神秘的な東洋、特に日本は旅行者が喜んで神話を作りたくなるような国だ

わが心のロシア

記憶にある限り、ロシアはいつも私の心の中にあった。ピッツバーグで過ごした幼少期の一九五〇年代は冷戦の雰囲気が充溢し、ロシア人の友人が言うところの「鉄のカーテンがヨーロッパにまで降りた」頃だった。アメリカの親ロシア派と反ロシア派は一九三〇年代の闘争を再開し、私は子ども心にロシアについて不安と魅力の両方を感じていた。一方プロコフィエフ、ショスタコーヴィッチ、ストラヴィンスキーの音楽、ドストエフスキーやトルストイの小説、カンディンスキーのアート、チェス、数学、魔法のような科学技術、こうしたロシアのあらゆるものが、この国に対する興奮を呼び起こしアメリカ国民を魅了した。

一九五〇年代のピッツバーグは、別の惑星かと思わせる雰囲気を持った埃だらけの鉄鋼の町で、アラパチア北部の前哨地だった。少年時代の写真に写っている製鉄所、石炭はしけ、鉄道、路面電車は今や歴史的遺物となってしまったが、変わらないものもある。タマネギドームの教会、丘や谷があるピッツバーグの近郊はスラヴの町や村の様子を未だ残している。かつて初期移民がスラヴ諸国からたくさんやって来たからである。我が「鋼鉄の町」の起源については、ずっと後になって知ることになった。それは、ちょうど錆びた色の塩化鉄を使って銅のエッチングに熱中し始めた時だった。

一九五七年に人工衛星スプートニクが地球を周回した後、「ロシアに追いつけ」というスローガンのもとに突然、アメリカの教育関係者、教師、教科書、設備、学校に対して予算がつけられた。一九六〇年の劇的なU－2撃墜事件は、年老いた大統領アイゼンハワーの信頼を失墜させ、一方、一九六一年の宇宙飛行士ユーリー・ガガーリンによる有人飛行の成功は、対抗するアメリカの科学発展をさらに加速させた。カリスマ性を持った新大統領ジョン・F・ケネディは「ミサイル・ギャップ」の挽回を約束したが、その誓いは一九六二年のキューバのミサイル危機で皮肉的に響くことになった。私は友人等と共に、平和、核軍縮、人種差別撤廃などを求めてデモ行進に加わった。しかし、アメリカとロシアの敵対心が世界の地政学的情勢において消えることのない特徴であるかのように思われていたことは、少し不思議である。

一九六三年に卒業したピッツバーグ高校の同級生の中で、四〇年後に私がウラジオストクに停泊するアメリカ軍艦のデッキの上に立つことなど誰が予想できただろうか。二〇〇三年に、米露双方の海軍大佐、ウラジオストク市長、沿海州知事、正教会の沿海州主教、そしてアメリカ領事が共同してアメリカ独立記念日を祝ったのである。キューバ・ミサイル危機に伴うハルマゲドンの脅威も冷めぬ翌年の一九六三年には、想像することすらできなかった。しかし実際に二〇〇三年に実現した出来事だ。同じく信じられないことに、私は富山の文化代表団と共に、日本グループの名誉会員としてその場に居合わせたのだ。

一九六三年、私はニューヨークのコロンビア大学に入学した。かつて雑誌「パルチザン・レビュー」が流行ったニューヨークは、依然としてカール・マルクスとジークムント・フロイトの双子の幽霊によってとりつかれていた。マルクス主義者は、一九三〇年代の世代の学者やその他人々に、過去、現在、未来の謎すべてを解き明かす合鍵を提供したと考えた。この世界の謎解きはまた、その侍者に英雄的な役割、つまりちょうど成人したばかりの若者たちにとって抗えない魅力を与えたのである。フロイト主義は人間の精神を研究するためのものと考えられ、ちょうどそれは、階級闘争の理論が地政学を研究するためのものになったのと同じだった。精神分析によって明かされる隠された欲求は、今やマスマーケティングの常套手段だ。私がコロンビア大学で過ごした日々（一九六三～一九六七）は、社会、芸術、文化、人間行動、そして政治経済などありとあらゆるテーマがマルクス主義とフロイトの枠組みに当てはめて語られていた。

階級闘争は、私が特別研究員の職を得たバークレーでも衰えることなく続いていた。基本的なシナリオは変わらなかったが、そこにはプロレタリアートが姿を消し、この闘争で主導的な役割を演じたのは、人種的およびジェンダー・アイデンティティだった。カリフォルニアのような天国を思わせる環境でも、快楽至上主義者ですらその出自の正当性が認められなければならなかった。スペイン市民戦争に参加したアメリカの退役軍人が、サンフランシスコのベイエリアで最高のワインを取り揃えた高級料理を出すレストランを始めた。これが、今は高級オーガニック料理を愛好する人々の間で有名なレストランへと発展した。幻覚ドラッグは、人間の再形成、つまり己を知る別の方法を外部からではなく内部から正当化した。こうした環境の中で、私はどうにかして社会学の博士号を取得したが、一九七〇年代の学術界では（私の肌の色と「男性である」ことが原因で）仕事を得られる見込みがなかったので、湾の対岸にあるスタンフォード研究所で応用研究の雇用を見つけた。

予期せぬ出来事が起こり、運命的に初来日の機会を得ることになった。ホンダ自動車は、一九七四年のオイルショックに対応して最高の品質とデザインでクリーンかつエネルギー効率の良い自動車を製造した。ホンダは、アメリカの消費者の間にすぐに支持者を見出した。第二次世界大戦の灰の中から世界クラスの製造業者にまで登りつめたホンダは、会社が車を販売するまさにその国で自動車を製造しようと考えたのだ。そこで、アメリカで最初の生産基地を選ぶために、助言を求めてスタンフォード研究所に目を向けた。一九七七年に、私はホンダの幹部、鈴木正己氏の面接を受け、プロジェクトの概要を把握したうえで要点を簡潔にまとめて話をした。鈴木氏は、間違いなく私を大した経験のない若手研究者として見ていたが、エネルギーと熱意に満ち、学ぶ意欲に溢れた若い研究者を重要な資産と考えてくれたのだ。鈴木氏の推薦もあり、ホンダはすぐさま提案を快諾し、私はアメリカ中西部に出発した。物流と経済的な利点、日本企業を歓迎するかどうかの地元住民の反応、また、質の高い自動車生産の経験があるかどうかをリサーチするためだった。そのリサーチ結果をすべてまとめ、その年に東京のホンダ取締役会に提出をした。後にホンダは、この報告書に基づいてオハイオ州のメアリーズビル（州都コロンバス近郊）に米国最初の自動車生産工場建設を決めた。この工場は、今日に至るまで成功を収めている。

その一九七七年に私は初めて日本を訪問し、何よりも人間関係を大切にする社会の様子を目の当たりにした。日本のビジネスリーダーは、アメリカやロシア、ヨーロッパで起こっている階級闘争を再現しないと決意し、会社はすべての従業員の主体的な知性と努力で成り立っていることをきちんと意識したうえで家族スタイルの経営管理を実践した。自動化された半導体製造装置を納入するアメリカの業者向けにコンサルティングが行われたことがある。その際、日本人工場長は私に「バカでも作れる単純なデザインは欲しくありません。我々は、皆さんひとりひとりに自分の製品をより良くする方法を考えて欲しいのです」、と率直に言った。松下幸之助のような日本の経営者は、自身の会社に天才を望んでいない、と好んで口にし、斬新すぎないスタイルの革新を好んでいた。そして、私が日本企業で目にした合意するための調整力と品質管理の協調性は、物事を成し遂げるための優れた方法として、私は（そして他の多くの人々も）衝撃を受けた。こうした経験も含め、数多くの経験を経て私は日本の生活様式に感謝の気持ちを抱くようになった。

一九七七年の日本訪問は、私の妻となってくれた女性と出会えたこともあり、個人的に運命的なものとなった。初めて出会ってから結婚するまでの間は、離れていても日本に戻るためのそれらしい理由をいつもあれこれ考えていた。カリフォルニアで結婚し、三年間そこで暮らした後、妻の裕子と私は一九八一年に日本に移り住み、今日に至っている。妻は食事をはじめとし、家族、自然環境、そして最新の建築に至るまで、私が日本に対してあらゆる理解を深められるよう導いてくれた。国内外を問わず、数多くの様々な発見の旅に私を連れ出してくれる存在である。

しかしながら、私がビジネスからアートの世界に転進すると決意したことで、妻は我慢の限界を試すことになった。長年経験を積んだ分野とそれに伴う安定した収入源を捨て、まったく新しい事を始めるのは、やはり大きなリスクだったからだ。ごく普通の我が家の家庭生活の中に、エッチングプレス、真空フレーム付きの紫外線ライト、様々な実験装置や道具、化学薬品といった機材を次々と持ち込んだため、私は家族から度々、新しく始める仕事の健全性について疑問を投げかけられた。一九八九年に、美術館で一九世紀の写真家ピーター・ヘンリー・エマーソンのフォトグラビア展覧会を見た。そのことで、私の人生の次章が自然に決まることになった。私は経験も師匠も持たないままに、一九九一年に鎌倉でフォトグラビュール銅版画の工房を立ち上げ、試行錯誤を繰り返しながら技術習得を進めていった。最初はもちろん失敗ばかりしていたが、一年後には展示に値する一二枚の銅版画を製作することができた。廃業した店を使って行なったために家賃を払わずに済み、商業的にも驚くほど成功した。私のリスク回避策も伴って、妻は最終的に賛成してくれた。
それ以来四〇回以上にわたり開催した展覧会のうち、最も記憶に残っているものは、見る人に直接参加してもらった展覧会である。一九九四年の横浜美術館の展覧会では、フォトグラビュール銅版画の技術に関して並々ならぬ関心が寄せられたため、ワークショップを開くよう美術館から私に依頼があった。そのワークショップでは、二〇名の参加者全員が上手く銅版画を完成させた。他に日本で行われた二〇〇二年の展覧会では、私は来訪者に「発句」を書いてもらうよう頼んだ。一七音に凝縮されたこれらの俳句には、展覧会と特定の作品に対する率直な印象、季節、自身を取り巻く環境、個人の記憶、歴史上の古人の言葉からの引喩といったものが結びついていた。四国伊野町にある和紙美術館で行った二〇一六年の展覧会では、七〇年代に森澤香代子さんがすいた和紙を使用し、フランスのマルク・シャガールに送った。作品がシャガールの死後に日本に戻ってきて展示された。鎌倉の和紙店のオーナーからその話を聞き、このストーリーは私の展覧会の一部になった。森澤香代子さんの息子さんと孫娘が展覧会に足を運んでくれたこともあり、その様子が新聞やテレビで大きく報道された。

森澤香代子さんの和紙を使用した作品　「Veiled Desire（隠れた欲望）」、鎌倉

私の生活リズムは、旅行、ワークショップ、展覧会というパターンに従って決まっており、長い目で見れば、それぞれが三分の一ずつを占めている。しかし、新世紀を迎える前の数年間で、歩行が出来なくなるまでに古い怪我が悪化してしまった。歩かずに旅行することなど考えられず、治療法を探していた時にロシアに辿り着いた。私は、一九五〇年代にガヴリル・イリザロフ博士が何千人もの患者を動けるまでに回復させた外部固定器具を開発したことを知った。イリザロフ研究所で勉強していた日本人整形外科医が私にこの技術を適用してくれたおかげで、私は再び自由に歩けるようになった。その後、私は積極的に旅行、スキー、トレッキングを再開した。

二〇〇三年に初めてウラジオストクを訪れた時は、このように気持ちが新たに高揚した状態の時だった。ロシアの医療が私の症例で成し遂げた成果に感謝の気持ちでいっぱいだった。二年後には、モンゴル北西部（ゴビ砂漠とアルタイ）を馬とラクダに乗ってゆく一ヶ月間のトレッキングに挑戦し、手術の有効性を十分に証明することができた。日本人の中央アジアの起源に興味をそそられ、「日本人であること」をテーマにして、この主題を様々なバリエーションで表現したいと思った。私が出会ったモンゴル人は、家から遠く離れて放浪する在日アメリカ人と遭遇しても、何も奇妙に思っていなかった。「結局、我々はノマド（遊牧民）です」と、あるモンゴル人が私に説明してくれた。それは、彼ら独特のコスモポリタンな視野を説明するためだった。このトレッキングから生まれたフォトグラビュール銅版画は、モンゴルが持つ風景と特徴の膨潤性を反映していた。そのうちのひとつ、「Tsagaan」（モンゴル語で「白」を意味する）では、突き出した氷河が空と大地に囲まれた白い帯として現れており、素朴な自然力を版画で表現することに成功した。

イルクーツクからウランバートルに向かう途中、トゥーレーヌ・モンゴル協会の事務総長の女性とその旦那さんが旅の道づれになった。二人はその後、二〇一〇年にフランスのサン・シル・シュル・ロワールにあるマノワール・ドゥ・ラ・トゥールという場所で、モンゴルのトレッキングから生まれた版画の展覧会を開催できるよう段取りを整えてくれた。トゥール美術館からは、フォトグラヴュールを一点寄贈するように依頼があった。このモンゴルをテーマにした一連の版画は、ロンドンと東京でも展示され、二〇一五年にはモスクワのロシア国立東洋美術館で行われた展覧会の一部で展示された。

モンゴルのトレッキングの翌年、私は氷河と山頂をめぐるさらなる旅を目指してノルウェーとネパールを訪問した。その結果、「Heightened Awareness（高邁な意識）」、「First Light（最初の光）」、「Ganesh Himal（ガネシュ・ヒマル）」が完成した。どちらの国でも最も印象に残ったことは、日本の自然観に由来しているように思えたことだ。

旅をすると、必然的に馴染みあるものと未知のものが新しい視点に作り変えられ、失われた感情が蘇り、己の方法が確実なものではなくなる。そうした感情は、日常生活の中でもよく起こる普遍的な感情であり、特に、現代の絶えず目まぐるしく変化する世界でも同じである。二〇一三年にサンクトペテルブルグの国立博物展示センター「ロスフォト（Rosphoto）」で開催された「Wayfinding（道案内）」をはじめとして、私はロシアで行われた一連の展覧会でこのテーマを追求した。二〇一五年のエカテリンブルグ美術館では、「Are We There Yet?（もう着いた?）」と題された展覧会があり、子どもがよく長旅でせっかちに尋ねる質問を思い起こさせた。近郊に鉄鉱山、工場があるウラル山脈の岐路にある町を旅したことで、私自身のピッツバーグの幼年期を思い出し、また、イリザロフ研究所を訪れ感謝の気持ちを伝える機会を得ることができた。

「Fast Forward（時間の早送り）」、ペテルブルグ

ペテルブルグの都市電気交通博物館に行けば、交通システムは我々が共通に持つ重要な文化要素であることに思いがめぐる。二〇一七年の展覧会では、この一般的な表現「In Transit（移動中）」を用いた。人間存在の儚い状態、つまり、意識の獲得とその終焉というつかの間の時間間隔を表現するためである。故郷のピッツバーグ、イルクーツク、ローマ、サンフランシスコの路面電車、ピッツバーグやモスクワの河川輸送、日本、ネパール、モンゴル、フランス、イタリアの自然道や橋の風景。そして、スフィンクスとイサク大聖堂をバックにした往来するオートバイ乗り、ペテルブルグでしかできない一種のタイムトラベルだ。こうしたすべてを刹那的なものと一緒にしてグラフィックを構成した。

二〇一五年にロシア国立東洋美術館で開かれた「Asia Everywhere（アジア　あちらこちら）」の展覧会は、（私のように）そこで生活をしている人々にとって神秘的だと感じるオリエントの魅力に焦点をあてた。マルコポーロが初めて東洋に旅をした時から、ヨーロッパ人は常にアジアに魅了されてきた。アジアの風変わりな習慣、魅力的な女性、スパイスや宝石、色彩、そしてシルクを求めて隊商が横断した壮大な広野、恐ろしい戦士、キリスト教以前の土着信仰……そのリストは無限である。人は一生をかけてアジアを探索することができる。そしてまさに多くの人がそうしてきた。神秘的な東洋、特に日本は旅行者が喜んで神話を作りたくなるような国だ。緑の豊かな田舎の耕作風景、金色に輝く米が実る田園、のどかな農村……こうしたすべてが、エキゾチックな日本との接触を望む西洋の欲求を満たすのである。東洋の知恵と風習を求めて明治時代の日本にやって来たアメリカ人や他国の外国人に対する私自身の義務であると考え、私はこのジャンルを現代の領域に広げようと試みた。

「Myriad Destinies（無数の運命）」、ロシア

「Reach For the Sky（大志を抱く）」、山梨

ニューヨークを拠点に活躍するアーティストの小林久子と、パリを拠点とするロマン・ケームズと一緒にこの展覧会を組織したことで、私は彼らの作品に見た、私自身のアートワークにも本質的に大切なものを瞬間的に強く意識をした。二〇一七年にサンクトペテルブルグのレーリヒ美術館で行われた展覧会「Inner Light（心の光）」のために、私はこうしたプライベートな瞬間を自由と芸術的創造性の源泉として強調した。現代の人間は、大規模な監視社会とメディアによって脅かされているため、心を掻き乱す猛攻撃に対抗する唯一の頼りは「自分自身と向き合うこと」しかない。もしこの「内面の生活」（私たちの周囲の世界のそれとは異なるテンポで異なるコースをたどる）が無視されると、日常で体験する

あらゆることに不和を感じ、大きなストレスを受ける。アートと音楽は、深層に潜む考えと、私たちの日々の経験で認識されるものとの間にある関係を呼び起こすものである。グラフィックアートは、そうした瞬間を「ひと目で」思い出させ、その瞬間を大切にし、探求し、拡大するように仕向ける。一瞬一瞬の観察に焦点をあてる時に、私は物事を減速させることで、「心の光」と「現実に起こっていること」を再接続する。つまり私たち自身の瞬間的で儚い体験と、外部の現実が合致するように試みるのである。

驚くべきことに、こうしたヴィジョンを持つことで同時に、従来の現実を異なった見方で見るようになり、他者を理解しようとする時にフィルターをかけ選択する理解のあり方を考え直すきっかけにもなる。昔の荘子の言葉にあるように「道は進むうちに自ずと現れる。物事は、我々がそうと認めるものになる」のだ。できれば想像してみて欲しい。あなたが見るすべてのものがあなたの注視によって魔法をかけられることを。だからこそ、私は自然と日常生活の中から、表面的な外観以外の「ほかの何か」を示唆するような様々なシーンを捜し求めるのである。（いつも、格別に素晴らしいものがある）。

（翻訳　樫本真奈美）

「Here and There・移り行く」、大覚寺

ロシア語を学びながら出会う「とてつもなく深いロシアの心」に魅せられているのも事実なのです

見田　和子

「外国語としての日本語」教師、北海道釧路

もう二〇年以上も前のことになります。私は、国の形が大きく変わって間もない頃のロシアを訪れました。当時のロシア経済は混乱していて、店頭に並ぶ品物の価格が旧ルーブルと新ルーブルと二つ表示されていました。ソ連時代にあった落ち着いた雰囲気は失われ、人々も町全体も、緊張と不安に包まれていました。街頭で、たくさんの老人が物を売る姿を見かけました。

そのようなロシアの人々の困難な時代を思う時、私には一つの光景が浮かび上がってくるのです。ある日曜日の午後でした。友人と共にバスに乗りました。幾つかの停留所が過ぎ、一人の男性がバスの中に入ってきました。シャツに泥が付き、両手にはジャガイモの入ったバケツをぶら下げています。ダーチャで畑仕事をしてきたのでしょう。彼は座席に着かず、立っていました。幾つかの停留所が過ぎると、よごれた太い指で自分のポケットを探り、財布をひっぱり出しました。そして、長い財布を片手で大きく開いたのです。中には小銭が数枚入っていました。まるで乗客に自分の財布の中身を見せているかのようでした。すると、彼の立っている前に座っていた婦人が、無言のまま彼の財布からバス代を取り、車掌へ渡したのです。何も言葉は交わされず、ごく自然にバス代は支払われていきました。そして、男性はジャガイモの入ったバケツと共にバスを降りたのです。

私は驚きました。心が熱くなるのを感じました。「ああ、これなのだ」と。それはロシアの人たちにとって、よく目にする出来事だったのかもしれません。しかし、私は、困難な時代を生き抜く「ロシアの心」を垣間見たように思いました。市民は助け合うということ。互いを信じて助け合うこと。

「なぜ、ロシア語を学んでいるのか」と問われると、「母がユジノ・サハリンスクで生まれ、父がハバロフスクで抑留された」という私自身のルーツが大きく関連していますが、一方で、ロシア語を学びながら出会う「とてつもなく深いロシアの心」に魅せられているのも事実なのです。

サハリン州立郷土史博物館　（旧樺太庁博物館）
ユジノ・サハリンスク

ウラジオストクは、日没の時は特に海がとても綺麗な町です

宮本　匡

元海洋国立大学の日本語講師

父の仕事の関係でモスクワに住んでいたのが、私が小・中学生頃のこと。当時はソ連時代末期ということもあり、店の前では食料品を求め絶えず市民がなす行列をよく見かけたものです。一方で、ボリショイ劇場では何とも華やかで可憐な「白鳥の湖」を、美術館では豪華な内装に圧倒されながらも有名な絵画を鑑賞することもできました。果たしてこの国の本当の姿は一体どっちなんだ？日本とは全く異なる世界を強烈に印象付けられたのを今でも鮮明に覚えています。

日本人学校に通っていたこともあり、モスクワにいながらにして日々の生活は日本語のみ。ゆえに、ロシア語はほとんど分かりませんでしたが、生活するうちにロシア人の人柄の良さに気づくことが何度もありました。地下鉄の駅で乗り換え方が分からずホームで立ち尽くしていた時には、通りすがりのお兄さんに親切にも乗り換え先まで案内してもらったり、少しでも寒く感じられるようになると道行くおばあさんに帽子を被るよう厳しくも温かくお説教されたり。親兄弟でも友達でもない見ず知らずの人に、お節介に感じられるくらいに関わってくるロシア人が私にとってとても新鮮でした。それ以来、いつも親身になって世話を焼いてくるロシア人に興味を抱き、このようなロシアの気の置けない一面を日本人に知ってもらいたいと、いつしか思うようになりました。これらのことを心に秘めながらも何をすることもなく月日は流れ、やがて大人になっていったのです。

転機の訪れは、ロシアの大学での日本語教師の求人を見た時のこと。学生時代は京都で居ながらにして日本の文化を学び、旅行会社に就職後は教育旅行の営業や添乗員の立場で日本を見つめ直す機会にも恵まれました。自身の経

験を踏まえつつも、この仕事ならかつての思いを実現できると感じたことから、お世話になった旅行会社を辞し、日本語教師の資格を取った後にベトナムで教育経験を積んだ上で、たどり着いた先がウラジオストクだったわけです。しかも、ここウラジオストクは日本海に面した港町の気質からか、日本との関係をポジティブに考える人が少なくない町。勤務先も船乗りや水兵の養成を主とする海洋国立大学とあって、海を意識しない日はありません。現在私は四〇歳ですが、奇しくも父がモスクワで働いていた年齢と同じ。夢を果たせた喜びも一入です。

このようなきっかけで始まったウラジオストク生活ですが、時間があると決まって市民が憩うナベレジュナヤ（海岸通り）をジョギングします。刻々と表情を変える海に見惚れながらも、道行くロシア人も私と同じように海をうっとり眺めているかついつい気になってしまうのです。

ウラジオストクをとかく美しい海の町とありきたりな言葉で片付けてしまいがちです。しかし、アムール湾の彼方に夕日が沈み行くのに合わせて、炎のように眩しく輝きを放つ紅色から対岸の山々が引き立つ茜色に、果ては静寂を物語る碧色に染まる海面の移ろい。さらに、どんなにもイライラしたりストレスを感じたところで、海を臨めば次第に心が落ち着き、どんな悩みも解決してくれる懐の深さ。このような、安らぎを与えてくれる海を、「美しい海」の言葉だけではウラジオストクの海の魅力は到底伝えきれません。

もっとも、日本には「母なる海」なる言葉があります。海はありとあらゆる恵みを生み出し大陸より文化を運んでくれる、私たち日本人の生活には欠かすことのできない存在です。言わば子どもを一人前に育てるために人生のすべてを捧げる母親のような存在でしょうか。

しかし、そのような慈悲深い母も時には感情のままに激しく怒り狂うことも私たちは知っているのです。二〇一一年三

月一一日、宮城県沖で発生した大地震により、東北地方の太平洋沿岸部を中心に巨大な津波が次々に押し寄せ、多くの尊い命や生活を奪い去っていきました。幸いにも私の住んでいた町は地震や津波の被害はありませんでしたが、スーパーやコンビニにあるはずのパンやおにぎり、水などは救援物資として被災地に送られたために全くありません。お互いに助け合う大切さを再認識させられたのが、この「ツナミ」だったのです。これらの教訓をロシアでも学生に伝えることで、島国たる日本や私たちの国民性について理解してもらえるよう、一人の日本人として心掛けています。

一方で、ロシアの人々、ことウラジオストクの人々も海を誇りに思っていることを十分すぎるくらいに知っています。ロシア人の立場で海の文化を学ぶのに、図書館でロシアの海にまつわる史書や文献を読み耽ることは容易なこと。ただここはウラジオストク。ナベレジュナヤに行けば図書館へ行く以上に価値があるはずです。そこには外国からの観光客以上に、時を忘れて海を眺めているロシア人の姿をよく見かけます。この点だけでも、生活の一部としてこよなく海を愛するウラジオストク市民の考え方が理解できるはずです。

そればかりか、ウラジオストク市民の海への愛着は日本では決して真似のできない新しい文化をも生み出してしまうのです。毎年二月の「ウラジオストク国際アイスラン」はウラジオストク郊外のルースキー島の入り江を舞台に開催されています。この大会の目玉は何と言っても凍っている海そのものをマラソンコースに仕立ててしまっていること。氷上を大人数で走ったら割れやしないかとのスリリングさより、雪原にも似た大海原を踏みしめ駆け抜ける感動が勝ってしまうとは全く想像できませんでした。また、国際大会にふさわしく、男女ともロシアや日本、アメリカ、中国、韓国から参加し、国籍を問わず皆でゴールの喜びが分かち合えるのも大切なポイントです。このイベントのように、ロシアと日本をつなぐ海のおかげで皆の心が何事も一つになり、より良い関係が築いていければいいのにと、アイスランの言葉を聞くたびに思いが湧いてくるのです。

加えて、勤務先にてロシア芸術アカデミー会員の近藤幸雄画伯との出会いもここで触れておかなければなりません。近藤画伯は幼少の頃にロシア船の船長との交流をきっかけに波濤など海にまつわる絵画を多く手がけ、それを契機にロシア全土で日本画の体験教室を実施しました。ウラジオストクでの体験教室のお手伝いを通じて、Art for All の精神、つまり芸術もまた海と同じように、人と人とを結びつけるためには無くてはならないものだということを痛感させられました。

私は日本語教師として海洋国立大学では外国語有料講座や第二外国語を選択している学生のほか、大学附属のリツェイ（中等教育学校）の生徒、日本センターの社会人受講生に日本語を教えていました。その傍ら、ロシア語と日本語の発音や文法などの違いを教える際に生かすためにも、また、学生や同僚とのコミュニケーションを円滑にするためにも職場でロシア語を学んでいました。任期を終え日本に帰国しても、ロシア文化を理解するために、ロシア語を学び続けています。時々、ロシア人の同僚や学生の態度や言動から思考や習慣の違いをまざまざと感じたことを思い出しますが、難なく受け入れられるようにコミュニケーションが取れるかどうかが大切だと思っています。

そのうえ、ウラジオストクでの経験を生かし、日本人がロシアについてより興味を抱き関心を持ってもらえるイベントを企画したいと考えています。

残念ながら、ロシアと日本との間には直ちに解決が困難な問題が長らく存在しています。ただ、誰もがこの状態が今後も続くことを願ってはいないはずです。解決に向かって自身ができることは進んで行う必要があるのではないでしょうか。これまでの経験から日本ではウラジオストクとロシアについて自分の言葉で話し、ロシアでは日本について同じように話していく、今からできることを私はしていきます。

ロシアと日本、双方に打ち寄せる日本海の波のように、どちらにも。

私の作品の重要なテーマである水は、タルコフスキーの影響も大きかったと思います

宮山　広明

版画家　東京

私は一九五五年に東京の浅草に生まれ、葛飾で育ちました。日本人なら誰でも知っている江戸時代からの庶民の町です。

私は、小さな子どものころから絵が好きで得意でした。しかし、時間があればいつでも描いているといったタイプではなく、外が明るいうちは近所の空き地や学校のグランドで友達と遊んでばかりいましたし、家に帰ればマンガを読むのに夢中でいました。

前回の東京オリンピックが開かれたのは一九六四年、私が小学校四年の時でした。このオリンピックを境に町はめまぐるしい勢いで変わっていきました。東京の深川に「江戸東京博物館」という小さな博物館があります。深川も江戸時代から多くの庶民が暮らしていた地域です。ここでは、江戸時代の町の一画がそっくり再現されています。来た人は、当時の個人の住まいや商店に入って、再現された家具や道具などを触ることができます。六〇歳以上の人は、この再現された個人の住まい（長屋と呼ばれる小さな集合住宅です）の畳の部屋になんとも言えない懐かしさを感じます。東京オリンピック前の東京の下町の住まいは、電球の明かりがとラジオがあるという以外は江戸時代とほとんど同じです。

約一五〇年前、明治維新によって江戸時代は終わりを迎えます。欧米から科学技術が凄まじい勢いで導入され、富国強兵政策がうまく行ってしまって日清、日露戦争に勝って先進国の仲間入りをしたということになっています。そして第二次世界大戦に負けて大きく政治体制は変わります。

それはたしかに事実ですが、私は、庶民は明治維新があっ

ても、何度かの戦争があっても、基本的には全然変わって来なかったのではないかと思っています。大きく変えたきっかけはテレビで放送されていたアメリカのホームドラマだと思います。東京オリンピックを見るためにテレビが普及して、アメリカのホームドラマと西部劇がたくさん放映されました。西部劇は日本の時代劇と基本的にほとんど同じです。しかしホームドラマは全然違いました。主人公は郊外の一戸建てに住み、家には電気製品があふれ、自家用車とペットの犬がいる。「オレたちはあんなに豊かな国と戦争したのか、勝てるわけないや」が多くの人の感想だったと思います。そこで、庶民は江戸を捨てます。生活のモデルはアメリカ人のサラリーマンになりました。これが戦争に生き残った大人たちの目標になって、目覚ましい高度成長を達成する原動力になったのだと思います。

東京オリンピックが私に与えた影響は、器械体操です。これは後述しますが、私の運命を大きく動かすきっかけになります。

中学校時代は、映画とSF小説です。アメリカのテレビドラマがたくさんテレビで放映されていたのと同様、古いアメリカ、ヨーロッパの映画もたくさん上映されていました。私が子どものころは町に映画館がいくつもあって映画が娯楽の中心だった最後の時期でした。多くのテレビドラマが今では忘れ去られているとの同様に、今ではすっかり忘れられてしまったような映画もたくさん見ました。しかし、テレビで放映される昔の映画には今でも古典として残る名作がたくさんありました。

ちょうどそのころ新聞の小さな記事に、ソ連の映画監督アンドレイ・タルコフスキーが「ソラリス」というSF映画のロケを東京でやるというものがありました。SF小説、映画にすっかりはまっていた私はおおいに楽しみにしました。なかなか日本公開がされないうちに私はポーランドのスタニスワム・レムの原作を読み、それまでに読んだり見たりしたSFにない人間の存在を問うような内容に感動した覚えがあります。

完成した映画の日本での公開は私がすでに大学生になっていた一九七七年でした。映画は原作の持つ人間の存在の問題により深く入り込み、詩情と難解さがいつまでも心に刻まれるものになっていました。タルコフスキーには完全にやられてしまい、「惑星ソラリス」以前に公開されていた作品は、ごく初期の小品「ローラーとヴァイオリン」を含めすべて見ましたし、「ソラリス」以降も公開と同時に見ています。今思えば、後述することになる私の作品の重要なテーマである水は、タルコフスキーの影響も大きかったと思います。

私の父は小学校も満足に出ていない下町の職人でしたが、それなりに教育熱心だったのだと思います。中学校に入った時には、小さなものでしたが百科事典を買ってくれましたし、高校に入ったときには週刊誌のような美術全集を買ってくれました。家が近かったこともあって上野（当時は日本の美術の中心でした）の美術展にもよく連れて行ってもらいました。

高校時代、私は器械体操部に所属していました。二年生になったとき、新入部員にかっこいいところを見せたくて、ちょっと張り切ったところ足の骨を折ってしまいました。ひと月以上運動が禁止になってしまい、暇を持て余して校内を松葉杖で歩き回っていたとき、美術部の様子が目に入りました。古今東西の美術を画集で見ることでますます興味が深まり、美術部に入って実技の力にも自信をつけて美術の大学への進学を決めました。高校時代はゴーギャンや日本の影響で生まれたジャポニズムの美術が好きでした。

しかし、ときは一九七〇年代です。コンセプチュアル・アートの全盛期です。高校時代までに見た画集や美術館では、ポップアートくらいまでは目にすることはありましたが、同時代の美術であるコンセプチュアル・アートについてはまったく知りませんでした。まじめに美術、とくに歴史を勉強すればするほど、美術は人類の進歩発展と歩みをともにしているものだと信じるようになりました。いかに素晴らしいものであっても一九世紀までの油絵は時代遅れなものと感じるようになりました。美術は時代を切り開くものであって、アーティストはその最前線を目指さなくてはならない。

帚木

大学に入って得た大きなものはクラシック音楽です。私は、映画をたくさん見ていました。なかでもミュージカル映画は大好きでした。しかし、高校生の時までは周囲の若い子と同様にアメリカやイギリスのポピュラー音楽しか聴いていませんでした。ところが大学ではクラシック音楽を聴いている人たちがたくさんいることに驚きました。私も何がなにやらわからないなりにラジオの番組や図書館で貸してくれるＬＰレコードで浴びるように聴きまくったものです。

　ある日、ドストエフスキーやトルストイなどのロシアの古典文学が好きな友人が、スヴャトスラフ・リヒテルが演奏するバッハの平均律クラヴィーア曲集を聴かせてくれました。そのスケールの大きさと深さに本当に驚きました。学生時代に出会うことができたルーマニア出身でやはりモスクワ音楽院で勉強したラドゥ・ルプーとリヒテルの二人は、今日に至るまで私にとって最も重要なピアニストです。リヒテルを紹介してくれた友人とリヒテルの来日公演のチケットを手に入れるために徹夜でプレイガイドに並んだこともいい思い出です。そのときに演奏されたシューベルトの、ルプーの弱音中心の演奏とは対極にあるようなスケールと存在感は忘れることができません。

　大学でのもうひとつの大きな出会いは、台湾出身で国際的な活動をしている廖修平（Liao Shou-Ping）のワークショップです。先生は、台湾の師範大学を卒業後、日本の東京教育大学に留学しています。その後はパリに渡って、一版多色刷りの開発者で教育にも力を入れていたスタンリー・ヘイター（Stanley William Hayter）のアトリエ17で勉強を続け、版を使った台湾人ならではの表現を完成させ、アジア人で初の東京国際版画ビエンナーレの受賞者になった人です。

　大学の四年生のころには油絵よりも表現の幅が自由だと思われた版画に興味が移ってきていましたが、たまたま版画室にいた数人の学生に廖先生が紹介されて、簡単なワークショップを行ってくれました。コラグラフという厚紙を

「花見立て源氏物語」より　関屋

版にした一版多色刷りを見せてくれました。一枚の版で何色もの色が鮮やかに刷られたのは、まさにマジックでした。また、「版画は刷りで全然違うものになるから、誰か版を貸してごらん」ということで、私は自分のなかではある程度完成しているつもりが、どうしても思い通りの効果が得られないでいる版を差し出しました。それを先生が刷ってみると、私が想像していた以上のいい作品になっていることに、これもマジックを見る思いでした。

大学院には当時版画専攻はなかったので油絵で入りました。入学してすぐに油絵の学生が集められ、「今度、台湾出身の廖修平先生が外国人招聘教授として二年間版画を教えてくれることになったのだが、誰か版画に移らないか？」「ハイ」と即答です。手を挙げたのが私ひとりだったので、二年間まさにマン・ツー・マンで教わることができました。授業での実技ももちろん素晴らしいものでしたが、先生自身の作品を授業が終わった後の夜に刷る手伝いをしたことや、単身赴任で若かった先生といっしょに映画を見にいったこと、合間に国際的に仕事をする意味、アーティストが心がけなければいけないことなどを話してくれたことは、今でも私の財産です。

この二年の間に、自分の表現の種になるような方向性をつかむことができたと思います。コンセプチュアル・アートとはひとくちで言ってしまえば、「美術とは何か」を考える美術です。作品自体は、アーティストがどう考えているかを示すための装置にすぎません。コンセプチュアル・アートは若い世間知らずの若い学生にはいいものだと思います。大人は経験を積み重ねて自分の価値観を築いていきます。大人たちは、結果だけを若い人たちに伝えようとしがちです。若い人なりに歴史を勉強し、経験によらずに純粋に自分とは何かを考えることは大事なことだと思います。ただ忘れてはいけないことは、若い人も経験を積み重ねて大人になるということです。これは今だから言えることですが。

私は、この時期に日本を発見しました。当時の学校教育では美術に限らず、すべての学問が西洋的な基盤に立っていました。音楽で日本の伝統音楽を勉強することはありませんでしたし、歴史も西洋的な価値観と方法で教わったと思います。そんななか、現代美術で私が何ができるかと考えたとき、日本人としての価値観、コンセプトを作品化できないかということでし

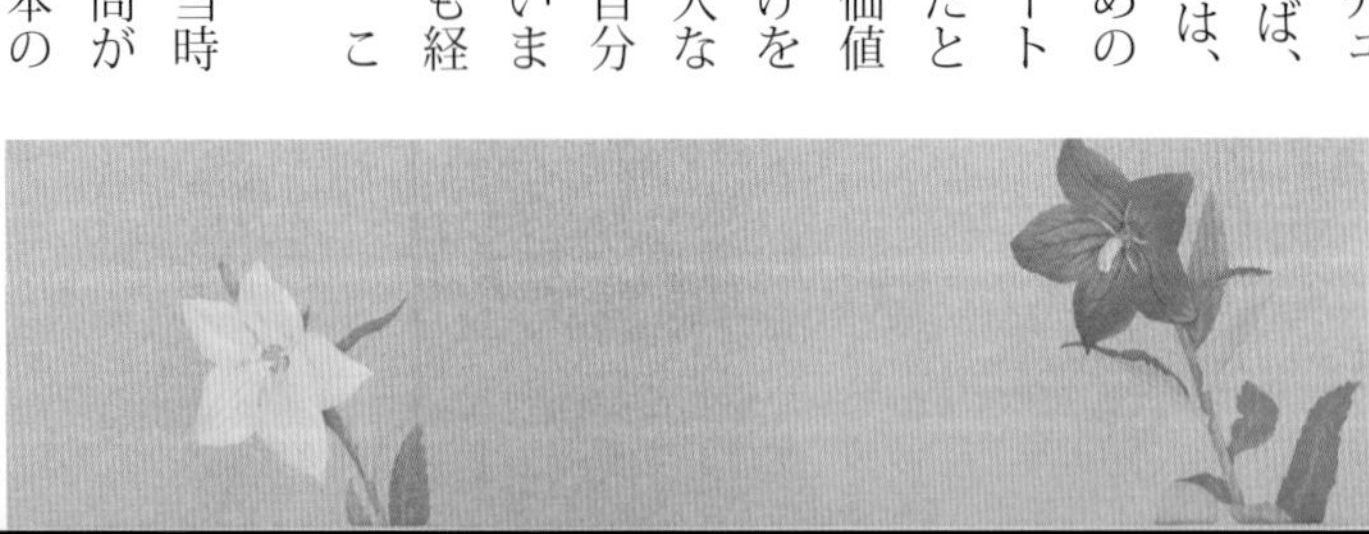
少女

た。

私の考えた日本独自のテーマはひとことで言えば「うつろい」でした。万物は移り変わる。移り変わって見える姿は変わっているのに、様々なものが重層的に残っていたりする。ひとつのものも見る角度を変えれば違ったものに見える。そういったテーマを表現（表示）するために選んだモチーフ（素材）は水と植物でした。

大学を終えてしばらくの間は、インスタレーションの作品を発表していました。しかし、展覧会の期間に実際に会場に来てくれた人しか見ることができない、作品自体も展覧会が終わってしまえば単なる粗大ゴミにしかならない。作品は記録の写真と、展覧会をどこでいつやったかという記録しか残らない。

私は、漠然とでしたが作品はやはり作品としていつでも見ることができ、残ることが結局、作り手にとっても受け手にとっても大事なのではないかと考えて、インスタレーションで表現したいことを版画で実現することを試し続けていました。それが三〇歳を前にしたころ自分でも納得するレ

行幸

ベルに到達することができました。不思議なもので、自分で納得できるレベルになると他人も理解できるようで、この時期に作った版画の作品はいくつもの国際コンクールで賞を取ることができました。私の版画家としてのスタートです。

これらのコンクールのなかで最も重要なものが台湾の版画ビエンナーレでした。このコンクールは台湾が国をあげて行う大規模なもので、受賞者たちは賞金だけでなく授賞式に出席するための交通費、滞在費も支給されました。この時に受賞したベルギーのモーリス・パステルナク（Maurice Pasternak）、韓国の金益模（Kim Ik-Mo）、台湾の沈金源（Shen Chin-Yuan）の三人とは今日に至るまでお互い助け合う友人関係が続いています。

当時は、私は作品の一部にメゾチントの技法を使っていました。メゾチントは、黒の画面を最初に用意して、そこから白を起こして絵を作っていくという普通の絵とは逆の手順を踏む技法ですが、その黒を作るのに大変な手間がかかります。そこで友人の銅版画家と黒を作る道具ベルソーを

人間の手ではなくて自動的に作ってくれる機械を作って使っていました。パステルナクの作品は巨大なメゾチントでした。聞いたところ最初の黒を用意するだけで半年かかったということでした。そこで帰国後、機械の写真と設計図を送ってあげました。「人生が変わった」という返事をもらいました。

なにより、この授賞式のために台湾を訪れた時に、台湾の若手の版画家のグループから日本の若い版画家たちとの交流展をやらないかと誘われたことは、私の運命を変えることになります。台湾との交流展を東京と台北で成功させた私たちは、次は韓国と中国を巻き込んでこれも成功させます。日本では公的な施設を使って公的な支援を得るためには、形だけでも団体を作る必要があります。私は三四歳の時にアメリカとベルギーに留学をしますが、アメリカでもベルギーでも同世代のアーティストたちから交流を誘われて、いよいよ覚悟を決めて今日のプリントザウルス国際版画交流協会に至る団体を、アジアとの交流の流れを受けてしっかりと組織することにしました。私は数年前に会長を辞して今はゆっくりしていますが、台湾との交流からスタートしてこの団体を通じた国際交流はまさに私のライフワークとなりました。

藤裏葉

私は、版画で水を表現するために、水自体は見えないものですから、そこに浮かんだ葉や沈んだ葉を使いました。最初は、記号として使ったわけですからできるだけ葉としての個性に乏しいものを使いました。日本人にとって漠然と葉としてイメージされるものは桜の葉だと思います。版画で使うために私は桜の葉を正確にデッサンしました。

そうすると面白いのです。緑の当たり前の葉が実に微妙で豊かな表情を持っている。それは、気がついてみると、私が頭のなかで抽象的に考えたコンセプトなどよりはるかに豊かなもので、桜の葉を精確に表現するほうに力点が移っていきました。デッサンも続けていると、緑の葉以上に秋になって赤や黄色、まだらに色づいた葉の魅力に出会うことになりました。

微妙な変化を見せる葉に至ってしまえば、次は花です。花は完全に主役です。

数年にわたって、様々な花をデッサンしました。それぞれの花の表情が豊かに美しく見える場所を探し（ポーズを取らせ）、その魅力が引き立つように描く。版画も同時にずいぶん作りました。

しかし、そのうちに花の魅力をもっと豊かにするにはどうしたらいいかを考えるようになりました。そこで思いついたのが「物語」です。美術は歴史的にみればほとんどが物語を背負っています。絵画や彫刻が、それ自体で独立する純粋美術という考え方はむしろ最近生まれたものです。西洋では、聖書やギリシャ神話が大きな物語の源流でした。日本では、「源氏物語」や百人一首です。

これは目から鱗でした。物語を背負うことで花の表現は一段とアップしましたし、花だけ見ていたら思いもつかない構成もできるようになりました。

若菜・上

また、花を続けるうちに、花と同様絵画において重要なモチーフである女性を描きたいという思いを、源氏物語のシリーズはそれを実現するいい口実を与えてくれました。

さて、主役は水ではなく花です。主役の花をどういう場に置くか。金箔をバックにすることを思いつきました。金箔は見る角度によって、時間によって変化する光の色に反応して見えかたが大きく変わります。水を使うのと同じような効果があります。面白いのは、このアイデアはヨーロッパの中世の黄金背景の聖像画を見て思いついたということです。また、技術的な助けになったのはロシア・イコンの技法書でした。

ちょうどこの時期に私は、文化庁の芸術家在外研修員に選ばれ留学をする機会を得ました。行き先はアメリカとベルギーにしました。一年間の留学の間、過去の歴史的なものばかりでなく、生きているアメリカ、ヨーロッパの現代美術を見るこ

紅梅

とができました。同時に、日本の外から日本を、日本人が美術家として何をするべきかを考えることができました。

ニューヨークではふたつの大きな出会いがありました。ひとつは写真家のフランク・ディテューリ（Frank Dituri）です。これも廖先生からでしたがアトリエ17時代の友人であるクリシナ・レディを紹介されました。彼はニューヨーク大学で教えていて、当時のニューヨークでは有名な存在でした。彼に作品を見てもらうといいということで、ある日ポートフォリオを持って大学にでかけました。たまたまその日は試験の日だということで、学生たちが作品をテーブルに並べていました。最初、忙しいからまた別な日でと言いかけたところで、私がポートフォリオを抱えていることに気がついて、学生のためにもなるだろうということで、その場で作品を広げることになりました。この日は学生の作品を目当てにニューヨークの文化センターの人が来ていました。彼は私の作品をすっかり気に入ってくれて、彼の文化センターでの個展を決めてくれました。その文化センターの手伝いをしていたのがフランク・ディテューリでした。フランクは日米の交流を申し出てくれて、窓口になってくれました。その後、彼は一流の写真家になるわけですが、今日に至るまで家族ぐるみの付き合いが続いています。

もうひとつは、台湾の黄郁生（Hwang Yue-Sheng）です。彼とはプリントメイキング・ワークショップでいっしょでした。

数年前から私はメゾチントの準備をしています。私は、これを中国や日本の水墨画のように豊かな空間表現に使おうと考えています。

メゾチントは、前述したように黒の版の準備に手間と時間がかかるものです。数年前、台湾で版を完全自動化した機械が開発されたという噂は耳にしていました。ある日、

椎本

ニューヨークで知り合った黄郁生から、彼が教えている美術大学で外国人招聘教授をやってくれないかと頼まれました。当然ＯＫで、行ってみたら噂に聞いた自動メゾチント製版機があるではありませんか。なんとその機械を開発実用化したのは黄さんでした。今準備している作品は、この機械で用意した版を使っています。

見てもらうには、もう一歩のところに来ています。お楽しみに。

私は金箔を銅版画に使うという特殊な技法を持っているので、いろいろな国でワークショップやマスタークラスを行ってきました。一九九九年にベルギーのオランダ語圏の版画美術館からマスタークラスを頼まれました。

この時、まだ美術の世界に本格的に足を踏み入れる前のロシアのアンドレイ・マルティノフがアーティストである弟ウラジミールの個展のためにドイツに来ていました。そのときに私の情報を得てベルギーに立ち寄ってくれました。彼はノヴォシビルスクというシベリアの町で生まれ育っているのに、私と同じような本を読み、音楽を聴き、映画を見ていることに驚きました。とくにタルコフスキーとバッハについてはいろいろと話した覚えがあります。その後、彼とはロシアと日本との交流のためにいろいろと協力してきています。前述のフランクにも紹介したところ彼ともウマが合って、イタリアに拠点を移したフランクと協働でロシア、アメリカ、イタリア、日本の四カ国展をイタリアで実現できたのは大きな成果でした。私たち三人は兄弟のような付き合いを今日まで続けています。

私の「源氏物語」のシリーズはノヴォシビルスクを皮切りにモスクワの東洋美術館をはじめロシアの各地を巡回しています。そんななかウラジオストクでは展覧会が飽くなき興味を呼び起したこと、ひと月から二ヶ月に延長されたことを知った時の気持ちを思い出します！

早蕨

『ウラジオストクの日本のモザイク』は市民の大きな関心を呼び、希覯本になった

ゾーヤ・モルグン

極東連邦大学日本学科助教授
旭日小綬章受賞、ウラジオストク

はじめての出会い

一九六五年五月。極東連邦大学日本学科*の一回生の授業が終わろうとしていた頃だ。日本語の教鞭をとっていたのは、エリザ・フョードロヴナ・フェドセーエヴァだった。日本語の知識を持つ学生への通達という形で、本省から学部宛に予期せぬ要請が届いた。なんでも、バイカル湖で初の日ソ青年フェスティバルが行われるということだった。特別列車用に日本語のできる乗務員を必要としていたのだ。私たちは、旅客車の接客研修を二週間受け、研修の最後には合格証明証が出され、乗務員になる満足感を得ながら制服を受け取った。制服は黒いスカートとジャケット、エンブレムが付いたベレー帽だった。

そしていよいよ、ナホトカのチホオケアンスカヤ駅にやって来た。私がプラットホームで一号車のドアの前に立っていると、大きなスーツケースを持った人たちが近づいて来る。人生で初めての日本人だ。私は嬉しさと胸の高鳴りで思わず笑顔がこぼれた。私が担当する車両の乗客三六人ひとりひとりにお辞儀をし、「イチゴウシャ！」と声をかけるも、誰一人私の言葉に目もくれなかった。最後に車両の中に入ると、そこで目にしたものは、なんたる悪夢！車室のデッキも廊下もすべて、コンパートメントが荷物でぎっしり埋まっていたのだ。足の踏み場もない！スーツケースは上段の棚かベッドの下にある収納棚に入れるよう、できる限り日本語で説明を試みた。ぽかんとした目の他には何の反応もない。そこで、手元にあったスーツケースをひとつ摑んで上段に投げ込み、もうひとつを下に入れた。「分かりました！」という声があがる。乗客たちが荷物を片付けると通路ができた。さあ、出発！

列車は、まる四日程かけてイルクーツクまで走った。実

＊当時の正式名称は「極東国立大学歴史文学学部東洋学科」

習生の当番は夜の時間帯で、夜半から正午までだった。二人一組で働く接客係の幹部が意地悪をして、私たちが夜勤を担当するよう仕向けた。というのも、昼間はいずれにせよ休むことなどできなかったからだ。私の乗客は基本的には学生だったが、私が日本を勉強している学生だと知るやいなや、グループで順番にやって来ては話しのきっかけを摑もうと試み始めた。ベトナム戦争について何かを話し、私は質問攻めにあった。あまり多くを理解できなかったが、がんばって理解しようとした。ここで注目すべき出来事が起きた。お客さんが日本の食べ物をご馳走してくれたのだ。コップに入れた熱い味噌汁で、車掌室に押し寄せた人が皆、私が飲むのを見守っていた。一口目。うう、最悪！　口の中で味噌汁を留め、飲み込むことができない。かといって、謝ることもできない！　そして、ほぼ涙目になった私が見たものは、ご馳走してくれた人たちのがっかりした眼差しだった。せんべいとなると、少し事情が違いまだよかった。海産物入りのチップスに似た何かで、後に二回生になってから好きになった。

乗務員の仕事には、鉄道列車で使われる金属性のコップホルダーに入れた紅茶を運び、クッキーをすすめることも含まれていた。私は四日間、心を込めて三六人の乗客をもてなした。お金を受け取るのは気後れしたものだ。私の日本人ですもの！　さて、私の初めての報酬は極めて象徴的なものになった。すべて、ご馳走してくれたことへのお返しに消えたのだ。

イルクーツクまでは全く眠ることができなかった。イルクーツクで日本人客をバスに乗せ、フェスティバルが行われるバイカルへ送り出した。町を見て回り、列車に戻ると意識を失いベッドに倒れ込んだ。目を開けた時には、私の顔を覗き込む医師が見えた。帰り道は乗客を乗せずに走り、私は始終寝て体力を回復させた。

残りの夏は、「ハバロフスク―チホオケアンスカヤ」間の特別列車で働いた。当時、外国人用のルートは、横浜―ナホトカ（船便）、チホオケアンスカヤ―ハバロフスク（特

1965年、ナホトカで

別列車）があり、その先は飛行機でモスクワまで、といった具合だった。

この実習が終わった後、知り合いになった法政大学四回生の若生完二《わこうかんじ》から手紙が届いた。私たちは一年後にもう一度会うことになる。日本の回りを周遊するクルーズ船の清掃係として、私たち二回生の女学生が雇われた時だった。完二は、大阪港に船が停泊した時に訪問客として船にやって来て、私たちは図書館で話しをしたりデッキを散歩したりした。二人で撮った写真が残っている。完二が手紙と写真を郵便で送ってくれたのだ。写真の裏には、「完二の想い樫に伝えん／我が身ふるわせ語るときに」と書かれていた（ロシア民謡「小さなグミの木」より）。しかし、コムソモール（共産主義青年同盟）の女学生には別の人生プランがあったのです！

ナホトカの展示会

一九六八年、ナホトカの水夫文化会館でソ連商工会議所が日本商品の貿易産業展示会を初めて行った。もはや三回生になった私たちは、展示会の説明案内係として派遣された。私たちは四人だった。ジャネッタ・クチェルク、レナ・ミシェンコ、オリガ・ロゼンベルグ、そして私、ゾーヤ・ゴディナだ。私の持ち場は、漁獲用の網やその他の釣具を展示していた日本の会社で、すぐ隣の別の会社のショーウィンドウではネックレスにブローチ、指輪といった真珠製品が展示されていた。言いようのない美しさだった！日本人が私とオリガに手招きをし、「欲しいものを選んでください、差し上げますよ！」と言ってくれたのだ。ネックレスを手に持たせてくれたが、やはりお返しした。私はコムソモルカ（女子共産主義青年同盟）だもの！もちろん、真珠は本物で、商品にかけられていた値札には巨額の値段が書かれていた。

仕事の初日を終えた晩に、ヴィクトル・タケダ先生に連れられ、町で唯一の豪華なレストラン「ナホトカ」に行った。タケダ先生は二五歳の混血美男子で、一年前に日本からソ連に移住してきた人だった。そのレストランは簡単に行けるような場所ではなかったが、私たちのためにテーブルが用意されていた。最初は何の「異変」の前触れもなかったのだが、パーティーが進むにつれて、よりダイナミックな展開になった。ウェイターを通じて、私たちに対してどこそこの中型冷凍トロール漁船に乗る水夫や漁師からシャンパンのプレゼントが贈られ始めたのだ。

舞台では、船乗りたちの注文で歌が披露された……「我が親愛なる日本のお客さんのために」と。その後、私たちはダンスに誘われ、なぜかぎこちないロシア語でソ連や日本との友好について話をし始め、私たちがロシア語を上手に話せることに対してお世辞が降り注いだ。なんと、私たちのことを日本人の女の子と勘違いしていたのだ！しかし、私たちは外国人のふりをして芝居をうつことにした。ヴィクトル・タケダ先生と日本人コーラス・グループ「ロイヤルナイツ」の先生の友人等が火に油を注いだ。私たちは、ソ連の若者たちの生活について質問を浴びせかけ、自分たちの役を上手に演じきった！私たち四人のうち三人は黒髪だったので、簡単に日本人らしく見えたし、ましてや、その当時は黒鉛筆でアーモンド形の切れ長目を描くのが流行っていたため、私たちはレストランに出掛ける前に上手く描いていた！エレーナだけが明るいブロンドの髪をしていたが、彼女は日本育ちのアメリカ人だということにした。宴もたけなわになると、会場全体が打ち解けて日本の歌を歌うよう懇願されたため、私たちは舞台に上がり、マイクをとって「幸せなら手をたたこう」を披露した。

翌朝、展示会に昨日もてなしてくれた船乗り達がやって来て、ソ連の思い出にと、巨大なマトリョーシカをプレゼントしてくれた！

三五年が経ち、私は東京でその時のメンバー、ニキータ・山下とサーシャ・松坂、その友人等と相川和子さんの家で会った。和子さんがロシア料理を作ってくれて、「仲間たち」は遠い六〇年代のレパートリーの中からロシアの歌を歌った。

日本親王、三笠宮文庫からの贈物

二〇〇〇年、極東連邦大学は昭和天皇の末弟にあたる日本親王三笠宮崇仁殿下から極めて貴重な贈物をいただいた。ことの始まりはこうだ。一九八四年の冬、私は学術研究目的の出張でモスクワに行き、ソ連外務省の内政公文書館で日ロ関係にまつわる資料を探していた。静かな閲覧室では、ソ連の様々な都市や外国から来た研究者が仕事に取り組んでいた。窓の外はジメジメした不快な天気で、閲覧室は卓上ランプが灯るのみだった……。おそらくそれ故に、閲覧室にはあまり人がいないように見えたのだ。私は、明らかに日本人らしい研究者と、その人の机の上にあった巨大な分厚い本に目が留まった。勇気を出して歩み寄り、「日本人の方ですか？」と聞いた。何を読んでいるのかも気になった。それは岡山大学の保田孝一教授で、一八九一年に世界一周旅行をした皇太子ニコライの日記を読んでいたのだ。文字は細い糸のように引き伸ばされた細かく小さな字だった。私ですら書かれたものを理解するのに苦労しただろう。一体どうやって日本人が文字通り各単語を解読しているのだろう！　特に保田教授は、大津事件に関するニコライの記述に関心を持っていた。未来のロシア皇帝が日本の警察官の襲撃にどのように反応したのか、という点だ。

　私が教授に再び会ったのは、それから一八年が経った後で、あの時に会った人だとお互いに分かった時は、共に大喜びした。それは、一九九八年九月、ウラジオストクにロシア科学アカデミー極東支部と日本関西地区の歴史学者が集まった学会だった。その時、保田さんは極東連邦大学に三笠宮文庫から一三〇〇冊の本を寄贈するのを手伝う予定があることを報告した。というのも、保田教授は、大学院で学んでいた頃から殿下とご友人関係にあられたからだ。

　三笠宮文庫から極東連邦大学に寄贈された本は、とても貴重なものとなった。本は二〇年以上にわたって、日本を専門とする教員や学生が使用しており、私たちは、三笠宮親王殿下と保田教授にとても感謝しています！

　しかし、私にとって最も記憶に残る出会いは、二〇〇一年二月一九日のことだ。保田教授の計らいで、三笠宮親王殿下が、大阪大学教授の藤本和貴夫氏と、保田教授、そして私を三笠宮邸に招待してくれたのだ。歓談は一時間二〇分続いた。私たちは、沿海地方の少数民族や自然、ウラジオストクの町について話をした。歓談の時は、とびきり美味しいコーヒーとお茶でおもてなしいただいた。学校の制服のような白いレースの襟のついた紺色の服を着たうら若い日本人女性が、ティーカップと食器を手に持ち、殿下と来賓客に最も深い敬意を示しながらドアから私たちのところまで腰をかがめて近づき、また、退出する時にも腰をかがめて後ろに下がっていった。

（筆者の隣から）三笠宮親王殿下、藤本氏、保田氏

　三笠宮邸の客間と入り口の前で記念撮影をした。東京の喧騒の真ん中でこうした自然と静けさのオアシスが存在するとは驚きである。保田教授のすすめにより、私は基金に

沿海地方に関する本を二〇冊寄贈させていただいた。

一九世紀―二〇世紀　日ロ関係史に縁のある浦潮斯徳《ウラジオストク》の場所

二〇〇九年から二〇一〇年頃、日本のウラジオストク協会とウラジオストクにある日本センターから、日本領事館の職員とその家族のために、ウラジオストクにある日本に縁《ゆかり》のある場所を案内してくれないか、という依頼があった。長谷川朋範領事は見聞きしたことに多大な関心を寄せた。面白い歴史的事実を広く日本人とロシア人に知らせようという案が生まれたのだった。このプロジェクトを実現させるために、当時ウラジーミル・ソコロフが館長を務めていた、ロシア国立沿海地方アルセーニエフ記念博物館が加わった。編集メンバーには副館長スヴェトラーナ・ソコロフと日本領事館文化班の山崎善隆氏が参加した。編集顧問には有名なロシア史専門家の藤本和貴夫、日本語への翻訳はウラジオストク日本センター長の山本博志さんの奥様、山本多恵さんという顔ぶれだった。

私たちのミーティングは博物館で行われ、いつも面白い情報がもたらされた。デザイナーのA・L・バタショーフは大変多くの作業をこなしてくれた。A・M・ブヤコフ、N・A・ボグダーノヴァ、V・N・ソコロフ、そして佐藤洋一氏の好意により写真が提供された。日本語翻訳の過程で、私は山本多恵さんのアパートメントをよく訪れた。この部屋は、ウラジオストクの住民には「灰色の馬」という名で親しまれている建物にあり、夫妻はそこを借りて住んでおられた。私が日本産の種からダーチャで育てた相当な大きさの大根をプレゼントすると、お礼として、多恵さんは、この雪のように白い根菜を使った料理のレシピを教えてくれた。皆さんにもお教えしましょう！　材料は、魚（ヒラメ、サケ、その他の魚）の切り身で、塩コショウをふらずにオーブンで一〇分から一五分焼く。大根をおろし器ですり、焼きあがった切り身の上に乗せ、しょうゆをかけて出来上がり！　美味しいんですよ！

ブックレットの作成と発行に関わる予算は、日本外務省が負担してくれた。ブックレットは日本語とロシア語で発行され、何度か再版され、今でも大きな需要がある。

私の著書『ウラジオストクの日本のモザイク』は市民の大きな関心を呼び、一年で売り切れてしまったため、希覯本になった。私は、日本とロシアの公文書館で資料を集めるほかに、ウラジオストク居住経験のある祖先を持つ、上の世代の日本人から個人で所有する資料を提供してもらいながら二〇年以上にわたりこの原稿に取り組んできた。新聞雑誌の記事を研究し、回想録をメモしていった。日を追うごとに、年を追うごとにウラジオストクで日本人が暮らした歴史の全体像が姿を現した。一八六〇年代初頭に日本人が最初に現れて以来、日本総領事館の職員を除くすべての日本人が町を去った一九三七年までの、日本の施設が閉鎖されるまでの時期である。

藤本和貴夫教授が友情ならびに数多くの日本語で書かれた資料提供でインスピレーションを刺激してくれたおかげで、私はこのテーマに熱中することができた。ロシア、日本のたくさんの素晴らしい人たちに感謝をしている。その無私の手助け無しには、この本が二〇一四年にウラジオストクで日の目を見ることはなかっただろう。幸せな偶然が重なり、この本は日本でも出版されることになったのだ！　東京堂出版編集部の吉田知子さんは、ロシアで発行された日本をテーマとする興味深い出版物のカタログにざっと目を通していた時に、『ウラジオストクの日本のモザイク』に注目されたたそうだ。ロシア語版を見つけて読み、編集部で熱心にこの本のことを報告してくれたおかげで、出版社が日本語版での翻訳出版を決めてくれた。

過去の出来事は、驚くべき形で現在と絡み合っている。本書には、浦潮本願寺の仏教礼拝堂の建設と寺院が閉鎖されるまでの活動を記した項目がある。寺院最後の住職の妻は戸泉米子さんであり、私は彼女と一九九六年に知り合った。

一九二一年の昔、米子さんは休暇で伯母のヤスを頼ってウラジオストクにやって来た。叔母は夫であるロシア人、クジマ・セレブリャニコフと共に、もう少し長く留まるよう説得する。米子さんは滞在を長期に延ばし（「なんて幸せな時だったか！」と米子さんはいつもおっしゃっていた）、まる一七年間滞在した。ウラジオストクの日本人小学校で学び、プーシキン通りにある女子中学を終えた後、進学予備校に通い、当時の極東国立大学の教育学部に入学した。一九三三年に浦潮本願寺の住職、戸泉賢龍と結婚する。一九三六年一二月、夫が逮捕され、その時に本願寺も閉鎖された。

その後、満州に移った戸泉家の人生には劇的な出来事がたくさん起こる。一九四五年八月、ロシア語を自由に操ることができた米子さんは、ソ連軍の要請により満州の赤軍参謀本部で働き、その後、ウラジオストク郊外のウゴルナヤ駅にあった第一二軍事捕虜収容所で通訳として働いた。

米子さんは一九四六年一二月に日本に帰国する。その一〇年後には、一一年間の収容所生活を終えた夫が待望の帰還を果たす。戸泉先生は、自叙伝『リラの花と戦争』にそのすべてを詳細にわたって書き記している。さらにその後は、同胞の不信や警戒を克服しながら断固一貫してソ連との文化的な絆の発展を目指した。互いの国の関係は脆くとも、日本人とロシア人の絆は友好の基盤で、とても大切だということを説き、また、人と人との信頼を守り続けなければならないことを力説された。屈強な意志の持ち主であるこの女性は、その人生で多くの苦しみも体験された。幼児期に麻しんや栄養失調で二人の子どもを失ったが、他の子どもたちはロシア語で言うところの「ひとり立ちさせ」、つまり立派に育て上げ、善いことを信じ、人々には慈善の心で手を差し伸べられた。

戸泉先生の凄まじいエネルギーのおかげで、二〇〇〇年、浦潮本願寺があった場所に記念碑が建てられた。互いに伸ばすかのような両手のひらを象った仕上がりで、ロシア人と日本人の友好を求める強い思いが象徴されている。もうひとつの象徴的意味を読み取ることができる。これは、仏教の伝統的な礼拝の仕草、「合掌」だ。戸泉先生は体調を崩された関係で除幕式には参加できなかったが、二年後にはその広場に植えるための桜の苗木を持って来られた。それは、戸泉先生の戦友であり同志である、福井県日ロ親善協会の奥谷愛子さんによって、樹齢四〇〇年の木の種から育てられたものだ。二〇〇四年五月五日、九二歳の誕生日の日に戸泉米子さんは再びウラジオストクを訪れ、根付いた桜の木々を愛でておられた。

広場は戸泉米子の名を冠するが、正当な地位を得るためには努力が必要である。高齢になってもなお魅力的で活動的、また意志の強い人であり、苦難の運命とエネルギーを持つ謙虚な女性を記念した広場の法的地位を強化するために、市民の関心によって、社会が率先して行動を起こすことを心から願うばかりだ。

戸泉米子さん　撮影：コノプリョーヴァ

二〇〇九年三月に訪日した際、私は藤本和貴夫氏と共に福井県越前市の笠原病院に入院していた大切な戸泉さんを見舞った。私は、戸泉さんがロシアでいつも愛好していたものを持参した。ハチミツ、チョコレート、そしてチーズだ。米子さんはハチミツをスプーンで少しと、ひとかけらのチョコレートをとても満足そうに召し上がった。棚の上には一九九八年に日本で出版された戸泉さんの本『リラの花と戦争』が置いてある。私は、もうひとりの日本人女性が尽力してくれたことを嬉しく思っている。それは、山本千津子さんで、ロシア語で回想録が出版されるに至った若き戸泉米子さんの青春時代が描かれている、この本の第一部翻訳の発起人である。もちろん、彼女は全訳の出版を望んでいた。それは約束となり、そして、どんなに大変だとしても、戸泉先生の意志を果たさねばならないと私は分かっていた。

九年が過ぎた。時は二〇一八年夏、ウラジオストクで『リラの花と戦争』のロシア語完全版のプレゼンテーションが行われた。この本の監修者マリーナ・バリノワ、デザイナーのダーシャ・ボグダノワのおかげで、この本は息を吹きかえし蘇った。

つい最近、ある男性の話を聞いた。私はその人の名前も知らないが、和食を出すお店にお昼を食べに来ては、自由に読めるように置いてある『ウラジオストクの日本のモザイク』を手に取り読んでいるという。こうして人は、互いの共通の歴史、友情、悲運、希望、劇的な出来事、信じる心、優しさと愛で結ばれたロシア人と日本人の時代、人々、運命を身近に知ることになるのだ。

（翻訳　樫本真奈美）

ウラジオストクの浦潮本願寺跡

スヴェトランスカヤ通り
左に「山口写真館」

日本総領事館
(1916 ～ 1946)

浦潮

URAJIO

資料提供はアムール地域研究協会会長、
歴史家のアレクセイ・ブヤコフ氏

絵葉書で見る 19 - 20 世紀初頭のウラジオストク

僕はどうして日本が好きなのでしょう？
この国の哲学と生活様式が好きだ

ロマン・モルグン

マリンエンジニアリング社
「ツィタデリ・マリン」社長
ウラジオストク

僕の日本への道のりは、運命の偶然に助けられ、極めて独特だった。学生時代、そして後にはウラジオストク医科大学の医局員として働きながら、日本の後援者の助力で行われた日本語のオープンクラスに登録した。修了証明書を受け取った僕は、ソ連崩壊後の困難な九〇年代に学校で日本語を教えるアルバイトをすることができた。申し訳程度の報酬だったにも関わらず、この仕事は創造的なアイディアを実践することができたので、とても面白かった。

一九九七年の寂しい秋の晩に、寒さでちぢこまりながら、ウラジオストク第一ギムナジア（中・高等学校）の玄関口に出た。後に続いて、学校のドアからベルトコンベアのように男子、女子生徒が騒がしく飛び出してきた。僕の授業は今日で終わりだった。中庭では中学生たちを両親が迎えに来ている。家に帰ろうと思っていたところ、思いがけず生徒のひとりに呼び止められた。その男子生徒は父親と一緒に僕のところへ歩み寄り、僕たちは知り合いになったのだが、この男の子のお父さんは地方行政機関の国際関係課で働いていることがわかった。ちょうどこの時、ウラジオストクと富山県の様々な分野で活躍する若手専門家の交換プログラムがあり、グループを集めていた。基本的な専門性を持ち、日本語ができる人々を募集していた。こうして、ウラジオストクの小児科医である僕は、日本の中古自動車ファンにとってはメッカとして知られていた富山の市民病院に研修をしに行くことになったのだ。

ふた部屋ある市の宿舎と、奨学金として、ひと月に千ドルが支給されることになった。なんて素晴らしい条件！ウラジオストクの医師の給料と比較すると、一九九八年のロシアのデフォルト（債務不履行）後の給料は二〇ドルから六〇ドルだったからだ。時間がいくらあっても足りな

いぐらいの忙しさだった。病院の専門研修、日本を旅してまわること、この謎めいた東洋の国の文化や日常生活を知ること。自分を完璧に高めるために、新しい専門技術の原理、そして変わらない価値とビジネスのアイディアを知ろうと、汲み取れるものを探し求めた。

病院では僕を温かく受け入れてくれて、僕たちはお互いに興味津々で視線を向けていた。日本人にとっても、外国人に好奇心がそそられたことだろう。私見では、専門技能は、行動モデルや特定の状況に対応する能力ほど重要ではない。ある時、研修生のために病院を見学する機会が設けられ、屋上のヘリコプター発着場からスタートした。見学ツアーは、地下の電力供給を行う燃料備蓄室で終わった。質問があるかどうか聞かれたので、少し利口ぶって、電力発電の技術面について興味を持って尋ねた。すると、係りの人は狼狽し、顔色が変わって緊張がはしった。技術者が呼ばれ、タルムード（ユダヤ教の経典のひとつ）のような分厚い本をめくって必要な情報を見つけた。僕はその技術者と、ウラジオストクが現実に直面している課題だった停電について話し合った。実際には、日本人にはどうしても理解できなかった。ロシアの停電の原因が地震ではなく、チュバイス（一九五五～）の陰謀であることなど！　主任医師のひとりが、ロシアの医師が技術面に関して知識があることにずっと驚いていた。それに対して、ロシアでは生活のあらゆる場合に備えて普遍的な専門家を育成している、と僕は冗談めかして説明した。ロシア人と同じように、日本人にも独自の国民性がある。もし仮に、ロシア人の冒険心とジョークの腕前と頑固さを、日本人の綿密さ、知的好奇心を組み合わせれば、意表をついた対処法で難しい課題をうまく解決できる、生命力の強い個体ができるだろう。

月日が経ち、多くの記憶が薄れてしまったが、鮮明で滑稽な出来事を思い出すだけで今でも笑ってしまう。まさにこうした愉快な断片から、日の出ずる国を初めて旅をした際のモザイクが出来上がる。まず空港に降り立てば、独特の匂いを感じる。日本の香りだ。また、システムと規則の圧迫を感じ始める。

周囲を探索するための手段は自転車で、それは受け入れ側で購入されたものだった。その自転車は、ハンドルのところに食品を入れるカゴがついた、いわゆる「ママチャリ」だった。ソヴィエト時代の子どもは皆憧れた。もっと正確に言えば、こんなママチャリがあるとは知らなかった。スピードを三段階に切り替えられて、ブレーキはしっかりとしている！　ある日、立山に行こうと決め、道のりは長いので早朝五時に出発した。山道に入るまでは楽しく楽に行けたが、ふくらはぎの筋肉が痙攣を起こして力尽き、ママチャリを手で押して、コンクリート製の曲がりくねったトンネルを歩いた。山の冷たい川に入って休憩をとっても、力が沸かなかった。小さな空き地に自転車を転がし、休憩所を探すも、見つからなかった！どうやら、僕たちはここに来た初めての自転車乗りだったのだ。山を下りることは夢のようだった！夜中の暗闇の中を猛スピードで疾走し、自転車のライトが不自然な明るい光で道を照らしながら、狂ったようなうなり声を上げていた。明らかに山道を想定していないブレーキは、漕ぎすぎたことで火花を散らしていた。急カーブを曲がると、アドレナリンが最大限に出て、僕たちは空から降ってきた彗星のように秩序ある都会生活の地殻に突入した。

僕を担当してくれた係りの人は、典型的な日本人の職員で、研修の規則、目的、義務などが書かれた手引書をくれた。当時、富山に行くロシア人が何に一番興味を持っていたか？そんな質問は愚問で、もちろん、中古自動車だ。日本車に乗り、カフェやお店が立ち並ぶ見知らぬ広い道や、川や湾にその通路を反らす、明るく照らされた上品な橋をドライブすることを誰もが憧れた。まとめられた観光客グループの拘束状態から飛び出して移動の自由を感じること。手引書をめくりながら、運転免許取得のための説明書きを見つけた。簡単に思えた手順にも関わらず、免許取得までに五回もかかった。一回目で合格する者は誰もいなかった。というのも、ロシア人は車に乗って試験会場にやって来て、少し離れたところに車を停めていたからだ。ただ、それを警察が見ていた！

ついに、待望の運転免許証を受け取った！もちろん、免許証を持たずに運転してもよかったかもしれない。当時の日本は、交通違反さえしなければ免許証を確認するために呼び止められることがなかった。慎重に運転すれば問題はないというわけだ。しかし､僕は本物の日本人のように、決められた規則に従いたいと思い、大勢のうちのひとりとして、周囲の現実に溶け込みたいと思った。この謎めいた国の法律と風習に従って生活する。おそらく、まさにこのことが、友人ができたり、周囲の日本人から信用や敬意を得ることに繋がったと思う。地元の人が話す言葉で簡単な人間味のあるフレーズをいくつか言えば、何よりも好印象をもたらし、国境を素早く取り去ってくれる。心がこちらに向き、交流したいと思ってもらえる。ほとんどの日本人はとても歓迎してくれて、心を開き、喜んで助けてくれたり協力してくれる。ある日、隣町の金沢に行った時、車が故障し、なんとか家までたどり着いたことがあった。翌朝は休日で、天気が悪く湿った雪が降り、中庭は水分を含んで泥んこ状態だった。道具を揃え、車を修理するために車庫から出し、乾いている場所を選んで自動車の底の下に入り込んだ。幸い雪はそこまでは降ってこなかった。そして、自動車工の仕事に取り掛かった。時間が経ち、寒さで随分震えてきた時に、突然やさしい女性の声が聞こえてきた。「ロマンさん、熱いお茶飲みませんか？」顔を少し上げて見ると、玄関口で隣の女性が手に魔法瓶を持ち、かがみこんで声をかけてくれた。僕が作業する姿が窓から見えて、励まそうと思った、と話してくれた！素朴で人間味あふれる優しさが感じられた、鮮明な記憶のひとつだ。

もちろん、国民性や個別のそれぞれの人を、ひとつの行動パターンのプリズムだけを通して理解してはいけない。職場、家、休暇、様々な生活のシチュエーションに合わせて我々は様々な振る舞いをする。僕の担当者が、僕が運転免許を取得して車に乗っていることを知った時、とても怒った。富山県の研修を担当する部署の会議に私を呼び出し、役人たちが同席する場で、厳しい言葉で僕を脅かし、身勝手で無遠慮な振る舞いに対して叱責したのだ。危険だからということで、研修生が自動車を持つことは絶対に許されない、と。しかし、ロシア人をそう簡単にいなすことはできない！僕は落ち着いて、他ならぬ彼自身が私たちに渡した、研修の手引きの必要事項が書かれているページを開いた。そこには、運転免許を取得する者の行動がしっかりと書かれている。担当者はどうやら初めて目にしたようだったが、驚きつつ条項を読み、きちんと謝ってくれたことは評価しなければならない。その後、僕たちは友達になったとは言えないまでも、実りある仕事が一緒にできた。とりわけ、半年の研修結果を報告するセレモニーの後で、彼は僕に対して完全な敬意を持って接してくれた。このセレモニーには、あらゆる専門分野の研修生が世界中から招待され、それぞれが富山県の様々な機関で働いていた。全体として一〇〇名ほど集まっていた。日本側から、県知事が僕たちに祝辞を述べ、賞状や記念証書を渡してくれた。僕は時間をよく考えず渋滞にはまってしまい、正装に着替える間もなくなってしまった。遅刻は断じて許されない！そこですぐにひらめいた。ちょうど道中にある病院の仕事部屋に医療服が置いてある！仕事に行く時と同じ格好で行くことにしたのだが、それは誤算ではなかった。僕は、熱のこもった祝辞とともに証書を受け取った。「ロマンさん！ ロシアの医師は本当にご自身の仕事に愛を持っていますね。仕事以外でも制服を着ているなんて。ご自身の素晴らしいお仕事の理念を持ち続けてくださいね！」

おそらく、二〇一四年秋の金融危機とドルの急激な高騰は皆覚えているだろう。輸入事業に関わる人にとっては悲劇的な出来事だったにも関わらず、ウラジオストクではそれが主な収入源となった。つまり、この状況で別の良い側面もあったのだ。不安定になったことで、多くの人が貯めたお金を自分のために使ったり、長年抱いていた念願の夢に費やしたりした。ビジネスに投資するリスクを犯さず、人々は買い物をし、どこかに出かけ、要するに「タイムアウト」をとって遊んでいた。僕とて例外ではなかった。友人のミハイルと福井県の町に住む友人のところに行き、スキーをしたり、家族一緒に新年を迎えることにした。ミハイル自身は、仲間で集まってマレーシアで日光浴をしに行こうとしていた。ロシア系ユダヤ人的な素朴な心で僕は彼に提案した。「旅行に行くんだったら、僕たちが君の家にその間住むよ。だって、誰も居なくなると家が暖められないままになるだろう。家の世話をして雪かきをしておくよ。東京では、空港まで電車で行かなくてもいいよ。電車代は高いからね。僕の車に乗って行って、駐車場に置いて、鍵はバンパーに挟んでおくといいよ。僕たちが東京に着いたら、その車で家まで帰るよ」。こうした直接的なずうずうしさに呆れたものの、友人は同意し、後に後悔はなかった。

新年の夜、かなり遠い場所にある大きな金属製の倉庫（ガレージ）で会った。そこに友人の自動車作業場がある。壁を青い防水シートで覆い、電灯を方々に吊るし、食卓を準備した。友人は大音量で音楽をかけるのが好きだ。ガレージには巨大なスピーカー、アンプ、その他ＤＪが使うような機材もあった。新年をガレージで祝った。私は外に出て新鮮な空気を吸い、シャシュリク（ロシア風バーベキュー）の焼け具合を確認

娘のターニャ

した。すると突然、可笑しくてたまらなくなり、怖くなった！　静かな日本の自然、寒い雪景色を照らす満月を背景に、ガレージが壊れんばかりに揺れていたからだ。大音量でかかるロシアソングの、味のある低音で、まるでマンガに出てくるように膨張し、飛び跳ねるようだった。日本の規律を知っているので、もうすぐ警察が来ると思った。やはりその通りになった。丁寧に挨拶をすると、秩序の番人は僕たちにもっと静かに過ごすように言った。しかし、スピード全開で走る列車を止めるのが難しいように、熱い頭を冷やすのは難しいことはご存知の通りだ。なんとか状況を調整することができた。新年に放送される有名なソヴィエト映画の主人公が言うように、「礼儀正しさは一番大切な武器」なのだ！

おとぎ話のように僕たちは元旦の朝を迎えた。きれいに剪定され、雪の重みで折れてしまわないように丁寧に雪つりがされた松の上に、大きな綿雪が静かに振っていた。大晦日の晩餐の後、気力を充実させ、元気をつけるために山スキーに行こうと決めた。おそらく、ロシア人の伝統に反して昼食時には完全にしらふに戻り、元気だった人生初めての元旦だ！　ふたつの家族が仲良く、すでに身内になったマイクロバスに乗り込んだ。アクセルを踏み込むと、歌を歌いながら座席に座るスキーチームは斜めに傾いて揺れた。勇敢な私たち以外は誰もおらず、閑散としたスキー場で大喜びで滑り、帰路についた。暗くなり、天気が悪化した。嫌な冬の風が湿った雪をガラスにぶつけてくる。視界はゼロで、高速道路の道路標識がまさに鼻先で吹雪の中から飛び出していった。

子どもたちは疲れて眠り、会話が静まった。これからずいぶん走らなければならない時に、予期せず車のオルタネーターが故障した。よりによって雪が降る夜に自動車の送電停止が起こったらどうなるだろう？　最初は、暖房が入ったが、その後パネルのランプが薄暗くなり、ワイパーが止まった。ようやく、前方に目的の高速道路の出口が見えた。家まであと数キロ程度だ。車のヘッドライトも消さざるを得なかった。たまに対向車が来ると脇によけてくれたり、我らが「空飛ぶオランダ人」に向かってシグナルを出した。車は二四時間営業のセブンイレブンの近くで動かなくなった。日本人の

助けをかりて、僕たちはマイクロバスを手で押してお店の駐車場に入れた。大人たちががんばっている間、子どもたちは日本人と一緒に楽しく雪だるまを作って遊んでいた。作業は仲良くできた。ジェスチャーという言語に国境はない。この新年に起こった大事件の続きを思い出すと、今でも笑ってしまう。というのも、元旦も二日も、その週はオルタネーターを修理することも取り替えることもできなかったからだ。日本では、祝日は神聖なものだ。誰も働かない。僕たちだって、移動手段がなければやっていけない。こんな大人数で一体どこに行けばよいのか？解決策が見つかった。僕たちは知り合いが持つ、自動車をロシア向けに輸出準備する作業場に向かった。しっかりとして蓄電池をいくつか選び、荷台に積み込んだ。こうして、僕たちの平凡なマイクロバスが「ハイブリッド」に姿を変えたのだ。ひとつのバッテリーがもつのは四〇分ほどだったので、僕たちは停車できる場所に着く度に、充電用のコンセントを探し、第二次世界大戦の独ソ戦通信兵のように電線ドラムを担いで走った。幸い、外の電源は特に問題がなかった。事実上すべてのお店、カフェ、サービスエリアの裏手にあることがわかったからだ。誰からも、一度たりとも充電に支払いを要求されなかった！日本人は、特に僕たちがとても巨大な博物館の、大きな観光バスで一杯の駐車場に入った時、奇妙なプロセスを見て驚いていたにも関わらず、全体として、助ける用意を表しながら、好意的に接してくれた。

なぜ僕は日本が好きなのか？この国の哲学と生活様式が好きだ。恐ろしく念入りに規則に従うこと、特に、生活を便利にすることに関しては、小さな細かい点に及ぶ工夫。ここでは、すべてが最大限居心地よく過ごすために適応されている。トイレ、便利なお店、車の駐車場、しっかりとした設備、最も日常的なことからはじまっている。質素で謙虚な側面と同時に、サムライの精神や、連綿と受け継いできた東洋の伝統の力がある。また、この小さくもとても発達した国の海や山の力もある。哲学者が言うように、もし完璧になりたければ実験してみよ、つなげてみよ、と。かくして、僕も自分のロシア人精神の木に日本的な伝統、経験、世界観という異なった枝を接木するのである。

（翻訳　樫本真奈美）

ロシアの人々の「душа《ドゥシャー》（心）」は、いつでも常に私の心の琴線に触れます

森　あやこ

極東連邦大学日本学科
日本語講師、ウラジオストク

私は、一九九九年九月に、日本語教師としてウラジオストクに来ました。その直前まで仕事などで忙しかったので、「ロシア」という国について詳しく調べたりする時間はありませんでした。でも、「契約期間は一年だけだし、日本語がわかる人もいるはずだ」と言われ、「まあ、なんとかなるだろう」と思い、とりあえず来ました。

今思えば、知らない国にほとんど何も準備せずに来るなんて、無謀なことをしたものだと思いますが、一方で、むしろそれが良かったのではないかとも思っています。というのは、いろいろなことを先入観なしに見ることができたからです。身の回りのできごとは、「いい」も「悪い」もなく、それが事実です。私はここで生活しているのですから、ありのままを受け入れるようにしています。「郷に入っては郷に従え」です。

幸い、大学でも、寮でも、町でも、人々は親切にしてくれましたし、毎日が冒険という感じで、ホームシックにかかることもありませんでした。ロシアの習慣などを知れば知るほどおもしろくなり、ロシアの人々の「心《ドゥシャー》」やユーモアに触れて、ますます好きになりました。また、極東連邦大学の日本語教育の歴史や、ウラジオストクにいた日本人居留民の話を知って、ここに生きていたロシア人や日本人の人生や想いを感じ、涙せずにはいられませんでした。もちろん、いいこと・楽しいことばかりではありません。人種差別的な偏見に出合い、落ち込むこともあります。でも、仕方ありません。それが現実です。このようにして、一八年の月日が経ちました。「冒険」だった日々は、すでに私の「ふつうの生活」になりました。

では、ここで、一年目のエピソードをご紹介したいと思います。

私がここへ来た九月初旬の頃は、天気も良く、日に日に清々しくなり、町を散歩するのに絶好の季節でした。地図を片手によく歩いたものです。市場では野菜が自然の光を浴びて色鮮やかでした。とりわけ私の目を引いたのが、ピーマン。緑・黄・赤とカラフルなだけではなく、「わぁ、ロシアだなぁ」と思わずにはいられないビッグサイズ。ナスもキュウリも、日本のものの二〜三倍はあります。「国が大きいと野菜も大きくなるのか！」と驚嘆。そして、野菜だけではありません。ある日、通りを歩いていると、向こうから犬を連れた女性がやってきました。私はその犬の姿をずーっと遠くにいるときから認識していました。「あの姿、あのトリミング。あれはプードルだ」。でも、心の中では「でも、プードルじゃない！」と叫んでいました。なにしろ、大きすぎるのです。私の知っているプードルは、ちっちゃくて華奢でちょこちょこ歩く、かわいい犬です。でも、目の前の犬は、歩き方は優雅なものの、私の胸のあたりまである大きな犬。「ロシアでは、プードルもこんなに大きくなってしまうのか！」とショックでした。実は、後で知ったことですが、この大きなプードルが本来のプードルで、日本でよく見かけるプードルは「トイ・プードル」という小型化された犬なのだそうです。（プードルさん、失礼しました。）

この野菜とプードルのできごとは、私の目を開かせてくれました。日本で生活していた頃は、野菜もスーパーで買っていました。大きさも形も全て同じ、規格にあった野菜です。そのような野菜ばかり見ているうちに、自然の姿を忘れてしまったようです。私は、ここの市場で大きさも形も様々な野菜に出合い、「いろいろあって当然なのだ」ということを今さらながらに考えさせられました。もちろん、これは全てにおいてです。人も、当然、いろいろな人がいるのです。そして、プードルの件では、自分が「知っている」と思っていることは、実は、あるものごとの一面あるいは一部にすぎないということが、よくわかりました。自分の見方・考え方を見つめなおすきっかけを得られたことに、感謝しています。

人の心のあたたかさは、自分が病気になるなど、困ったときによくわかるものです。実は、ここへ来て四カ月ほど経ったころ、突然、じんましんが出ました。人生で初めてのじんましん。薬を飲んでも塗っても、治るどころか、だんだんひどくなってきたので、同僚の先生にクリニックを紹介してもらい、そこで治療を始めることになりました。点滴に通ったのですが、両腕は針の跡と内出血だらけで、自分の腕とは思えないほど。さすがにちょっと心細くなりました。でも、お医者さんや看護婦さんたちが優しく声をかけてくれたり、パスハ（復活祭）にはクリーチ（復活祭用の円筒形の菓子パン）をプレゼントしてくれたり。このような心遣いに、いつも慰められ、感謝していました。人の心のあたたかさに触れたのは、このときだけではありません。日々のほんのちょっとしたことにも、あたたかな気持ちになることがよくあります。ロシアの人々の「心《ドゥシャー》」は、いつでも常に私の心の琴線に触れます。

　そして、初めてロシアの春を迎えたとき、私は「息吹き」という言葉を実感しました。私のいた東京は、春が徐々にやってきます。木々の芽が少しずつ膨らみ、緑も少しずつ生え、花もゆっくり開いていきます。サクラも、「一分咲き」から順に「九分咲き」「満開」まで、だんだんと咲いていきます。でも、ここは違います。少し暖かな日が続き、「冬が去ったな」と思っていると、寒い冬を耐えた木々や緑たちが、最初はおそるおそる、わずかに顔をのぞかせます。そして、あとはどんどん、あれよあれよと言う間に大きくなっていきます。殺風景な土手が一日で小さな緑に覆われることもあります。サクラも、「もうそろそろ咲くかな」と思っていると、次の日にはもう五分咲きで、すぐに満開になります。このような木々や緑に、生命のエネルギーを感じずにはいられません。

　ところで、一つ、わかったことがあります。それは、「異文化理解」とよく言われますが、外側から表面的なことを見るだけでは、真に理解することはできない。その文化の人々と同じ生活をして、はじめてわかるようになる、ということです。知識や情報を得るだけでなく、心で感じることが大切だと思いました。

　そして、もう一つ、ずっと感じていることがあります。それは、ロシア人と日本人は、魂の奥深いところで感じ合える共通の何かがある、ということです。どこかで響き合う何かがあります。私たちは今後、交流を深めることによって、さらに強い関係を築くことができると信じています。

ウラジオストク空港のクネヴィッチ駅を静かに走り出した列車は、二〇分も走ると海が車窓いっぱいに広がってくる。成田からの飛行機が夕刻についたので、ちょうど夕暮れの海辺の景色が見られる。線路と海面との高さにそれほど差はなく、列車は波打ち際を走っているような錯覚を感じる。先ほどまでいた遠くて近い日本に思いを寄せながら、旅の疲れを癒してくれる至福の時だ。

空港と市内を結ぶアエロエクスプレスができるまでは、車で市内に入っていたが、今はこれに乗るのが大きな楽しみである。景色がいいので、このアエロエクスプレスを「ロシアで一番美しいアエロエクスプレス」と勝手に呼んで悦に入っている。列車が海から離れ、地下トンネルを抜けるといよいよウラジオストクの駅だ。我に返ってホテルに向かう準備にとりかかる。

私がウラジオストクに来たのは、二〇一七年九月の末。ウラジオストクで開かれるブックフェア「ペチャートヌイ・ドヴォール」を見るとともに、出版物の買付けをするためである。

店舗にはウラジオストクの著者・作家の本も並んでいる

村上　直隆

ロシア書籍専門店
ナウカ・ジャパン合同会社代表

私は、長年ロシアの出版物の輸入販売に携わっており、現在は、東京・神保町にロシア書専門店を構えるナウカ・ジャパン合同会社の代表として仕事をしている。

もともと若い頃からロシア語の本屋を志したわけではなく、気が付いたら今の仕事をやっていると言ったら怒られるかも知れないが、それが正直なところだ。生まれたのは一九五〇年であるから、いわゆる団塊の世代に引っかかるかどうかという微妙なところである。育ったのは東京の郊外で、ロシアとはまったく縁ない家庭、また知り合いにもロシア関係者は皆無であった。

なぜ、私自身がロシアと出会えることになったのか、今になって改めて考えてみるとそれは「異国」に対するあこがれだったのかもしれない。小学生の頃は、ウォルト・ディズニーが出てくる番組やアメリカの西部劇を見るために、テレビのある親戚の隣家に通ったものである。ラジオからはアメリカン・ポップスやフレンチ・ポップスが流れていた。そんな環境の中で、アメリカではなく、周波数が合うと聞こえてきた北京放送やモスクワ放送に「異国」を感じたのかもしれない。

高校生の頃には、ボンダルチュク監督の超大作映画「戦争と平和」が公開された。この映画を観たからか、ロシア語を勉強したくなり、岩波のロシア語辞典を購入した。大学もロシア語の講座のある大学を目指した。一年浪人したが、無事大学生になれ、ロシア語の勉強に自由に専念することができるようになった時はとても嬉しかった。

大学卒業後、ロシア書の輸入販売もやっていたナウカ株式会社に入社した。大学時代の友人が、会社の常務の息子さんの家庭教師をしていて、ナウカが社員を募集していることを知ったのである。鈍感だったのか大学四年生になっても就職活動はあまりしていなかったが、運よくナウカに就職することができた。ロシア語に携わる仕事であればよかったのである。

入社してまわされたのは、宣伝部であった。一年ほどしてロシア書の新刊書を案内する月刊カタログを担当することになった。しかし、長く本屋で食べていく決心がついていたわけではなかった。我慢して何とかこなしていた感じである。しかし、いつかロシア書の最高のカタログを作ろうと妄想し、以来、この仕事は、四〇年以上たった今も続けている。

ロシア語書店の仕事は、出版情報の入手・選択、宣伝、仕入、販売の各ブロックにおおむね分かれる。しかし、仕事のやり方は時代とともに大きく変わってきている。ソ連時代は、国際図書輸出入公団（メジクニーガ）があり、すべてはこの公団との取引であった。郵送されてきた週刊の「新刊案内」（ノーヴィエ・クニーギ）が出版情報源で、これにオーダー部数を記して、航空便で発注するというものであった。出版社も国有で計画出版。一度刊行された本を再オーダーで取り寄せることはできなかった。今や出版社は多様化、ロシア側の輸出窓口も一社ではなく多数の業者が輸出することができる。ウェブサイトやメールで出版情報が比較的簡単に入手でき、取引先とのやり取りはメールがメインだ。古い書籍も見つかれば入手可能である。

ところで、私が初めてロシアを訪問したのは、モスクワ・オリンピックがあった一九八〇年である。ハバロフスクからシベリア鉄道でイルクーツクに行き、そこからノヴォシビルスクに飛んで個人旅行した時であった。ノヴォシビルスク郊外の学術都市アカデムゴロドクでは、ノヴォシビルスク大学の日本語教師フロロワ先生とお会いし、考古学の碩学オクラドニコフ先生の自宅を紹介されたことも今では懐かしい。本屋の仕事をする中で、ロシアの多くの学者の名前を、学問分野を問わず知ることとなった。研究者のように特定の学問分野を深める立場ではないが、ある程度は知らないといけないのが本屋だ。

訪ロで衝撃だったのは、ソ連崩壊へとつながる一九九一年の八月クーデターの一週間後にモスクワを訪れたことである。まだ、バリケードが残るホワイトハウス近くのホテルに宿泊した。図書公団の人々をはじめ、複雑な心境をにおわせる顔つきが今でも目に浮かぶ。図書公団が送ってくる本の価格がべらぼうに高くなり、本の入荷が途絶えはじめ、図書公団が機能しなくなったのもこの頃だ。

ナウカ株式会社が、図書公団に代わって主たる仕入先として選んだのが、学校関係の図書館システムの開発をしていたモスクワのインフォルム・システマ社である。私も宣伝だけでなく、仕入の仕事も兼務するようになって、九〇年代半ばから時たまロシアへ出張で行くようになった。モスクワ国際ブックフェアなど、主にブックフェアの開催に合わせて仕事で訪れた都市は、他にも、ペテルブルク、カザン、ノヴォシビルスク、クラスノヤルスク、ハバロフスク、ユジノ・サハリンスクなどである。行く先々で多くの知己を得てきた。

本屋人生の中で、もうひとつの大きな事件は、二〇〇六年のナウカ株式会社の倒産である。多くの社員が次の人生を考える中で、私は、ロシア語出版物の輸入販売事業を細々でも何とか続けようということに迷いはなかった。というより、この道しか選べなかった。

新しい会社ナウカ・ジャパンを立ち上げる時、支援してくれたのが、田中浩一さん（現ボス&ブラザーズ社長）だ。アメリカで就労経験があるアメリカ通だが、今はロシア好き、とくにサンクトペテルブルクの町が気に入っていて、物品のロシアへの輸出も志向している。

当時、ロシア側で仕入の支援してくれたのが、ウラジミル・グリボフ社長（現データ・エクスプレス社長）らのインフォルム・システマ社の皆さん、そして、その他の仕入先の人々だ。お蔭様でロシアから何とか本を入れることができ、店も開店することができた。現在、ナウカ・ジャパンは、ロシアのみならず、旧ソ連圏、中央アジアのロシア語出版物も取り扱いができるようになった。多くの人々の協力・支援があり、一三年目を迎えようとしている。次世代を担う若い人も育っているのはありがたい。

弊社の店舗を訪れてくれるお客様は日本在住のロシア人もいるが、多くは日本人で、ロシア語学習者やロシア文学の愛読者だ。文学作品では、ドストエフスキー、トルストイやチェーホフ、ブルガーコフらの古典は絶えず人気がある。ビリービン、ラチョフ、ヴァスネツォフらの絵になるロシア絵本も人気が根強く、品揃えにはかかせない。また、ロシアで刊行された日本関係の書籍の品揃えはロシアのどの書店にも負けてはいないと、ロシア人もお墨付きだ。

また、店舗にはウラジオストクの著者・作家の本も並んでいる。ゾーヤ・モルグンさん、アミール・ヒサムトディーノフさん、タチヤナ・アランさんらの本だ。ワシーリイ・アフチェンコさんの『右ハンドル』は、残念ながら売り切れたが、群像社から出た邦訳は置いてある。

弊社の本の多くはモスクワから仕入れているが、ペテルブルク、ノヴォシビルスクなどの都市からも直接仕入れている。外国人向けのロシア語学習書専門出版社とは直接取引をしており、大学などで使うロシア語教科書の問い合わせにも比較的早く答えることができている。今後は、さらにロシア各地から直接仕入れ、迅速にデリバリーできるように若い社員たちと共に努力していきたい。

風光明媚なウラジオストクに話を戻そう。

翌日、駅近くのホテルから、ブックフェア会場がある極東連邦大学図書館に向かった。高台にある図書館の建物の入り口からはアムール湾の青い水面が見渡せて気持ちがいい。出版社の顔なじみの人と挨拶を交わして会場に入った。

ブックフェア「ペチャートヌイ・ドヴォール」は、沿海州図書館によって一九九七年に設立され、極東地方・東

シベリア各地の出版社が参加して開かれている。カムチャツカ地方、マガダン州、ハバロフスク地方、サハリン州、沿海地方の他、サハ（ヤクーチヤ）共和国、アムール州、ザバイカル地方にある各出版社だ。

このブックフェアの開催に中心的役割を果たしてきたのが、沿海州図書館のナタリヤ・クジミナさんで、初めてお会いしたのは確か彼女が来日した時である。私は一九九〇年代からウラジオストクを訪れているが、エネルギッシュに出版社や書店を案内して下さり、ブックフェアにいつも招待してくれ、いろいろと便宜をはかってくれている。

また、「ルースキー島」出版社のアレクサンドル・ヤコヴェツさんも常に暖かく迎えてくれる良き友人である。二〇一一年の福島原発事故の時もいち早く心配してくれ、疎開先として手を挙げてくれたのも彼だ。他の出版社の人たちとも、宴会やルースキー島へのバス旅行などで交流を深め、顔を合わせれば、誰かわかってくれるようになった。彼らも私の良き友人である。

極東地方、東シベリアで刊行されている出版物は、モスクワに比べれば圧倒的に数が少ない。だが、そのテーマは、歴史書にせよ、言語・民族関係の本にせよ、日本にとって関心のあるものが少なくない。ブックフェアでの楽しみは、古くからの友人だけでなく、このような本に出会えることにある。

二〇一八年六月からはウラジオストクで新しい「太平洋ロシア文学フェスティバル」がロシア連邦極東地方発展省の支援を得て開催されるようになった。ウラジオストクを、ロシアの主要な文学センターのひとつに変えていこうという野心的な目的をもっている。ルースキー島を結ぶ橋の建設など急速に変貌してきたウラジオストクは、文化的にもさらに前進していこうとしている。

現在は、出版の媒体が紙から電子へと変わっていく大変動の時代である。将来を予測するのは難しいが、日本と極東地方の出版交流は、どのような形になっても、双方の新しい世代によって継続されていくことを念願している。その時もウラジオストクが交流の大きな舞台になるに違いない。

この年、私は、ウラジオストクを後にしてユジノ・サハリンスクに向かった。東京―ウラジオストク―ユジノ・サハリンスクの航空路が、まるで日本海に架かる橋のように見えてきた。

マースレニツァは、ミハイル・バフチンの言う「民衆のカーニヴァル」の体現そのものであることを実感しました

長與　茅

JICA 海外協力隊
ウズベキスタン派遣
東京

一一歳の時の夏、父と北海道札幌のホテルに滞在中に一晩かけて、フョードル・ドストエフスキーの『白夜』、『おかしな人間の夢』そして『分身』を英訳で読み、感銘を受けました。続いてニコライ・ゴーゴリ、ミハイル・ブルガーコフ、そしてアントン・チェーホフなどロシア文学の作家たちの傑作を読みました。チェーホフの短編集を精読した時の感動は、今でも覚えています。古びた紙の頁を一枚ずつめくる度に、チェーホフの透徹した世界へ、一歩ずつ踏み込んでいく感覚を体験したのです。

一一歳の誕生日のプレゼントのなかに、映画監督アンドレイ・タルコフスキーの『鏡』がありました。主人公の妻と若いころの母親を演じる女優が、田舎の草原に腰掛けてタバコを吸う場面で始まる、この不思議な映画を映画史上のバイブルだと思っています。ストルガツキー兄弟の『路傍のピクニック』をもとにしたタルコフスキー映画『ストーカー』が編み出すチェルノブイリを予言する世界は、二〇世紀が生んだ原子力という負の遺産を描いています。

一四歳の夏から一六歳の夏にかけて、ヴァイオリンを学ぶために、以前滞在していたカナダのオタワ市にあるカンタベリー高校の弦楽器学科に留学しました。母とオタワで暮らし、週にいくつものコンサートと演劇に足を運びました。特に心に残っているのがトロントの小劇団の『谷間』です。五人の俳優からなるその劇団は、三時間に渡り、チェーホフの短篇『谷間』を一切の音響効果なしで静寂に、ゆっくりと演じました。俳優たちは素朴な服を纏い、時たま高い声を出したり煉瓦をすり合わせたりしてチェーホフの『谷間』の村に響き渡ったであろう、人々の声や谷間の鳥たちの鳴き声を模倣しました。「国境」は、色々な意味を持つ言葉です。類似する言葉に「周辺」、「ボーダー」、「境界線」などがあります。いずれも、どのような状況にも当てはめられる便利な言葉です。トロントからやってきた劇団の『谷間』にそれを応用すれば、本上演は観客を完全に物語の世界に引き込み、作品と観客の間の「境界線」を忘れさせるようなパフォーマンスでした。

二〇一二年から二〇一三年にかけて、モスクワ国立大学文学部で学びました。汚い、茶色い水がシャワー水の代わりに出てくるモスクワ大学のスターリン様式のメインビルディングの七階の寮で暮らしていると、ソ連時代の映画『モスクワは涙を信じない』に吸い込まれたような気分になりました。汚い！ でも楽しい！ モスクワとオックスフォードで一人の生活を経て今は料理が出来るようになりましたが、当時は料理ができなかった私は、真冬に暖房の効いた熱い部屋に座り、毎日のようにクワスと板チョコのアリョンカを食べていました。料理が上手な友だちが同じ階に住んでいて、料理を分けてくれました。

ある冬の晩、モスクワ大学で学んでいた友人からメールをもらいました。「今週末森に行くから、水筒に暖かいお湯を入れて来てね」。何事かと思いながら言われた通りにしました。モスクワのユニクロ店にて五千ルーブルで購入したコートを着て（水筒は持参したかどうか覚えていません）、鉄道駅でその友人と待ち合わせ、田舎へ行く電車に乗り、遠い森の中へ行きました。森の真ん中の殺風景な駅で下車すると、他にもたくさん人が集まっていました。友人に誘導されながら六キロ森の奥へ、群衆の一員として積雪の上を歩いていきました。何が待ち受けているのでしょう？ 待ち受けていたのは、ロシア民謡に登場する、鶏の足をした小屋に住み、森に迷い込む子どもたちを誘拐する恐ろしい老婆バーバ・ヤガーではありませんでした。待ち受けていたのは、同じくらい恐ろしい光景でした。恐

ろしいというより、予想外といったほうが的確かもしれません。森の奥の広場で、何百人もの群衆が集まり、冬に別れを告げて春を迎えるロシアの伝統的なマースレニツァというお祭りをしていました。伝統衣装を着ている人もいました。森の中は、マイナス二〇度から三〇度の寒さだったと思います。

　深く積もった雪の上にはキオスクが立ち並び、ブリヌィとクワスが売られていました。木立を散策すると、木の下に多くのテントが張り巡らされていました。一〇代までオタワ市の近くのガティノーの山で、マイナス三〇度の冷気に包まれながらスキーをしていた私ですから、寒さは大丈夫でしたが、次の光景には驚きました。参加者が雪にまみれて踊ったり、歌ったり、雪合戦をして、マースレニツァの藁の人形に火をつける行事の最中に、ひとりの男性とひとりの女性がそれぞれ裸になり、一〇メートルの高さの木の下からてっぺんまで競争しながら登ったのです。先に頂上に辿りつき、木の枝にかけられたリボンを手に入れた方が勝ちです。マイナス三〇度、森の真ん中、裸の男女、木登り。中世から祝われてきたマースレニツァは、ミハイル・バフチンの言う「民衆のカーニヴァル」の体現そのものであることを実感しました。

　一九世紀ロシアの世界に迷い込んだのは、その前年の晩秋のことでした。週末に寮の部屋でぼんやりしていた私は、「そうだ、アクサーコフ家の領地を訪ねよう」と思い立ち、同じく寮でぼんやりしていた友人に声をかけて二人で電車に乗り、森の奥の無人の駅に降り立ちました。「アクサーコフ家の領地はどこ？」と周りを見渡しても、木と、木々が立ち並ぶ森しか見当たりません。コンスタンティン・アクサーコフは、一九世紀に活躍した思想家です。アクサーコフ家の領地はどこだと森の中を四キロほど散策しながら探しました。森の空気は冷たくて、雪はまだ積もっていないものの、枝は真っ裸になり葉っぱ一枚どこにもありません。冷寒、木立、落ち葉。二人の学生は閑散とした森を貫く小道を歩いていき、ついに空き地に行きつきました。そこには、タルコフスキー映画『ソラリス』の冒頭に出てくるような小川が流れていて、映画とそっくりの水草が水面に浮いていました。小川を越えて野原に出て、がらんとした道を渡ると、

やっとアクサーコフ家の領地に辿りつきました。幸い領地に入れましたが、冬の間博物館は閉館していたので、アクサーコフ家の人々が使用していた何軒かの小屋にしか入れませんでした。にもかかわらず、素敵な想い出になりました。領地内には広大な野原があり、野原の草には霜が降りていて、白がかった緑色、つまり白が混じった薄い緑色の野原が広がっていました。

野原の向こうには建物があり、隣には木立、木立の向こうには大きな池。池は何か所か凍っていました。池沿いを歩き、池の対岸に茂る森を眺め、木立の下を散歩して小屋に出入りし、解説文を読んでアクサーコフ家のお客になった気分になりました。数時間後、友人と再び電車に乗った時には、身体が冷え切って疲労していましたが、快適な疲労感でした。アクサーコフ家にもてなしていただいたのですから。

時間を早回しします。二〇世紀のロシアと遭遇したのは、二〇一三年の春のことでした。

雪が解け、モスクワは緑色の春分に見守られていました。ある日、友だちが「星の街」へ行こうと誘ってくれました。「星の街」は何、というのが最初の反応でした。それは、ソ連時代に国家機密の街として開設された、宇宙飛行士を特訓する街でした。

日本人、台湾人、そしてインドネシア人の留学生たちと一緒に、「星の街」の社会科見学に参加しました。ガイドが「星の街」を案内してくれました。宇宙飛行士が無重力空間に備えて特訓する巨大な水の入ったプール。地上発射時の強い圧力に向けて身体を訓練する、三六〇度高速度で回転するローラーコースターに似た乗物（宇宙飛行士は、これに乗り、吐くまで訓練するそうです）。宇宙船を模倣した乗物。まるで、『スター・トレック』の宇宙に迷い込んだような気持ちになりました。ソ連時代は、一般人は立ち入り禁止でした。今日も、見学を前もって申請しなければなりません。特別な世界に一時的に、立ち入ったような感覚でした。ちなみに、ソ連時代のＳＦ作家ストルガツキー兄弟の作品に『月曜日は土曜日に始まる 若い科学者のための物語』という、「魔法妖術科学研究所」でくりひろげられる不可思議な実験を描く著作があります。『月曜日は土曜日に始まる』は、ソ連時代の国家機密施設及び機密街で行われていた医学、原子力、そして多分野に渡る実験とその異様な世界を風刺した作品です。「星の街」に行ったとき、月曜日が土曜日に始まる街に来たような気分でした。見学している途中に宇宙飛行士の油井亀美也さんと遭遇し、一緒に写真を撮影していただきました。

モスクワ大学で学んでいる時に他に二人の著名人と出くわしました。作曲家のロディオン・シチェドリンさんと、フェミニストのパンク・ロック集団プッシー・ライオットのメンバー、エカテリーナ・サムツェヴィッチさんです。シチェドリンは、二〇一三年の春にモスクワ大学の大ホールで、彼のオーケストラ曲の初演のコンサートに足を運んだ際にそこにいらっしゃいました。演奏が始まる前に、シチェドリンはオーケストラの前で妻のマイヤ・プリセツカヤさんと並んで立って、ご自身の新曲について解説されました。

さて、サムツェヴィッチさんです。東欧特集の雑誌の日本人記者の通訳をして、彼女にインタビューをしました。サムツェヴィッチさんは想像していたより小柄な方でした。ただ、アーモンド色の目が透き通っていて綺麗だという印象を受けました。彼女は記者の方の質疑応答に丁寧に答えてくださいました。お話を聞きながら、ロシアは未だにソ連時代の負の遺産を受け継いでいることを実感しました。

二〇一二年から翌年にかけてモスクワ大学文学部で勉強している間、歴史学部と哲学部の授業も履修しました。授業外時間には、モスクワ大学とモスクワ音楽院の両校の学生が参加するオーケストラの第一ヴァイオリン団員として演奏活動に参加しました。学生オーケストラの部長は一六世紀の皇帝に因んで、ボリス・ゴドゥノフと呼ばれていました。また、モスクワ音楽院の大ホールで、一般公開のコンサートで演奏し、弦楽五重奏団の第二ヴァイオリン奏者として演奏しました。モスクワ大学物理学部の講義室で、オーケストラの発表会に参加し、ソロの曲も弾きました。

留学前に、モスクワ大学で勉強することをヤマハ音楽スクールでお世話になったチェロの先生に伝えると、以前私がカナダにいたことをご存知だった先生は「君は北国が好きだね」とおっしゃいました。

ロシアは国際情勢のなかで、変化に富んだ二一世紀においてどんな地位を固め、どのように他国との関係を構築していくのでしょうか。今世紀には、デジタル化の斬新な導入を意味する第四次産業革命が起こると言われています。かつて、ソ連時代に宇宙開発に尽力したロシア。旧技術という「境界線」を乗り越えて、ロシアは今後どのような発展を見せるのでしょうか。

ロシア人は「優しい」のか「冷たい」のか

中川　仁樹
朝日新聞 GLOBE 編集部副編集長、東京

ロシア人は「優しい」のか「冷たい」のか—。世界中の人にこんな問いかけをしたら、ロシアのメディアを読んでいる人と、欧米のメディアを読んでいる人とで、答えが全く逆になるかもしれません。

私の主な仕事の一つは、自分でロシアを見て、体験し、感じたことを日本の読者に伝えること。四年間、ウラジオストクに住んだ経験から言えば、ロシア人は基本的に優しい人が多いと言えるでしょう。

もちろん外交や政治、経済などの分野でロシアは多くの問題を抱えています。ただ、日本や欧州、米国も多かれ少なかれ様々な問題を抱えています。そうした問題とは別に、市民レベルで日本とロシアは「いい隣人」でいられるのではないでしょうか。

最近の好例がサッカーのワールドカップ・ロシア大会でした。残念ながら極東では試合はありませんでしたが、日本をはじめアジアや欧州、北米、中南米、アフリカと世界中から一〇〇〇万人にのぼる外国人サポーターが観戦に訪れました。

ロシアに来る前、「危ない」「ロシア人は冷たい」「料理が美味しくない」といったネガティブなイメージを持っていた外国人もいましたが、多くの人がロシアに来て印象が一八〇度変わったそうです。メキシコ人の一家は、試合会場で隣に座ったロシア人男性が翌日、モスクワの街を一日かけて案内してくれたと感激していました。日本人男性は、民泊のオーナーが午前五時に駅まで迎えに来て、朝食のブリヌイを自宅で食べさせてくれたと喜んでいました。ホテルや空港での笑顔のもてなしや、一所懸命に案内するボランティアたち。大会が終わる頃には、「またロシアを旅行したい」「ロシア旅行を友人に勧める」という外国人の声であふれていました。

ただ私にとっては、いずれもウラジオストクなどロシア極東で以前から見てきたロシアの姿です。例えば、ウラジオストク空港はターミナルが二〇一二年のAPEC（アジア太平洋経済協力会議）サミットに合わせて新しくなりましたが、建物がきれいになっただけでなく、職員の対応もとても丁寧です。街中のホテルやお店でも、以前のような冷たい態度を見ることが少なくなりました。

日本関係では、ウラジオストク市内には、歌人で詩人の与謝野晶子の「旅に立つ」という詩が刻まれた碑がありますが、いつもきれいにされています。与謝野晶子は一九一二年、夫の鉄幹に会うためにシベリア鉄道を経由してパリに向かいましたが、この詩はそのときに詠んだものだそうです。その近くには戦前ウラジオストクにあった浦潮本願寺跡地の記念碑もあります。

セネガル人のサポーターと

もともとロシア人は親戚や友人たちとの絆が深く、そうした人たちと会うときには、明るいラテン系のノリを見せていました。そんな古くて新しいロシア人の本当の姿を、ようやく世界の人も知ったと言えるかもしれません。

ロシア人の深い絆と言えば、心に残っているのが、赴任直後の二〇一四年の夏から秋にかけてウクライナに親戚がいる沿海州のロシア人を取材したことです。ちょうどウクライナ東部の戦闘が激しさを増していたころ。私は赴任直前、ドネツク周辺の最前線に取材に行っていたこともあり、紛争の拡大に心を痛めていました。

ウクライナ東部から国内外に避難した人は約二〇〇万人。モスクワなど欧州ロシアにある都市だけでなく、数千キロ離れた沿海州にも多くのウクライナ人が逃れてきました。避難した人に現地の状況を聞くため、受け入れ施設となっていたルースキー島にある極東連邦大学の寮に行ったこ

エカテリンブルクでは、大勢の市民が日本からのサポーターを歓迎

ともあります。

「なぜ、はるばる遠く離れた沿海州まで逃げてきたのか」。多くの質問の中で、私の素朴な疑問への答えは多くが共通していました。極東の親戚を頼ってきたという理由でした。施設で手続きをした後、すぐに親戚の家に移った人もいました。

沿海州など極東には一九世紀終わりごろからウクライナから多くの農民らが移住してきたことは知っていましたが、私にとって、それはすでに歴史的な出来事でした。これほど遠い距離で、これほど多くの家族がいまも親密な関係を続けているとは想像できなかったのです。

そもそも沿海州には二〇世紀初めまでにウクライナから四万人弱が移住し、一時は人口の八割がウクライナ系だったとも言われています。ロシア帝国は移民を奨励し、開拓を奨励するために一〇〇ヘクタールの土地を無償貸与する特典を与えていました。ウスリースクに住む女性は曽祖父が家族とともに移住しましたが、当時は馬車や牛車を使い、三年かけて陸路を進んだそうです。その後、黒海沿岸のオデッサからウラジオストクまでの航路ができ、約四〇日で行けるようになりました。一九三〇年代のウクライナ大飢饉や、ロシアでは大祖国戦争とよばれる第二次世

「ウクライナのハタ（家）」のマリア・ズバリーチさん（中央）

界大戦の戦禍から逃れてきた人もいます。

最近もウクライナから来た人は少なくないようです。沿海州には「ウクライナのハタ」という博物館もあります。「ハタ」はウクライナ語で「家」の意味。チェルノブイリ原発事故の被害から逃れたマリア・ズバリーチさんが二〇一一年に開き、ウクライナの刺繍が施された民族衣装やタオルが飾られています。

博物館は二〇〇〇年ごろ、母や兄妹が続けて亡くなったことをきっかけにオープン。「はるかな道よ、私を母まで戻してください」と民族衣装をまとって歌うマリアさんの目には涙が浮かびました。

実はウクライナでも、住民からロシアと仲よくしたいという声をたくさん聞きました。「兄弟国」と言われる両国の関係が、早く正常化してほしいと願わずにはいられません。

そして今後も、ロシアには世界との交流を深める気持ちを持ち続けてほしいと思います。ワールドカップの例を見るまでもなく、ロシア人の性格は、日本や欧米など世界中の人々と友好を深めることができる素晴らしいポテンシャルがあります。

現在のように、国と国との関係では外交や内政など様々な問題で衝突することもあります。ロシアも欧米との関係が悪化していますが、自らの主張を訴えるだけでなく、ぜひ相手の意見にも耳を傾けてほしいと思います。お互いが尊重し合えば、きっと分かり合えると信じています。

「神様がウクライナに『声』を与えたという言い伝えがあります。だから歌うのです」

ロシアを通るルートを選んだのは、シベリア鉄道が私の目的に適していたからです

中根　唯

美術作家、東京

グラデーションをたどる旅

東京の美術大学の学生だった頃、私は二〇一七年の九月から一二月にかけて、中国から鉄道でロシアを周り、その後ヨーロッパへ向かう旅をしました。

旅の目的のひとつは、移動しながら出会った人たちの顔を記録としてスケッチさせてもらうことでした。隣り合う国々は互いに影響を与え合い、人や文化に共通点を見いだせることが多いと思います。日本を起点としてなるべく地続きに移動をすることで、出会う人々の様子や景色がグラデーションのように変わっていく様子を垣間見ることができるのではないかと考えました。それを自分にとって一番手に馴染むスケッチという方法で記録してみたいと思い、この旅を企画したのです。

ロシアを通るルートを選んだのは、シベリア鉄道が私の目的に適していたからです。最初はウラジオストクから鉄道に乗ろうと考えていましたが、最終的に北京、ウラン・ウデ、クラスノヤルスク、エカテリンブルクの順に鉄道で移動し、飛行機でペテルブルク、モスクワに到達するという旅順にしました。モスクワからはまた飛行機でブダペストまで行き、そこから先はバスと電車を利用して移動し、最後はドイツのミュンヘンで旅を終えました。

影響し合う人種や文化への興味が生まれる発端に、北海道でアイヌ民族についての知識を得たことが関係しています。二〇一六年の夏、北海道の白老町にあるアイヌ民族博物館でアイヌ民族の辿ってきた大まかな歴史について学び、それまでアイヌのことをあまり知らなかった私は、その歴史や世界観にとても興味を抱きました。その後、アイヌ民族と北海道についての本を読んだり調べたりしていくうちに、そもそも日本人とは一体どのように構成されてきた民族なのだろうという疑問を持つようになりました。

諸説があり正確なことはわかっていないそうですが、多くの日本人は血筋的には中国や韓国などの大陸の人々と大きな違いはないのではないかと言われているそうです。北や北西、南西からのルートで渡来してきた様々な人々が混じり合って日本人ができてきたのだと考えると、自分で当たり前のように感じていた「日本人という意識」が少しゆらぐようになりました。当たり前のように日本人として生きてきて、海を越えた向こうには多くの「別の国の人々」が暮らしている、と無意識に認識していた私にとってそれは少し驚くような体験でした。もちろんそれはある意味間違ってはいなくて、私は確かに日本で生まれ育った日本人のひとりですし、日本人は周りの国々と様々な形で関わりながら、独自の文化を築いてきた民族であることには違いありません。しかし、だからといって遠い別の場所に暮らす人々と全くもって「違う」のだとは言い切れないのかもしれない、と考えるようになりました。

そのように考えていくと、日本から遠く離れたヨーロッパの人々にも私達と同じ要素があるかもしれないし、逆もまた然りなのかもしれません。

美術を志す者として、ヨーロッパの美術や文化に憧れを抱いてはいましたが、ただ憧れの地としてヨーロッパを見るのではなく、そこは遠くても繋がっている地球上のひとつの地域であるのだ、という意識でヨーロッパを見てみたいと思うようになりました。そして、なるべく地に着いた移動手段でヨーロッパに向かってみることでその意識に近づけるのではないか、と考えたのです。

そういうわけで、私は道中に出会った人々にお願いして、その人の顔をスケッチさせてもらいながら旅行しました。当然ですが、人の体や顔つきはその人の生まれもった血筋、または遺伝子によってそのかたちが変わります。たとえば私は日本人（アジア人）の多くがもつ黒い髪、凸凹の少ない顔の構造（目のほりは浅く、鼻は低め）などを見た目の特徴として持っています。はるか昔の私の先祖がどのような見た目の特徴を持っていたかはわかりませんが、それぞれの基礎となる人種から、混血を重ねながら脈々と受け継がれてきた特徴の一端に私の姿形があるのだとすると、ある一種の人間の特徴として自分の顔を捉えることができます。それはもちろん自分以外の他人に対してもそうです。スケッチをするということは自分にとって、その顔が美しいとかそうでないとかは関係なく、ただそのありのままの特徴を観察し、記録するのに適した方法です。アジアからヨーロッパまで横断しながらそのようなフラットな視点で記録を取り続けることによって、美醜も人種も関係なく、ただ私がその土地で出会った人々の記録集をつくりたいと考えました。

　また、私がスケッチをするだけでなく、スケッチをした人にも私の顔を絵で描いてもらう、または文で表現してもらうことも同時に行いました。理由は、ひとつに私からの一方的なコミュニケーションになってしまうことを避けたかったということ、もうひとつに、日本人の私の顔は海外の人にはどんな姿に見えるのかを知りたかったということがあります。絵というものは、描く人の視点や観念が出て来がちです。もしかしたらアジア人である私の目はヨーロッパの人が見たときにより細く見えたりするのかもしれません。そこに悪意があろうとなかろうとその見え方の違いを探れないかと思い、なるべく多くの人に私の顔を描いて（書いて）もらおうと思いました。（実際に参加してくれた人の中には悪意を持って接してくる人は一人もいませんでした）。実際にスケッチをさせてもらうと、描かれるのはいいけど描くのは苦手だからと絵を描いてくれる方は少なく、交渉が難しいところもありましたが、記録に参加してもらうだけでその人とのコミュニケーションが広がっていくのが感じられました。

　道中は様々な人々と出会うことができ、移動するたびに少しずつ大きくなる日本との時差、その距離の長さを身を以て体感することができた貴重な体験となりました。どの土地での経験も大切な記憶でありますが、やはり北京からモンゴルを経由し、ロシアを西へと移動した際に感じた文化と景色のグラデーションは印象が深かったです。

ウラン・ウデにて

　特にウラン・ウデでは、北京とモンゴルからのアジアの流れにヨーロッパの雰囲気が混ざった街の様子が見て感じられ、驚きました。街中にはブリヤート人とロシア人が半々くらいで歩いていたように思います、お隣のモンゴルとはちがう、でもいわゆるロシアらしい雰囲気ともまた違う様子でした。たまたま知り合うことのできたブリヤート大学の学生さんをスケッチさせてもらったりもしました。ロシアで出会った人々は基本的にみな優しく接してくれましたが、ブリヤートの人は特に親しみやすかったように思います。ブリヤート人は日本人のルーツに関係があるという説もあり、確かに日本人に似ていると感じる人も街中で見かけました。その後西へ移動を続けていくたび、なんとなくヨーロッパの雰囲気へ近づいてゆく感じがしました。

その後の道中も、シベリア鉄道や町で人と話し、何枚かスケッチをさせてもらうことができました。鉄道の体験は印象深く、娘さんの写真を大事に持つおばあさんや、酔っ払いの男性など様々な人と出会いました。家族に会いにゆく人、家に帰る人、出張で利用している人など、様々な目的で多くの人が鉄道を利用しており、ロシアの人にとって寝台列車が身近であるのを感じました。日本ではあまり寝台列車を利用する場面は多くないと思います。コンパートメントの狭い空間で知らない人と過ごすのは大変な部分もありましたが、ロシアの人のもつ時間感覚のおおらかさのようなものを垣間見れたのは、とても興味深い体験でした。モスクワまで特に困ったことや危険なことにも巻き込まれず、楽しく充実した旅と記録をすることができました。

ヨーロッパをまわった後、ウラジオストクも訪れました。もともと行ってみたい場所でもあり渡航の予定を立てていたのですが、ご縁とサポートをいただいてギャラリー「Artetage」で個展をさせていただく機会に恵まれました。

ウラジオストクが極東に位置している点に興味を持っていて、北朝鮮や韓国とも近いことからどんな雰囲気の街なのか気になっていました。実際に赴いてみると、まずアジア人の観光客が大勢いるのに驚きました。しかし中心地の街並みはどちらかというと古くヨーロッパらしく感じ、ここはアジアの国々と接している地域だけれど確かにロシアなのだなとも思いました。日本から数時間飛行機に乗るだけで行ける位置にこれだけアジアとは違う雰囲気の街があるということはとても不思議に感じられます。日本も含めた周りの国々とウラジオストクがどのような関わりをもってきたのか興味を持ちました。Artetageをはじめ、新旧様々な美術館があるのも印象的でした。美術を学ぶ者として、コンテンポラリーアートがどれくらいウラジオストクの人々に受け入れられているのかなども気になりました。

私が見聞きできたのはロシアのほんの一部ですが、移動するたびに人々や都市は多様で魅力的な景色を私に見せてくれました。そしてある意味少し日本に似ている部分もある気がして、親近感を覚えています。また機会をつくってきっと訪れたいと思うし、隣同士の日本とロシアがお互いにもっと身近な国になってほしいと願います。

モスクワにて

「僕たちの」日本人は
ウラジオストクを気に入ってくれた

アレクセイ・ネチポレンコ

イポーニヤ・トレード社代表
ウラジオストク

「ディーマ、大将に聞いてくれよ、なんで寿司を握るのがそんなに遅くなったんだ？」

「リョーシャ、だから言っただろ！大将に飲ませるのは食べ終わってからにしろってな！」

ディーマは、僕の「日本人の」友人だ。括弧つきなのは、彼は正真正銘のロシア人だが、二五年も日本に住んでいるからだ。日本の大学に入学し、そのまま留まった。人との付き合い方や物腰に関しては日本人とほぼ変わらず、外見まで日本人に似てきたので驚きだ！「日本人の」という形容詞がつく訳には、ディーマが仲の良い日本人とよく魚釣りに出かけることにも関係している。日本人がロシア人とビジネスをするのはわかるが、友情を深めるまでになるのは稀なことで、あまり一般的ではない。

大将の山下さんはディーマの良き友人で、ここで言う「大将」とは、自分の店を持つ寿司職人のことだ。僕たちは大満足で寿司屋のカウンターに座り、順番に出されるマグロの握りを心待ちにしていた。僕たちが大将のグラスが空いてはウィスキーを注ぐので、満足そうだった。ディーマのもとには、仕事関係や休暇でスキーをしに訪日するロシア人がたくさんいるが、山下さんは皆の人気者だ。

誰も手ぶらで訪れたりしないため、お店の棚には様々なマトリョーシカが沢山ある。その隣には日本刀が飾ってある。そして大将の足元には、有名な歌舞伎俳優たちが舞台で使用する履物が見えた。数時間後には、僕はカウンターの中に入り山下さんと刀を持って記念撮影をした。一方ディーマは、下駄を履き、お店の床を太鼓のようにドンドン踏み鳴らし、歌舞伎の仕草を真似てみせた。

日本人とロシア人はとてもよく似ている。美味しいものを食べ、仲間と楽しく過ごすことが好きだからだ。山下さんは優しく、ざっくばらんな性格で、僕たちの冗談もすべて分かってくれるし、特にロシア人を歓迎してくれる客好きな人だ。

「リョーシャ、せめて一匹は生の魚を食べないとな。それが寿司好きになるための この店の洗礼だよ」

ディーマは笑いながら、店内の小さな魚が泳ぐ水槽に目を遣った。

そして、キョトンとした僕を見ながら、胃の中でジタバタする魚の様子を真似して見せてくるのだった。後になってからは、僕は日本滞在中に生の鶏肉や馬肉の寿司、さらに日本で禁止されてしまった牛のレバーがのった寿司も食べた。そもそも、生魚なんて序の口なのだ。日本人は生のまま食べるのがとにかく好きだ。しかし、ことは魚だけで済まなかった。というのも、ディーマがニヤニヤしながら大将に料理をもう一品頼んだのだ。それは日本人が好む発酵した豆だと判り、すすめられるがままに試す羽目になった。顔を歪めながら納豆を噛む僕を見て、ディーマと大将は日本語で何やら話していた。

大将の奥さんは、ディーマがロシア人の友人を連れて来ることを心から歓迎している様子ではなく、その後続くどんちゃん騒ぎに対してとても素っ気なく対応していた。真の日本人女性として、いつも耐えておられるのだ。しばらくしてから、僕たちはロシアの歌をかけ、大声でロックミュージシャンのシュヌールを歌いながら、山下さんにロシアのポピュラー音楽を紹介し始めた。お店にいた他のお客さん達はさぞかし驚いたことだろう。過去五年間ロシア人がいなかった小さな福井の町では、これ程熱気のある飲み会は滅多にお目にかかれないだろうから。

かつては福井から

ウラジオストクへ船で日本車が出荷されていたが、外国車をロシアに輸入する際にかかる関税とドルのレートが上がったため、拠点を富山に移した。あらゆる経済危機がありながらも、僕は富山から少しづつ日本車の輸入を続けていった。二〇一七年から二〇一八年には、ドルの為替レートに慣れた（すでに予想済みだった）ロシア人が、再び自動車を注文するようになった。しかし、福井には今のところ誰も戻っていない。ディーマは福井に住んでいるが、自動車の輸出をしているわけではない。彼の趣味と実益を兼ねた主な仕事は、小型舟艇をロシアに輸出することだ。ウラジオストクにある小型舟艇の九割は日本から運ばれたものなのだ。この「日本人の」友人がウラジオストクに遊びに来るときは、僕たちはよく海に出るのだが、船を見ては、「見てくれよ、これ、僕が日本から送ったボートだ、あれもだよ！」と、しきりに教えてくれる。

寿司屋を出たのは深夜だった。寿司は本当に美味しく、特にマグロは絶品で、この店では四種類のマグロを出している。ロシアではマグロを獲らないため、冷凍された状態でしか運ばれてこない。ちなみに、マグロ寿司はウラジオストクでも食べられるが、日本で食べるほど美味しくない。

日本人は本当にマグロ好きで、毎年行われる正月のマグロの競りでは、高値を更新して世間を驚かせている。最も高値がついたマグロは二〇一三年に競り落とされたもので、一億五五〇〇万円だった。去年も二一二キロのマグロが七四二〇万円で競り落とされていた。日本全国の主要な寿司店が競り勝つためにしのぎを削り、そしてその年の最高のマグロを得ることは、とても名誉なことなのだ。

タクシーを呼んで帰路についた。日本での交通ルールは他の規則や法律と同様にとても厳しい。スピード違反をすれば減点され、後々には免許剥奪の恐れもある。福井では、排気量六六〇ccのエンジンの車が八割で、燃費については言うまでもなく、年間の維持費が安くつく。福井の通りや駐車場は小じんまりしていて、周囲には小さな車が走っているので、時々ミニチュアの町にいるような感覚になる。ディーマは、正真正銘のロシア人らしく、大きな「クラウン」三リットルに乗っている。寿司屋の駐車場はこうした車を停めるようにできておらず、日本人のタクシー運転手は、僕たちの車が車道に半分ほどはみ出しているのを見てその後しばらく車のことを茶化していた。

もっとも、ディーマの家族の二台目の車は奥さんのものなので、六六〇ccのターボ付き軽自動車だ。また、大きな方の車は家のガレージに収まらない。家自体は典型的な日本家屋で、ロシアのように派手に改築された家屋ではなく、二階建ての質素なデザインだ。家の中はすべて調和がとれており、美しい。おそらく、こうした家は日本でしかあり得ない。家々の屋根は隣と接触しそうな程で、庭にごく小さな菜園がある。家の中で最も高い技術を誇るものは便器だ。近づけば蓋が自動的に開き、パネルのボタンを押せば洗浄の水が所定の場所に噴射される（温度は選択できる）。匂いを消すフィルターがうなり、音楽が流れる。現代的に言えば、何とも興味深い便利な「ガジェット」（実用的で特別な機能を備えた電子機器）だ。

家の中を歩けば床がきしむ。それはまるで、藁葺き家屋の隙間に風が吹き付けるようだった。

冬はこのような家では寒く、電気暖房器具を使って家を暖めることは難しく、何より高くつく。全体暖房はない。読者の皆さんはロシア以外で全体暖房を見たことがありますか？　僕はありません！

翌日、ディーマが僕たちを温泉に連れて行ってくれた。旅館の小さな庭の温泉浴場は、美しく積まれた石の壁と緑の草木に囲まれており、日本風のアーチを描いた円屋根の下にあった。秋にここでリラックスするのは格別だ。ゆったりと心地よい音楽が流れ、静かで落ち着いている。周囲も自分自身の内面も……。

後に山に出かけた時、僕たちは湯治場の真の奇跡に大感激することになった。そこでは、大自然に湧き出る湯船に浸かるという幸せな体験ができたのだ。向こう側には滝が見え、森は秋の色に染まっていた。ディーマは、日本の伝統に従って温泉には裸で入らなければいけない、というのも、日本人は公共浴場に入るとき、性別や年齢に関係なく完全に服を脱いで入るのだから、と言った。僕は彼を信じて、生まれたままの姿でお湯に浸かった。が、裸であれ着衣であれ、日本人旅行者の誰も温泉に入らなかったのだ。滑稽で恥ずかしかったが、ディーマは「後で湯冷めするのが嫌で誰も入りたがらないんだ」と考えをめぐらせた挙句に指摘した。その後も、僕たちは頻繁に温泉に行ったが、男湯と女湯に分かれた浴場のある旅館に行った。そう

いうわけで、友人の言葉の信憑性をはかる機会には恵まれなかった。

ある朝、ディーマが住む地域を出ようとした所で、タイヤが小さな穴にはまってしまったことがあった。

「明日役所に電話をして穴を塞ぐよう言わないとな……」

と、怒りながら言うディーマは、ニヤニヤする僕に気づいていなかった。この発言から、彼がロシアに二〇年以上住んでいない人間だとすぐにわかる！

向かった先はユネスコ世界遺産に登録されている歴史のある村、白川郷だった。そこは、山間にある居心地の良いきれいな場所で、藁葺き屋根の日本伝統家屋が保存されている。僕たちは民宿に泊まった。畳の上で寝て、部屋のドアは薄く半透明の紙が貼り付けられた障子戸で、窓の格子は竹からできていた。日本人は高度に技術が発達した国に住むにも関わらず、贅沢を追い求めないということに、僕たちは何度も驚かされる。トイレと風呂は共同だったが、一泊の値段はいいホテルと変わらなかった。それでも、予約は一ヶ月先まで埋まっていた。多くの旅行者が生きた日本の生活を求めてやって来るのだ。宿の壁には、これまでに泊まった国内外の有名人のサイン入り写真が飾られて

白川郷

あった。

白川郷から京都に向かった。道路は山々を貫いており、トンネルをいくつもくぐり抜けて進んだが、最も長いトンネルは一一キロメートルもあった！　もう少し速く……とどんなに急かしてもディーマは交通違反をしないようゆっくりと運転していた。いたるところにカメラがあり、交通警察が（何の表示もない）普通の車で道路に現れ、走行中の運転手をレーダーで取り締まったりするというのだ。

夜に京都へ到着すると、有名な寺院で木々、建物、石庭などあらゆるものがライトアップされていた。信じられない程美しい黄金の秋！　こうしてライトアップされるのは、一年のうち桜が開花する春と秋の二回である。寺院をまわり、石庭で瞑想し、水面に映る木々を愛で、調和と静寂を堪能した。日本人が言うところの、「悟りを開く」だ。言葉で伝えるのは難しいが、この後自分の心に何か変化が起きたのは確かだ。

夕食には寿司屋に入った。ビールのジョッキを持ち、ディーマが日本と仕事をする者だからこそわかる話を切り出した。

「リヨーシャ、俺からボートを買いだして何年になる？　それでも日本人との独特なビジネスに慣れることはできないよな……」

確かに、特殊ではある。

日本人はよく、ボート（他の機械設備でも）を売り出すときに、値段をつけない。値段のことを聞くと、いくらで買ってくれるのか、と質問で返されるのだ。安い値段を言って売り手に文句でも言おうものなら、一緒に仕事をしても儲からないと判断される。もし値段が妥当であれば、同意し必ずすぐに購入手続きに入るのがいい。そうしなければ、日本人に「ひやかし」だと思われ、ビジネスパートナーとして甘くみられてしまう。合意に至れば　もし他に買い手が現れ、たとえ倍の値段を提示したとしても、すでに売買の合意が成立しているという理由で新たな客を断るのだ。日本人には、すでに合意したことを覆そうという発想はない。

そんなことを話し合いながら、忘れずにマグロの握りを次々と注文した。日本人のやり方に倣って、牛ビールで喉を潤しながら熱燗を飲んだ。ロシアでは、日本のアサヒビールばかりが有名だが、多くのロシア人は（僕も含めて）キリンとサントリーの方がずっと好きだ。日本人はビールが好きで、かなりの量を飲む。日本のお店ではたいてい、ウラジオストクの人間にとってはほぼ母語のようなお馴染みの漢字が書かれた日本の商品の数の多さに目移りしてしまう。アルコール飲料、清涼飲料水、サプリメント、お茶、クッキーなど。すべてウラジオストクで人気のあるものだが、ウラジオストクにはこれほどの種類はなく値段もずいぶん高い。

僕たちは京都で家を借り、五日間を過ごした。翌朝、家を出る前に台所でゴミの山を掻きあさるディーマの姿を見た。ゴミ屑を色分けされた三種類の透明な袋に分け入れていたのだ（どこからその袋を調達してきたのか、僕にはわからない！）。ゴミを同じゴミ箱にただ投げ捨ててはいけないのだ。必ず、燃えるゴミ（紙など）、燃えないゴミ（ガラスなど）、リサイクルできるもの（ペットボトルなど）に分けなければならない。町では、ゴミの種類によってゴミ出しの曜日と時間が決められている。

奈良では、鹿のいる大きな公園が印象に残った。鹿を撫でたり餌をあげたりもでき、鹿は観光客にとても慣れている。公園の敷地は仕切られていないが、鹿は賢いのでどこにも逃げず、コンクリートの建物の中で過ごすよりも自然の中で過ごすほうが居心地がいいのだ。もちろん、いずれにせよ遠くまで行ってしまう鹿もいる。お店の入り口で気ままにくつろぐ二頭の鹿を慎重に避けて通らなければお店に入れなかったこともあった。

日本で驚くことは他にもたくさんある。巨大な東京の超高層建築、ゴミから埋め立てられたお台場の住宅街、大阪ユニバーサルスタジオの常軌を逸したアトラクション、友人とエスカレーターの所で会い、コンサートを見ながらビールが飲める京都駅、伝説の自動車トヨタ・センチュリーのタクシー、世界で最も混雑する渋谷の交差点、一キロ以上の高さを持つ山につくられた曲がりくねった山道、日本火山の種類（富士山だけではない）、きっちりと時刻表通りに運行する新幹線（一分の遅れも許されない）。

翌年の夏、ディーマが六〇才前後の日本人の友人等を連れてウラジオストクにやって来た。ロシアを初めて訪れた日本人だった。ウラジオストクは近くて飛行機でわずか二時間だが、ロシアに来たことのある日本人は少ない。おそらく、その理由のひとつには、日本の旅行会社がロシア旅行をほとんど企画していないことにあるだろう。快適か安全かどうかを心配し、観光客は自分で旅行するのを怖がっている。夏にはウラジオストクの中心街で若い日本人の姿を見かけるが、明らかに中国人観光客より少ない。

「僕たちの」日本人はウラジオストクを気に入ってくれた。ディーマと僕は、日本人を田舎に案内し、どんな生活をし、どのように家事をこなしているのかを紹介して、家庭料理でもてなした。森を散歩し、キノコ狩りをしたり僕の猟銃を撃ってみたりした。いづれも日本人にとっては人生で初めての体験だっただめ、とても喜んでくれた。帰り道では、人の住んでいない土地があまりに広いので客人たちは驚いていた。世界で最も巨大な建造施設のひとつであるウラジオストク要塞を見学すると、とても感動したようだった。第二堡塁だけでも約四キロメートルの地下道がある！　海にも行き、止まってしまったエンジンを一緒に修理したりもした。沢山の印象深い思い出を携えて、客人は帰国し、日本とロシアは何が違うのか、ロシア人と日本人の違い、また同時に多くの共通点や互いに興味深い事柄を友人に話してくれるだろう。相互の観光旅行はビジネスになるが、時には本物の友情を育むことにもなる。

（翻訳　樫本真奈美）

福井県

ロシアに興味がある若い日本人にロシアのことロシア人について出来るだけ伝えたい

日本のデルス・ウザラー
西川　洋

株式会社前川製作所
営業推進センター
ロシア・CIS リーダー

ロシア人との出会い

西川洋と申します。和歌山県和歌山市に生まれ、向陽高校卒業後、関西大学法学部に入学し第二外国語にてロシア語を選択したのが最初のきっかけでした。担当教授の授業が気に入り、二年間の一般教養課程ではものたりなくなった私は、週に一度の個人授業と、週に二度の日ソ学院における夜間のロシア語コースを受講しました。

なぜ、今六四歳の今までロシアとの関係を約四〇年継続して続けているのでしょうか？

その大きな理由となったことは、大学二年生の時にロシア語の通訳としてモスクワの中央人形劇の日本公演にてアルバイトをしたことです。アルバイト仲間であった東京外国語大学や上智大学の学生に比べて何も話せなく、悔しい思いをしたことがきっかけでした。笑い話があります。担当をしていた舞台装飾の団員ニコライが盛んに「Яшики《ヤーシキ》はどこにあるのか？」と聞いてくるので、私はこの辺にはそのような日本の屋敷はなくて郊外にあると伝えました。ヤーシキとは「人形が入っている木箱」のことなのですが、それさえ理解が出来ませんでした。そのようなレベルの学生でしたので失敗の連続でしたが、夏休みの四〇日間団員と共に一緒に行動をともにして、公演終了後はいつもホテルの部屋でウオッカを飲み、ロシア製のつまみとロシア製のタバコ（Папироса《パピローサ》）とロシア人の体臭の混ざったニオイが充満する中で、いつも酔っ払っていました。こうしたご縁から、東京にある興行会社に気に入られ三年生、四年生と毎年アルバイトをすることになり、ボリショイ舞台サーカス、プラハ人形劇、モスクワ中央人形劇場の仕事をしていました。

大学四年生の時、彼らが横浜港からバイカル号にて帰国する際、埠頭で色とりどりの紙テープを投げ会い、別れを惜しんでいました。ドラムの音が鳴り響き、いよいよお別れとなった瞬間に、何とも言えない悲しみがあふれ、涙が止まらなくなりました。その時、自分はロシア人と一生付き合おうと決めました。その気持ちを四〇年たった今でも鮮明に思い出しますし、それは今の仕事においても全く変わらぬ思いです。

前川商事入社

このような学生時代の体験から、ソ連との仕事が出来る会社を選びました。出来れば、商社ではなくて現地で活躍している日本のメーカーで働きたいと考えていました。親父の友人がモスクワで仕事をしていることが分かり、直接やり取りを始め、後日東京で面接をして入社する機会を得たのが前川商事でした。

当時、前川商事は一九六一年にテクマシインポートとの直接契約を締結して、ソ連全国一二箇所に一万二千トンの冷蔵庫と一〇〇トンの凍結庫のプラントを輸出していて、大手商社並の貿易を行っている企業でした。

入社後、すぐに北海道・帯広市にロシア人のエンジニアと共に出張に出向き、白ロシアから輸入したトラクター「ベラルス」の修理を行いました。その後、景気が悪くなり、ロシアとは全く関係ないアイスクリームの子会社に出向しました。この仕事に二年間従事しましたが、もうロシアとの仕事は終わりかなと考えていた時、当時の前川製作所の副社長からうちに来ないかと誘われました。

前川製作所で実務

前川製作所では、茨城県・守谷市にある工場での勤務となりました。開発営業グループにて鋳物工場、ゴルフ場向けのヒートポンプのアフターサービスです。ロシアとは全く関係ない仕事でしたが、食品ロボットの設計、マグロ船向け冷凍機の販売や、台湾やキューバ担当としてロシア語を使った海外での営業も行いました。二〇〇一年にオーナー前川正雄氏から「西川、そろそろロシアの時代だぞ！」とのことで早速二〇〇三年にモスクワに出張して、駐在事務所を設立し、その後一一年モスクワ所長として勤務しました。モスクワ時代はロシア人の陸上クラブに入り、毎週末は彼らと一緒に汗を流し、土曜日の夜は親友のロシア人の郊外の別荘にて農作業や近所の友人とのバーベキューや飲み会にて貴重な時間を過ごせました。そのような中で、少しずつロシア語も上達していきました。

仕事を通じて、カリーニングラードからカムチャッカ、中央アジアのみならずアゼルバイジャン等ＣＩＳ諸国に渡りました。そのおかげで、友人も各地に出来て今もやり取りをしています。食品の凍結、冷蔵保管用冷却設備の販売の他、石油ガス市場向けガスコンプレッサーの販売、ホッケー会場向けの冷却設備等の販売を行いました。極東地区においては、五千トン、千トンと言った大型の水産物保管用冷蔵庫への冷凍機器の販売や、急速凍結装置や漁船の改造も行いました。

驚くことに、前川製作所の一万二千トンの冷蔵庫は今現在でも五箇所にて元気に稼働しています。再来年には稼働後六〇年、つまり還暦の冷蔵庫となります。赤いちゃんちゃんこにて還暦祝をしようと考えています。

極東ではウラジオストクにあるDALKOMHOLODの冷蔵庫が当時から毎日稼働中です。現在、古い設備を改造して六〇年目の最新式設備の導入を計画しています。

設立当初は三名で始めたモスクワ事務所も、今は一九名となり、ウラジオストクにも昨年末に事務所を開設しました。

左からピチューリン氏、チュードフ氏、西川、シドレンコ氏

極東ウラジオストクでの出会い

ウラジオストクには、一〇年来の友人がいます。産業用冷却設備のエンジニアリング会社VOSTOKREFSERVICE社のシドレンコさんです。二〇一六年のウラジオで開催された東方経済フォーラムにて、同地区の漁港向けに前川製作所が四万トン冷蔵庫向けに冷却設備NewTonの納入契約を締結し、その現地のエンジニアリングを彼の会社が行うことになりました。

仕事のあとは、シドレンコさんのヨットや彼の友人の狩人とキジ、シカ、イノシシ狩りを行い、もちろん夜は親友のレストランでのアルコール付きの会食を楽しんでいます。自家製のフレナブーハやレモンニク等の身体に良いアルコールもテーブルによく出てきます。

秋の狩りシーズン

ウラジオから約二五〇キロメートル北部、中国との国境近くがキジの狩場です。キジを左右から追込みます。キジが飛び上がり、二メートル以上の高さになった時散弾銃にて仕留めます。（人間の高さでは決して引き金を引いてはいけません！）

夜はその肉をスープ（シュルパ）にして楽しみます。また、ウオッカの量が進みます。

日本までのヨットの旅

親しい友人達は自分達のヨットを所有して週末はクルージングを満喫しています。知らなかったのですが陸上の車はほとんど日本の中古車が多いですが、海上のヨットもヤマハ等の中古製が多いのには驚かされました。昨年の秋のキジ狩りのあとはウラジオ港から日本の福岡港まで約四日間かけてヨットの旅を楽しみました。各人は船長チュードフさんの指示に従い、自分の役割を果たします。私の役目は夜の一二時から朝五時までの運行監視係です。トローリングにてカツオ、マキマキ（シイラ）、イカ漁をして夜はその新鮮な刺し身等を酒の肴にします。

ヨットの旅を通じて、我々四名は生活を共にした真の友人、家族同様の付き合いとなることが出来ました。

極東の人々は、常に日本に関心を持ち、日本を向いています。もっともっと親しくなれる可能性があるのです。お互いの国民同士は、これからもっと仲良くなることが出来ますし、その方向は間違いなく実現できるものと断言できます。

ウラジオストクにある極東最大のアイスクリーム工場VLADICE社には弊社の冷却設備が稼働中です。古い設備の改造を行いました。日本製の冷凍機ユニットの試運転時には日本からお米、塩と日本酒を持参して、神主のように一台ずつ、冷凍機の機番を読み上げて、今後この会社にて問題なく稼働して、省エネ、省人に貢献して良い商品作り

親友ピチューリン氏と

に努力してほしいとすべての冷凍機に対してお祈りをしました。同席したオーナーも我々日本人の精神に接して大変喜んでいただきました。

私は、ロシア人探検家と沿海州の探検に同行する先住民の猟師デルス・ウザラーとの交流を描いた同名の書を最後まで読みました。ロシアの友人には私は日本人のデルス・ウザラーである、と冗談を言っています。最近、ウラジオの親友ピチューリンさんからタイガに同行する招待を受けました。

大自然の中で著者のロシア人探検家アルセーニエフが何を思ったのか考える機会が増えて来ています。

これから日ロの時代

私は現在、六二歳です。あと二〇年は元気でしょう？今までの人生を築くことが出来たのはロシアのおかげです。そのロシアに「少しでも恩返しをしたいと言う気持ち」が年々強くなってきています。大自然、スポーツ、趣味、文化・伝統・風土等の両国のもっと親しい交流にて何か役に立てることが出来ると考えています。我々のコミュニケーションは、日本人はロシア語、ロシア人は日本語を

使命感から学び、対話が出来るまでのレベルにすることが前提となります。言葉はお互いの気持ちを十分伝えるための単なる道具です。お互いの興味ある分野での共通の楽しみや趣味を通じて各人と精神的に一体となることが必要です。今、両国間には課題がありますが、いずれその諸問題も解決することが出来るでしょう。

その基本となるのは、会社の名刺などはいらない人間同士のふれあいの関係です。お互いの不安・疑問・解決すべき諸問題の全てを、相手のことを理解した上で話をすべきでしょう。両国の友情関係が何より大切になるのです。

私の生まれた年は一九五六年です。日ソ共同宣言が締結された年でもあります。日ロ関係に役立つような結果を少しでも育てて実現させたいです。ロシアに興味がある若い日本人にロシアのことロシア人について出来るだけ伝えたい。お互いの心が言葉で触れ合う機会をもっと作りたい。今、この四〇年を振り返り、そのような気持ちでいっぱいになっています。感謝。

やはりバレエが大切で ロシアから離れられずにいる

西田　早希

マリインスキー沿海州劇場 バレエソリスト

私がバレエと出会ったのは三歳の頃、祖母の勧めで地元のバレエ教室へ行ったのが始まりだ。そこでは今思う様なバレエとは程遠いお遊戯みたいなもので、小さかった私は踊ることの楽しさを知った。とても優しく色々な動きを教えてくれる先生が大好きで、週一回のレッスンでは物足りずに家でも先生の真似をしたりと踊ることが楽しくてバレエが大好きだった。

しかし八、九歳になった頃、自分の中でバレエを続けるか迷っていた。そんな時にたまたま父が見かけたのが、ロシアで一〇年間踊った女性が地元に帰ってきて新しくバレエ教室を開くという広告だった。今の環境でバレエを続けていくことに迷いを抱いていた私は何となくその教室を見に行ってみることにした。

その教室で見たロシア帰りの先生の日本人離れした風貌とオーラに私は衝撃を受けて一気に憧れとなり、バレエを辞めようかと迷っていた事など忘れ去って、またバレエにのめり込むようになる。ここで私は「ロシアバレエ」という本格的なものに出会った。

レッスンの回数は日に日に増えて、あっという間に週六回通うようになっていた。それまでちゃんとしたバレエをやってきていなかった筋力も気も弱い小さな私は出来ないことだらけで、家でも学校でも頭の中はバレエの事を考えていて、身体を変えるために普段からの立ち方から筋トレなども自分なりに考えて実践するなど、またバレエを始めた三歳の頃のようにバレエに夢中だった。

一二歳頃になるとバレエコンクールに出場することを目標にし始めて練習に没頭するようになり、教室でレッスンが終わってからも残って自主練習をするのが当たり前で、教室を開放してくれていた先生も、毎日送り迎えをしてくれていた母も夜遅く日が変わっても練習していたことがあった私を何も言わずに見守ってくれていた。

昔から物凄く緊張する性格だった私は、コンクールに出ることになるとひたすら練習することで気持ちを落ち着かせていたようで、誰かが止めてくれないと自分で練習を止められない時もあった。しかし、そんな性格と負けず嫌いなところがあったのが良かったのか、コンクールでは先生や親、自分でも、皆が驚くような結果が出るようになっていた。もちろん悔しい思いをする時もあったが、そんな時はまた先生や母は私の気持ちを落ち着かせて次へ奮起させるために学校へ行く前の早朝から教室を開けて練習を見てもらうこともあった。

バレエと学業の両立に大忙しな毎日を送り、一四歳頃からは次のステップ「バレエ留学」を考えるようになった。夜な夜なパソコンを開いて海外のバレエ学校を調べ漁っていたが、私はやはり今まで学んできたロシアバレエを選び、一五歳でワガノワ、ボリショイ、ペルミというロシアの有名バレエ学校のオーディションを受けることにした。とにかく早く留学したかった私は年齢制限を満たしていたワガノワ以外の二校を希望して受けたところ、年齢は足りていなかったがワガノワの入学許可も出してくれた先生が居たので、私はこの中からサンクトペテルブルクにあるロシア国立ワガノワバレエ学校へ行くことに決めた。

一六歳で単身ロシアへ渡ることにした私を両親はそれまでの私のバレエに対する姿勢を一番近くで見てきて止められなかったと言い、一言も反対することなく未知の世界だったロシアへと出してくれた。

その頃のワガノワバレエ学校の留学生としては少し早い年齢から行った私は寮内では一番年下で、学校ではロシア人に囲まれた慣れない生活に孤独感を抱く時もあったが、だからこそ一年目の私は昔のように気持ちを落ち着かせられるバレエにのめり込めていた。

二年目には先生からの厳しい集中攻撃を受け、レッスンの時以外は校内で先生に会わないよう隠れ回っていたほど精神的にも辛くて痩せ細り、他の先生からは心配された時期が数か月あったが、ある時、観に行ったマリインスキー劇場での公演で踊っていた一人のバレリーナを見て、先生がここまで私に厳しく注意をしていた意味を理解した。それまでは「何故クラスで私一人だけにこんなにも当たりが強いんだ。先生は私を嫌っている」と思っていたほど悩んで物凄く辛かったが、その一つ一つの指摘がバレエを踊るにあたってどれだけ大切なことだったのかを分かった時、先生が私を育てようとして厳しく言っていたことに気付き、一気に悩みから解放されて、私は辛くても必死にその指摘に応えようと頑張るようになった。

そんな二年目が終わる頃、公演では沢山踊らせてもらえるよう、コンクールでは良い結果が出るように先生は私一人のためだけに特別リハーサルをしてくれたり、本当に私をワガノワバレエ学校へと引き抜いてくれた時から私のバレエ人生を大きく変えてくれた恩師の一人だった。

色々なことがあったバレエ学校生活四年を経て、二〇歳で卒業し次はバレエ団への「就職」だ。バレエ学校の卒業生達は皆ロシア国内外のバレエ団へ入団する。ただでさえ難しい就職で日本人の私がロシアのバレエ団に入るのはとても大変なことだった。

私は一番希望していたクレムリンバレエ団へプライベートオーディションへ行き、監督からの合格を得たが、クレムリンバレエ団はロシア連邦の大統領府や官邸などがある政治の中枢部にあるため、バレエ団監督のサインだけでは書類が通らないらしく、何があったのかこの年に入団予定だった人達は契約が結べなかったらしい。

どうしようか困った私は紹介されたモスクワ州立ロシアバレエ団に入ることになった。働き始め数か月はバレエ団での環境や日常生活に慣れず大変な思いをした。普通のバレエ団ならあるはずのキャスト発表も無く、リハーサルでたまたま空いた場所があると急に入れられて臨機応変に動けないと滅茶苦茶に怒られてすぐに外される。そのため、新人は常に全てのリハーサルを見て出来る限り全ての演目の全ての役や場所をひたすら覚えて、急に入ることになっても対応出来るようにしておく努力がとても大切で、最初の頃は「そんな見たことも無いものにいきなり入れられて急に出来る訳がないだろう！」と思っていたがここではそれをやるしかない。私が働き始めて最初に学んだこのバレエ団で働く厳しさだった。しかしそれで得たものは大きい。振り付けは早く覚えられるようになり、急なことへの対応力もついた。

基本的に一年の約半分はモスクワで公演をして、あとの半分は各国へツアーに出る。私の初めての海外ツアーはドイツ、スイス、オーストリアで約一か月、四五公演程あった。早朝からバスに乗って数時間掛けて次の街にある劇場へ向かい、公演をして夜遅くに終わりホテルへ向かう。急いで寝る準備をしても十分な睡眠時間は取れずにまた早朝からバス移動という毎日公演と移動の繰り返しで驚くほどハードだった。初めてのツアーでヘトヘトな私は荷物を持ち上げることすら出来なかったり、ツアー後半には足を痛めていて二か所疲労骨折したまま踊っていた。

　その後、他にも中国、ブラジル、メキシコ、チリ、パナマ共和国、ペルーなど各国へツアーに行き、その中でも中国ツアーは約一か月半で五六回公演、しかもその中には二日で六回公演というバレエダンサーにとっては有り得ない日程も経験し、とにかくこのバレエ団では最初の一年で体力面も精神面も一気に鍛えられた。生活面では四六時中ロシア人と一緒に生活するため、ロシア語も一気に上達した。

　一番強烈なツアー生活での思い出はブラジルで、タクシーに乗って信号待ちをしていた時、その車の周りに裸足の男の子たちが売り物を手に抱えて集まってくる。「ブラジルの大都市でもまだこんな子たちが居るんだな」と思っていた時に、「パンッ」と急に銃声がして男の子たちは一斉に走り去っていく。私はその音がした方を見ると長いライフル銃を持った人が何かを追いかけて走っていた。タクシー運転手も周りの車も信号など関係なくクラクションを鳴らして走り出し、私も咄嗟に身をかがめてタクシー運転手の顔が安心した表情になるまで隠れていた。そんな危険な場面にも遭遇することはあったが、何事もなくこの文章を書いている今では色々な国の色々な街を回って、色々なことを経験し沢山のものを見られたツアー生活は私にとって貴重でとても大きな財産となっている。

　ブラジルからロシア・ソチのツアーに呼ばれた私は公演後そのまま深夜便に乗り込み三日間かけて飛行機を何度も乗り継ぎ移動して、寝不足のフラフラな状態で公演に挑んだり、そのツアーでは初めて踊る重要な役をリハーサル無しで立たされることになっていたため、自分で何とか踊れるように準備したりと大変だった。

どこのバレエ団でも初めて踊る役は一回目で監督や先生に気に入って貰えるとその役が自分のレパートリーになっていくが、逆に気に入られないとその役がまた回ってくることは無い。ただ、ここのバレエ団では更にリハーサルをして貰えなくとも自分でそこまで持っていくことが必要で、そんなバレエ団としては超特殊な難しい環境が私の最初の職場だった。

二年目にはその環境で臨機応変に対応することにも慣れて、沢山の役を貰うようになり、逆にあまりにも多すぎて体力的にキャパオーバーで勝手に涙が出てきたり、周りの同僚からも心配される程の時もあって、この頃は一年目とはまた違った辛さがあった。しかしダンサーとして役を貰えるというのはとても有り難いことだ。

そうしてロシアバレエ団で働いていた二年目の後半に入った頃、急に一通のメールが届いた。それは私の今の職場であるロシア・ウラジオストクにあるマリインスキー劇場の監督からだった。以前、私が就職活動中にメールを送ったところ、今は空きが無いが状況が変わったら連絡をすると言われていて、そんなことがあったことも忘れた頃に監督から「もし、まだ興味があるならば来ないか？」という移籍の誘いを受けた。その頃私はもうロシアバレエ団での環境にも生活にも慣れて沢山踊らせて貰っていたため、移籍は全く考えていなかった。ところがそのメールから数か月後に再びメールが入り、丁度その時南米ツアー中でそのツアーが終わるとシーズンオフに入ることになっていた私はそこでもう一度よく考えて悩んだ。人生において私は何でも運とタイミングが重要だと思っている。巡ってきた運をそのタイミングで掴むか見逃すかは自分次第で、それによってはその後の人生が大きく変わっていく。移籍の話を受けて迷っていた私は思い切って移籍をすることに決めた。ツアー後モスクワへ戻り、ロシアバレエ団を退団することを伝えると監督や厳しかった先生からはとても反対

され止められたが、悩んだ末に思い切って決めた私の気持ちは変わらなかった。これがウラジオストクにあるマリインスキー劇場・沿岸州舞台に入団することになった経緯だ。

　ロシアへ出てきて七年目でサンクトペテルブルク、モスクワを経てウラジオストクへとやってきた私は正直この小さな街に驚いたが、アジアに近いためこの街のロシア人達はアジア人と接する機会が多く、日本人に対しても優しくて、アジア食のレストランも多くあり、街中では沢山の日本車が走っているし、お店には日本の商品が売っていたり、ロシアに居ながらも日本を感じられることが以前より多くなって、日本に住みたい願望が強いながらもやはりバレエが大切でロシアから離れられずにいる私にとってはとても住みやすい街だ。ルースキー島にある極東連邦大学の敷地内に沢山ある寮やホテルの内の一つの建物に劇場で働くダンサーやオペラ歌手、オーケストラなどの人達が住んでいて、私もそこに一年半程住んでいた。最初にそこへ連れて来られた時はあまりにも大きくて新しい建物が立ち並び、綺麗に整備されていてロシアでは無いどこかの国のリゾート地みたいだと思った。ここでは東方経済フォーラムなどが行われるとプーチン大統領や日本の安倍首相なども滞在するため、その時は敷地内に入るにも専用カードを持って厳密な検査を通らなければならなかったりで、家に帰るのに一苦労だった。

『くるみ割り人形』より アラビアの踊り

　今は街中のマンションを借りて友人と二人で住んでいる。私のお気に入りの場所は世界最長の斜張橋であるルースキー島連絡橋から眺める海の景色や、夜の黄金橋で、車やバスで通る時にじーっと眺めるのが好き

だ。

ウラジオストクでは色々な人との繋がりも出来て、ウラジオストクのエルミタージュで行われる写真展の為のフォトセッションにモデルとして関わった時は、バレエの格好をして色々なポーズを取り、屋内や屋外では色んな人に見られながら撮影をした。こんな体験は初めてだったがカメラマンさん達はとても優しくて緊張することなく楽しめた。写真展も見に行くと私が写っているポストカードなども販売されていて嬉しかった。他にも日本のバレエ雑誌やウラジオストクを紹介する観光雑誌に載ったり、この文章を書くことになったのもウラジオストクで出会った方との繋がりから紹介して頂いてお話を受けたからだ。

ロシアに来た当初はやはり日本人と全く違うロシア人の感覚に戸惑っていたが、九年も経った今ではその感覚に慣れてむしろその方が楽だし、ロシア人はパッと見た感じツンと冷たくて少し怖く見えることもあるが、深く関わっていく程、とても暖かい良い人たちだ。あと、どこのバレエ団に居ても日本人は真面目で頑張り屋だと思われていたり、日本の医薬品がよくロシアのダンサーに愛用されていたりする。

新しい職場でも周りの人に恵まれ、良い同僚達に囲まれて楽しい劇場生活を送っている。もちろん仕事は大変でバレエ団は基本週に一回の休みに、祝日も年末年始も公演があるため、休暇は夏にしかない。急に新しい役を振られることもある。しかし、バレエ学校卒業後にいきなりハードなバレエ団に入って知らぬ間に鍛えられていたため、新しい役を早く覚えることも、体力的にも今までの経験がとても役立っている。それでも身体を酷使するバレエは疲労が凄い。そのため、私は一日の休日は家のことを済ませる以外は次の一週間に向けて身体を休めることに専念する。でも時には劇場で働く外国人を中心に仲の良いロシア人などと一緒に過ごすこともある。数人で集まってホームパーティーをしたり、海に囲まれた自然の多いウラジオストクなので暖かくなってくると外でも集まったりと、時間を見つけてプライベートも楽しんでいる。

今のバレエ団は前のバレエ団のようなツアーに出ることは少ないため落ち着いた劇場生活で、よりバレエとしっかり向き合えるようになった。マリインスキー劇場なので、有名ダンサーとも接する機会が多くなり、今ではサンクトペテルブルクのマリインスキー劇場へも度々踊りに行っているが、ワガノワバレエ学校時代にはまたこの舞台にダンサーとして戻って来られるなんて思ってもいなかった。特

（左ページ）撮影：イリヤ・コロトコフ

に今までで一番私の心に残っている公演が、マリインスキー劇場で行われた学校公演でくるみ割り人形の中国の踊りを踊った時だ。最初に幕が上がった時の目の前の光景に物凄く感動したことを今でも忘れない。そんな思い出深くて、バレエ界で物凄く由緒のある舞台で今では何回も色々な役を踊れているなんて昔の私からすると考えてもいなかったし、とても感慨深いものだ。

今までを振り返ってみると、まさか入れるとは思っていなかったワガノワバレエ学校で学び、バレリーナとして各国を回り、今では小さい頃に雑誌やＤＶＤなどで夢見ていた世界で自分が踊っている。私の名前は漢字で「早希」と書く。これは「早く、希望が叶いますように」という意味で両親が付けたのだが、本当にその名前通りに来られていると思う。

両親は私をロシアに出してからとても心配していたが、特に各国をツアーしていた頃、私はあまりに忙しく飛び回っていたため、母は私がどこに居るのかさえも分からなさ過ぎて心配してもし切れなくなり、だんだんと慣れたらしい。それでも早くから離れて生活し始めたため、一緒に過ごした時間は普通より少なくて、今では心配よりも寂しい気持ちの方が強く感じている様だが、一六歳から夢を追いかける私をロシアへ出し、今ではバレリーナとして働く私を応援してくれている両親にはとても感謝している。

『ライモンダ』より グラン・パ・クラシック

今まで各国の街で公演をしてきて、それぞれの国によって観客の反応も様々だった。その中でロシアの観客は、やはりバレエが浸透している国なので目が肥えているしバレエに対する姿勢も違うなと感じた。日本ではバレエを習っている子どもや大人たちも多いが、一般的にはバレエというものに対しての認知度は低い。これからは日本でも、もっとバレエが身近なものになっていくことを願う。

実際に日本人ひとりひとりに見て取れる日本の文化遺産が大好きだ

アルテーミー・ノヴィコフ

バー「RA」共同設立者、DJ
ウラジオストク

日本との出会い　僕が最初に日本を訪れたのは、ダンスのおかげだった。七歳から一四歳まで民族舞踊アンサンブル「プリャースニヤ」でダンスをしていたからだ。僕たちの舞踊団はディーゼル船のルーシ号で日本へ向かった。

一週間の間、僕たちは船室暮らしだった。午前中に出演をして、夕方には船に戻った。日本のお客さんは僕たちをとても歓迎してくれた。公演中は足ぶみしたり手拍子をしたりして、僕たちの演技が鮮烈な印象を残したことは見て取れた。

自由時間は日本の観光へ出かけたが、ディズニーランドで初めて任天堂ゲームボーイを買ったことが印象に残っている。僕は当時ゲームのことは何も分からず、単に見た目で気に入ったものを買った。それは、カセットに虫の絵が描かれたもので、結果的に「ジャンケン」ゲームだとわかった。ちなみにこのカセットは今でも大切に持っている。

僕たちは金髪だったからか、日本人はアンサンブルと好んで記念撮影をした。そういうわけで、僕たちはとてもＶＩＰな気分だった。

とても素晴らしい旅だったが、日本で自分が働く時が来ようとは、当時は思いもよらなかった。

九〇年代のはじめ、僕の父は自動車部品を扱う仕事をウラジオストクで始めた第一人者のひとりであった。二〇一二年にこの会社から僕は北海道の旭川へ派遣されることになったのだ。

職場までの道のりは長かった。ウラジオストクから、ソウル―東京―札幌と乗り継ぎ、さらに旭川まではＪＲで夜間に移動した。夜中に到着した駅からは、運転手に行き先の住所が書かれた地図を見せタクシーで移動した。三〇分後、二階建ての建物（各階に小さな部屋が七室ずつある）

に着いた。出迎えてくれたアンドレイは、二メートルはある大男で、家族を養う既婚者だった。この先三ヶ月間で僕が覚えなければならない仕事をしていた。

部屋にはWI‐FIがなかった。日本人がいる他の部屋にはWI‐FIがあったので、明かりのついているすぐ傍の部屋をノックした。しかしドアが開くことはなく、翌日もノックをしたが返事はなかった。三日目、僕の郵便受けに間違いだらけの英語で書かれた手紙が入っていた。その日本人の隣人がドアを開けなかったことを詫び、僕が何の用で来たのかを尋ねる内容だった。僕は何も返事をせず、インターネット無線接続に必要なデバイスを自分で購入した。

仕事　僕は恵まれた家庭で育ったが、アンドレイは容赦しないことを初日から思い知らされた。研修が始まると、不屈の精神で耐える覚悟を決めた。というのも、僕の先生は何においても一度だけしか説明してくれなかったからだ。うまくいかなかった時は、すべて自己責任なのだ。僕が来日してから一週間で彼の契約期間が終了するため、アンドレイは帰国しなければならなかった。その一週間は一ヶ月にも感じた。日本の生活習慣、仕事のやり方、日本式の解体法など、覚えきれない程多くの新しい情報量だったからだ。仕事のポイントはこういうことだ。日本の会社は、オークションで安く買い取った壊れた車や中古車を毎日五〜六台、僕たちの会社に持ってきた。日本人が特殊な液体（ガソリン、不凍剤、油など）を抜き、エアバックとタイヤを取り外す。次にフォークリフトで「ロシア人の」作業場に運び入れる（他にマレー人の作業場もあった）。僕たちは電子部品を取り外した後に車をプレス機にかけた。ゴミの分別に似ているが、自動車解体特有のやり方だ。プレスを通ったものは長方形の鉄の塊が出来上がる。

起床は朝八時で、いつも九時に仕事場を掃除することから一日が始まった。特に、朝方までに一カ月分の積雪があるような冬の朝には掃除は欠かせなかった。車に印をつけ、解体に取り掛かった。一二時から一三時までが昼休みで、昼食にはいつも「弁当」が支給された。仕切りの入った使い捨ての容器にご飯、肉、魚、野菜が少し、味噌汁が別に付いている。弁当は日本の会社が全従業員のために注文していた。昼食にはさほど時間はかからなかったので、日本人は仮眠室で仮眠をとったりもしていて、僕たちはサッカーをしたり、夜のプランを話し合ったりしていた。きっかり一三時に皆仕事を再開した。僕たちはてきぱきと仕事をし一八時には終えていたが、日本の作業員は遅くまでで残って働くことが多かった。僕が寝る頃になっても、日本の作業場に明かりがまだついていたことが頻繁にあった。こんな調子で週五日働いた。

休み

仕事の後、あまり疲れていない時は、僕たちは自転車に乗って町へと繰り出した。三〇分ほどで中心街までたどり着いた。そこはウラジオストクのアルバート通りに似ているが、一歩くごとにカフェやバー、屋台があった。この小さな町では外国人が珍しいため、僕たちのことを警戒しながら見る人もいれば、知り合いになろうと話しかけてくる人もいて、注目の的だった。しかし英語を話す日本人は少なく、僕も当時は日本語がほとんど分からなかった。

この中心通りからそう遠くないオフィスビルの七階に、インターナショナルバー「The Den」がある。広さ五〇平米の店内にはビリヤード台が置いてあり、天井から世界各国の旗がかけられ、壁には客が持ってきた面白いお土産が飾られていた。そこにある世界地図には、バーに来店する客の出身地に記しがつけられており、その多くはアメリカ、イギリス、オーストラリアから来た留学生で、日本語を学びつつ交換で日本人に英語を教えるために来た人たちだった。

ある日、この日本の「アルバート通り」で日本の女子二人と知り合った。そのうちの一人、マイは僕に実際の日本をいろいろと見せてくれた。彼女は旭川出身だが、日本の首都圏にある大学に入学したので引越していた。僕の仕事が終わる時期と、マイの休みが終わり大学に戻る時期が偶然重なったので、僕の日本滞在最後の一週間と、彼女の新学期が始まる前の一週間で一緒に本州を見てまわることに決めたのだった。

僕が夢中になっている趣味は「ドリフト」だ。この趣味は、日本のアニメと「Option」という雑誌に感化されて好きになったものだ。ドリフトをする仲間内で最も有名な

北海道旭川の中古車解体工場

コースはエビスサーキットで、そこに行くのが僕の夢だった。僕はこのことをマイに話し、一緒にそこへ行くことになった。僕はこの上なく幸せだった。長年崇拝するドリフトレーサーたちに会うことができたからだ。その中のひとり、「チームオレンジ」所属の末永兄弟の兄、直登さんと一緒にトラックを走行することができた。彼のトレーニングカー、日産180SXに乗り、平行して四人のプロレーサーが一緒に走行した。それはもう、最高だった！

自然　日本の気候は温暖だ。夏は暑いが、冬はウラジオストクのように寒く強い風が吹くことはなく過ごしやすい。僕には、日本のほうが空は広く、楽に呼吸ができると感じた。山がないからなのか、旭川が海から遠いことが関係しているのかは分からないが、とにかくそう感じたのだ。かつて一度だけ、休日に地図で見つけた市街地からほど近い海に行ったことがある。選択した場所は留萌だった。しかし、そこにたどり着いた時、同じ日本海にも関わらず、全く別の、異なる海岸にいるように感じたのだ。海は自分の価値を知っているかのようで、落ち着き、悠然としていた。この小さな漁師町には人が住んでいる気配がなかったが、埠頭でひとりの漁師が魚釣りをしていて、肘の長さ程ある獲ったハゼを見せてくれた。この大きなハゼも含めて、この留萌にある全てが道理に適っており、素朴で実直なものに思えた。

ネットワーク　人と人との距離を縮めるインターネットはどんどん拡大している。これは特に日本を含めた先進国では顕著だ。僕たちの隣に住んでいた松田さんは、同じように共同キッチン、一五平米の寝室、トイレ・バス付きの部屋で生活していた。彼は僕たちよりも遅く寝ていたが、僕たちよりも早く起きて仕事に出かけていた。妻も子供もおらず、休日は自分の部屋で過ごしていた。松田さんは一人っ子だが両親と会うこともなかった。車の解体ばかりしている毎日で、友達といえばインターネットだけだった。

同時に、インターネットによって共通の趣味を持つ者同士が知り合える機会できる。しかも付き合いはネット以外の場所でも広がっていた。隣で働いていた同じ年のサトルのおかげで、僕は自動車をこよなく愛する会の集まりに参加することができた。かつて、サトルのフォード車に乗って札幌の郊外（片道二時間）で行われた会合に出かけた。夜中の閉まったスーパーマーケットの駐車場で、「充電された」（チューニング済みの）ジープとローライダー（車高の低い車）、ドリフト・コルチ（ドリフトするために特別に「カスタマイズした」車）、「ケーキの上のチェリー」（映画『ナイトライダー』に登場した車）が停車していた。この車は日本語で何か「話した」が、僕には何のことかさっぱり分からなかった。

文化コード　僕は、実際に日本人ひとりひとりに見てとれる日本の文化遺産が大好きだ。すべてにおいて几帳面で理想を追求し、何をするにも「ひとつのチーム」だ。会社のためなら職員は規定時間外でも見返りを求めず働く。それは、会社の一員であるという感覚があるからだ。接し方も家族同然で、絶えず大声で話し合い、不慣れな新参者に対しては、時には乱暴な（もしくはロシア人だから乱暴に思えるのか）おふざけをしかけたりする。この新参者も自分の役割を受け入れ、これっぽっちも変だとは思っていない。例えば、当たり前のように平手打ちをしたり、高台からスクラップ（解体中にリサイクルへまわされる車のこと）に突き落としたりする。

日本人が休む時は、仕事をする時のように心から休息する。日本から重役三人が新規契約を結ぶためにウラジオストクに来た時の印象的なエピソードがある。仕事とは別に、彼らのためにルースキー島にある入り江ノヴィクでピクニックを催した。貸し切った屋根付きのスペースで海産物を注文し、肉の串焼きとロシアのウォッカでもてなした。このピクニックには僕の一二歳の弟も来ていたのだが、タトゥーの話になった時に弟は、日本から来た三人のボスのうち、以前ヤクザの組織にいたこともある人に刺青を見せてくれるよう頼んだ。刺青は袖の下から少し見えていのだ。上司はためらうことなくシャツを脱いで背中から腕にかけて彫られた龍の刺青を披露した。閉鎖的であるように見えても、こういったくつろいだ場では日本人の別の顔を垣間見ることもできる。

伝統的な日本人の団結心や、全国民に働きかける、「組織の一員である」であるという感覚は生まれた時から育まれる。それをロシア人の精神面にも取り入れたいものだ。

（翻訳　樫本真奈美）

夫は常にロシアの人たちの手助けをしていましたので、家には誰かしらロシアの人が滞在していることが常でした

小川　久美子

通訳翻訳者、東京

私の夫、小川章一は、一九五三年サハリンのクラスノポーリエ村に生まれました。母親はサハリン生まれの日本人、父親は韓国人です。父親は一五歳のときに現在の韓国から日本に移住し、日本で高等教育を受けました。その後、自らの意志でサハリンに渡り、戦後もそこで過ごすことになってしまいました。サハリンで父親はロシア朝鮮学校の教師をしていました。帰郷の希望を失った父親は、自分の子どもたちをロシアの学校に通わせ、後にソビエト連邦の国籍をとりました。当時サハリンの朝鮮系住民は、子どもを北朝鮮学校へ入れることを義務づけられていたので、彼らと父親との関係は非常に複雑なもので、日本のスパイだと密告される嫌がらせまで受けました。一家は努めてロシア人しかいない場所に住むようにしていました。子どもたちが話せるのはロシア語だけでした。

章一が一二歳の時、両親に思いもしなかった日本帰国の許可が出ました。子どもたちが知っていたのは、父親がよく歌っていた「七つの子」という日本語の童謡だけでした。帰国当初、政府から公営住居が与えられるまで、一家は東京の親戚の家に身を寄せました。章一は初めて白いご飯を見ました。緑茶には砂糖を入れて飲みました。彼は、日本の習慣や文化を知りませんでした。

日本での最初の一年は彼にとって最も辛い年になりました。学校ではいじめられ、笑い者にされました。しかし一年後には日本語が自由に使えるようになっていました。父親は小さなスクラップ工場で働きました。生活は貧しかったので、中学一年生になると、放課後彼も同じ工場でアルバイトをしなければなりませんでした。義務教育が終わると、彼は夜間高校に進学し、昼間は働きました。

一九七二年、彼は札幌オリンピックでモンゴル代表団の団長付き通訳として仕事をするチャンスに巡り合いました。一九七三年から一九七九年にかけて、東芝、安宅産業、伊藤忠商事といった日本でも有数の企業で通訳として働きました。当時日本ではロシア語通訳が不足していたので、彼の仕事には良い報酬が支払われました。アゼルバイジャンのエアコン工場に設備を納入するプロジェクトを初め、多くのソ連や日本国内で行われる大プロジェクトの仕事をしました。機械製作、軽工業などで使われる様々な設備の技術文書の翻訳をしました。

ソ連に出張した時の思い出や面白いエピソードがたくさんあります。小都市を訪れ、日本円をルーブルに替えようとしたときのことです。彼が日本の札を出すと、両替所の女性が「この札は偽物だ」と言ってにべもなく拒否するのです。彼らは長いこと言い合っていましたが、原因が分かりました。両替所にあった日本札のサンプルには赤い文字で「見本」と書いてあったのです。彼女は、日本札にはこの赤い文字があるものだと思っていたのです。

彼が日本人技術者たちと中国国境の町に滞在したときの面白いエピソードがあります。現地のＫＧＢ職員が日本人を常に監視しているので、日本人たちはうんざりしていました。夫は定例会議の席上、受け入れ側企業の上層部になんとかならないかと話しをもちかけました。もちろん彼らはこうした問題を理解しようとしませんでした。しかし、小川が「日本人が、ソ連経由で中国に亡命するとでも思うのか？」と問いかけると、皆笑い出してしまったということです。

一九七九年、彼は自分の会社を設立します。ロシア語通訳派遣会社です。一九八〇年、伊藤忠商事の委託でダリニェゴルスクの木材加工工場で通訳をしていたとき、ファミン・ビクトルと知り合いました。後に彼らはプロジェクトを起こし日本に貿易会社を設立しました。ファミン氏は役員のひとりとなりました。残念ながらこのプロジェクトは日の目を見ることはありませんでしたが、小川はまだ閉鎖都市だったウラジオストクで大手企業が事務所を開設するサポートをしました。

一九九一年一月、私はある通訳者の紹介で夫の会社に入社しました。彼は貿易事務の経験と知識のある従業員を探していました。私はそれまで、ロシアから水産物を輸入したり、建設機械や魚群探知機を輸出したりするソ連専門商社に勤めていました。そこでは、建設機械の輸出、船倉の予約から買取書類の作成までの業務をしていました。その時、私もロシア語に関連する仕事を探していました。私はモスクワに留学しましたので、ロシア語を忘れてしまうことを恐れていました。大学では、ロシア社会思想史家の酒井教授のもとでロシア語を学びました。彼はロシアやロシア人について私たち学生に多くのことを教えてくれました。

会社での私の仕事はオファーの処理でした。ダリソという会社と仕事をしていました。ダリソにはたくさんの部署があり、それぞれの部署からオファーが来ていたのです。私たちは何でもやりました。今でも検討されているコールドチェーン、農業専門家の派遣、航空関係のオファーも多くありました。その関係でみちのく銀行を知りました。みちのく銀行は、日本で最初にロシアに支店を出した銀行です。私たちと仕事をしていたビジネスマンのひとりは、ウラジオストクとハバロフスク間に空路を設けました。これらすべてが私にとっては歓びでしたが、実際にお金になったのは、中古車輸出と東京のクラブの売上げだったと思います。その時期、ソビエトでは歴史的な出来事が起こっていました。この転換期には、日本の大手商社にさえ中古車の仕事しかありませんでした。

私は彼の会社で七年間働きました。その間六回、様々なプロジェクトで海外出張に行きました。最初は、ルチェゴルスクの木材加工工場のオープニングセレモニー。二回目はエレクトリック・プラザという店舗のオープニング。日立の子会社ユニバーサル電子と提携して、ウラジオストクのマルスコイ・ワグザールの建物の中に最初の店舗をオープンさせたのです。ユニバーサル電子の社員たちはアジア諸国での経験から、ロシアの買い物客が店頭の家電商品をいじって壊してしまうだろうと考えていました。しかし実際にはその逆でした。彼らは壊してしまうことを恐れて、商品に近づこうとしませんでした。この店舗では、オープニング期間に予想した販売数の三倍の売上がありました。二番目のエレクトリック・プラザはユニバーサル電子の社長が自身でオープンさせました。彼は更にカリーニングラード、ロストフ・ナ・ダヌでも店舗をつくりました。その後、日立本社がロシア市場に参入するようになりました。三回目の出張では通訳として韓国へ行きました。マガダンのパートナーが韓国に鹿茸を売りたかったのです。

その後、マガダンのパートナーの通訳としてアメリカにも行きました。水産物の缶詰工場設備を購入するためアメリカ国内の工場視察をしました。そのときの受入れ会社は日本の会社でした。夫は後に、その会社がウラジオストクの海洋大学と共同で海洋資源調査目的の操業ができるようにオーガナイズをしました。その際に小川がアドバイスを求めたのが、有名な学者であるバガボフ・イラーズィ・イズムジーノヴィチでした。

五回目の出張。私たちは、ウラジオストクで行われた海洋資源と海産物の養殖についてのTINROのシンポジウムに参加しました。私たちの会社は「プリムアクアプロム」という会社と提携してウニ、カニ、後にシジミを輸入しました。当時多くのロシア人がウニを運んできては、帰りに中古車を持ち帰っていました。北海道の小樽港で、私たちはとても小さなウニがサハリンから入っているのを見ました。そして沿海州での水産資源の枯渇を恐れるようになりました。日本ではウニ養殖の技術が確立されていましたので、資料を集めてロシア側パートナーに渡しました。

六回目はシジミのインスペクターとともに、ロシア沿海州のパシェット村に行きました。そこは北朝鮮国境の近くで、レベヂーナヤ川が流れています。その川でシジミを採取し、パシェット港から出荷しました。

主人は多くの仕事をしましたが、残念なことに彼をだますロシア人も多くいました。ウニのパートナーは数年間の提携業務の後、ウニの前受金として受け取ったお金を政治に使い、消息を絶ちました。ウニの運搬船の船長は、小川にあるビジネスプロジェクトを持ちかけました。小川は彼を信用し、資金として中古車を納入しました。しかしその船長は、プロジェクトを手掛けなかったばかりでなく、更にタバコを納入するように依頼してきました。夫は韓国製のタバコをコンテナ四本送りましたが、その後船長は音信不通になりました。こうした状況から、彼は会社を閉めざるを得なくなりました。

その後も主人は、二〇一三年に脳卒中になるまで、いくつかの会社で仕事を続けました。彼の仕事はいつもロシアと関連していました。ロシア人の患者を日本での診断、治療のために受け入れていました。私はこの仕事にとても興味を持ちました。

最初の会社を閉

めた後に、私は小川と入籍しました。彼との生活は楽なものではありませんでしたが、楽しいものでした。彼は常にロシアの人たちの手助けをしていましたので、家には誰かしらロシアの人が滞在していました。三人の若者たちが順番に三か月ずつ滞在しました。彼らはタイヤを日本から輸出していました。主人は彼らのビジネスには無関係でした。

偶然に知り合ったロシア人の空手家が、三か月ずつ二回滞在していました。彼は日本で空手の勉強をしていましたが、後にモスクワで自分の空手道場を開きました。

日本に居住しているロシアの人たちもよく遊びにきてくれました。近所に住むロシアの女性と私の娘は、同級生で同じ学校に通っていました。そのおかげで、私は生きたロシア語会話を聞くことができました。

現在主人は、古いロシア人の友人の提案で、できる範囲であるロシアの企業が日本市場で拡大する手助けをしています。私は通訳、翻訳をしています。主人の手伝いもしています。ロシア語のブラッシュアップも続けています。ロシア語の無尽蔵な豊かさと美しさは今でも私を魅了し続けています。

最後に、主人ともども編集者のオリガ・ペトローヴナとMYCOMの西川様にご提案とサポートに対して感謝を表したいと思います。

バスで会った全く知らない人たちが、私が日本からロシアに留学中であると聞いて、手土産にと大量の苺をくれた

小田　光世

ロシア関係商社勤務
福井県

ロシアへの留学から帰国し、すでに長い時間が経った。そのような折に、日本とロシアに関する本が新たに作られると知り、ロシアでの懐かしく恋しい時間に思いを馳せている。

私は、幼少のころより、中国の楽器の二胡を習うなどし、外国文化への関心を深める。滋賀県立大学在学中の二回生の夏に、初めての海外（カナダ）へ一人で留学し、文化人類学の専攻を志す。その後、隣国でありながら、大体の一般的な日本人には極めて「遠い」、未知だった国、ロシアに憧れる。現地では現地住民の関係性等について調査した。また、現地の大使館等での経験を通し、ロシアと日本の友好関係の促進に携わりたいとの思うようになる。帰国後、卒業論文には違う題材を用いつつも、勉強を継続し、この夏からロシアとの貿易関係の会社へ就職予定である。

約一週間、あちらでの出来事を思い返しながら、ずっと書くべき内容について考えていたわけであるが、ロシアについて書くべきことは多すぎる。ということで、一番知ってほしい単純な事実、「多くのロシア人は優しくて強い」という事について、とりあえず書こうと思う。「ロシア人は優しくて強い」とはどういうことか、私自身の体験についていくつか述べていく。

まず、ロシアへの渡航当初、ほぼ全くロシア語を話さなかったアジア人の私が、英語と、わけのわからないロシア語とで話しかけ、道を聞いても、モスクワの人々はとても親切に教えてくれた。また、時には赤の広場を眼前にしつつ、「赤の広場はどこですか？」と中年のスラブ系ロシア人女性に聞いた事もあったが、「目の前にあるよ！」と朗らかに笑ってくれた。

あるいは、旅行帰りに大きいスーツケースを抱え、駅の階段を上ろうとすると、これまた親切な青年（おそらく二〇代前半）が、「手助けしようか？」と尋ねてくれ、私が答える前に階段の上まで持って行ってくれた。規模は違えど同じ一国の首都である東京で、少なくとも私はこのようなことに頻繁には遭遇しない。もちろんかといって東京の人々が冷たいとも思わない。分析などと無粋なことはしたくもないが、それぞれが持つ「優しさ」の種類、方向性が違うのだろう。

一方で、そこら中に所謂「白タク」が待機しており、相場より高い値段で客を乗せようと虎視眈々としている。もちろんこうした行為を肯定するわけではないが、これは彼らなりに自分の生活を潤そうとする工夫なのかとも思う。実際に白タクに引っかかった私は、そうした行為を憎くも思うが、そうした最早グレーゾーンのようなものに付け入り、自身の経済を潤そうとするのは、なんと逞しいことか。その逞しさに素直に感銘を受けたのも本当である。

上記はすべてモスクワでの出来事であるが、もう一つの滞在先であるシベリアでもそうした人々の優しさ、逞しさに触れた。私はバイカル湖近くの都市、ウランウデに二カ月ほど滞在していたのだが、全く偶然に現地の大学の教授のご家族に会い、彼らのダーチャ（別荘）に泊めてもらうことになった。が、実際に泊まったのは、彼らの隣人のダーチャである。何故隣人のダーチャまで使うのかというと、彼らのダーチャがそれほど大きくなかったこともあるが、泥棒被害防止も兼ねているそうだ。あまりにも長く空けておくと、煙突などが盗まれていくことが稀にあるとのことだった。それを防ぐ意味でも、ただ単にダーチャの有効活用の意味でも、使わない時はお互いに使わせてあげることも多いらしい。人々が互いに協力しあい、互いを助け合い守ろうとする、その共同体的な姿勢は、古くから受け継がれた、大切な財産であろう。

シベリアのダーチャ滞在中に、また別の隣人には花と苺であふれた自慢の庭を見せてもらい、苺をもらった。何種類ももらった、そのどれもが瑞々しく、美味しくて、大事に育てられてきたことが分かるような気がした。そんな大

事に育ててきただろう苺を、バスで会った全く知らない、別の住人は、私が日本からロシアに留学中であると聞いて、手土産にと大量の、本当に大量の苺をくれた。そのあと教授の家族も、苺と苺ジャムを手土産に持たしてくれ、どう保存するか心配したほどである。苺だったり他の、例えば魚だったり、穀物だったり、そうしたものを損得勘定抜きに他人に振舞える、その懐の広さと暖かさに、大きなロシアの大きな愛を感じた。

また、ウランウデ市内では、私の趣味のバイク関係の知り合いにも実際に会うことが出来た。それも、モスクワの日本大使館でのイベントで知り合ったロシア人が、私がバイクに乗ることを知り、紹介してくれた人で、今まではネット上でしか知らなかったのである。彼や彼の仲間は、少年のように元気で、純粋な人々であった。「バイク」という共通項と、彼らの訪れた地に、たまたま私が滞在していたという偶然が、今でも続く縁を作り上げた。そんな彼らは、来年の夏に日本を訪れるという。こうした交流を通し、日露間の民間レベルでの相互理解を深めていきたいと願ってやまない。

普通にモスクワやペテルブルグに少し観光に行くだけでは、これほどロシアが好きになることはなかっただろうと思う。ロシア人がいかに愛情深い人たちであるかというのは、意思疎通を図り、積極的に関わろうとして初めて分かることなのだろう。それは観光地巡りではなかなか成し得ないことだ。まだまだロシア人の逞しさ、暖かさについて知らない日本人を始め、あらゆる人々に、ロシア人と関わって、その暖かさを知ってほしいと切に願う。そうして、人々がお互いを知り、受け入れ、愛して初めて、現在の人類に関するあらゆる問題に対する解決策が見いだされ、我々の関係はさらに友好的で建設的なものになるのではないだろうか。

私の日本の熊は、この伝統を知っている職人の手によって彫られた

ナターリヤ・ロエンコ

バサルギン記念図書館
本クラブメンバー
ウラジオストク

五歳の女の子の記憶です。私はガイダマークの幼稚園に通っています。大きな中庭と巨大な木々、そしてかくれんぼのための秘密の場所がある古くて心地のいい木造の建物です。長患いの後、私はクラスに戻りました。皆が私のことを喜んでくれましたが、すぐに厳しい命令が響き渡りました。

「今日はフェンスによじ登って『日本人のジャガイモ』、『日本人のジャガイモ』って叫びましょうよ……大きい声で叫ぶのよ、わかった? さもないと、フェンスから追い払うわよ!」

朝食後、私たちは中庭に出されると、皆がそれぞれフェンスに向かって走りました。そしてよじ登ると何かを待ちました。

ようやく門が開きました。工場の建物は幼稚園の少し下にあり、道に沿って車の縦列が移動しました。トラックには、各人各様の服を着た、平らな顔と細い目のどこか奇妙な人たちが座っていました。彼らの多くは、鉄の丸眼鏡をしていました。私たちは「日本人のジャガイモ」を大声でわめき始めました……それまでかなり渋い顔をしていたにもかかわらず、日本人たちは私たちを見ながら微笑んだのです。車は次々と走って行きました。夕方には、これらすべてが繰り返されました。

家では、「あれは誰なの?」という私の問いに、祖母が「不運な人たちだよ」と短く答えました。その次の時には、フェンスに座りながら、私は黙って目で車を見送りました。

ある日、夜遅くに祖母が灰色の紙包みをもって仕事から戻ってきました。中には、中型の木製の熊が二体ありました。黒いのと白いのです。実は、祖母が働いている劇場で修繕が行われ、そこで日本人捕虜が働いていたのです。もちろん飢えています。多くの女性は彼らに食べ物をあげて

いました。私の祖母もひとりの捕虜に「目をつけ」ました。

彼女は最善を尽くして彼の運命を軽くしました。そしてプレゼントとしてこの熊を受け取りました。それは芸術作品と言うべきものでした。手にした時の重さ、威嚇して剥きだした牙、毛並みの厚さ、大きな足の重々しい足取りが感じられました。この彫像は今でも私の本棚にありますが、いつも知人の疑問を呼び起こします。「これ、誰がつくったの？」。私はこの話を幾度となく話しています。

サンクトペテルブルグ国立文化大学卒業後、私はウラジオストクの第二中学校で二〇年間教師の仕事をしていました。職業上、日本文化の成り立ちや発展に関するものを随分と読んできました。古墳文化の時代には、埴輪という造形美術が生まれました。この伝統は日本では葬儀に関わる儀式的習慣である「殉死」にかわって始まりました。垂仁天皇は、天皇薨去に近臣を生きたまま殉死させるのではなく、代わりに埴輪の形象を埋葬するための法律を作るように大臣たちに命令しました。埴輪のスタイルは、形象のポーズやジェスチャーの普遍性と人物の詳細な特色と具体的な特徴の的確さを兼ね備えています。

私の日本の熊は、この伝統を知っている職人の手によって彫られたのではないかと、私には思われます。

私の祖母、そして恐らく日本人の職人も、世を去ってから随分と経っているでしょう（きっと「日本人のジャガイモ」のことを彼は許してくれています）。故郷、家庭、家族を見つけることはできたでしょうか？　或いは、私の祖母のことを思い出していたかもしれません……この世界はすべてがつながっています！　どうか、数々の悲劇を歴史のページに刻んだ小さな堅忍不抜の国が、私たちにとって賢く、平和を愛する隣国でありますように。素晴らしい日の出ずる国でありますように。

目の前のテーブルにはかなり前にもらった日本のカードが置いてあります。着物を着た二人の女性が橋の上で富士山の雪の頂上を眺めながら傘をさしています。傍らには、同じように瞑想するようなポーズで黒い（いっそう癒されます）猫が座っています。しかも、さまよって偶然ここに来た存在としてではなく、主題のいっぱしのヒーローとしているのです。私がこのカードを引っ張り出すことはめったにありません。大切にしているのです。しかし、長いことカードから離れることができません。やはり瞑想するのです。

私は今年金生活をしていますが、思いにふける時間はありません。ボランティアで民族舞踊団を指導しています。参加しているのはすべて年金生活者です。コンサートに出演します。好評です。「パリャンカ」が私たちを「ベンチに座らせて」くれないのです。活動的で、イベントが豊かな人生を送っています。私は一度も日本に行ったことはありませんが、富士山の前に行けば、あのカードの婦人たちと同じように、私も夢のような瞑想に浸れるに違いありません。

（翻訳　小川久美子）

馬場さんは私たちのために炭火で魚介類と肉の美味しい料理を準備し……私たちは夜遅くまで身の上話をして過ごしました

セルゲイ・ロコチャンスキイ
エレーナ・ラマジャポヴァ

極東連邦大学 日本学科学生
カウチサーファー、ウラジオストク

アイデアの誕生（セルゲイ）　日本をヒッチハイクで旅することは、私の一年生のときからの夢でした。すべてを考慮して計画をたてるのに二年が過ぎました。結果、これは無駄なことだと分かりました。道中誰と遭遇するのか、どんな状況になるのか予測することは不可能です。休暇に入る前に、ガールフレンドのレーナ（エレーナの愛称形）と計画について共有しました。彼女は、一緒に来てくれると申し出てくれました。私は信じられないほど幸せでした。

始まり。琵琶湖（セルゲイ）　ヒッチハイクは、本当に空港から始まりました。道中最初の目的地は大阪です。窒息させるような暑さでしたが、幸い、長く待つことなく車が見つかりました。カナダ帰りの学生の息子さんを出迎える女性が私たちを乗せてくれました。息子さんは学術交流プログラムで英語の研修をしたのです。大阪から京都に行き、日本最大の淡水湖である琵琶湖に行く車を探そうと計画を立てました。禁止はされていましたが、高速道路で合流する（ついでの車を拾う）のが、一番都合が良いのです。一番良いのは、行く先を書いたパネルを持って道端に立ち、車と好意的なドライバーに恵まれると確信して期待をもつことです。運命は寛大でした。私たちを京都まで乗せることを承諾してくれた人が、予定を変更して、私たちを琵琶湖のある大津市まで送り届けてくれました。

　レーナがインターネットカフェでシャワーを浴びようと提案しました。「インターネットカフェだって？」と私は思いましたが、日本のこのような施設は、時々貧しい人々の休息所になります。テレビを見たり、漫画を読んだり、夜を過ごすことさえできる二メートルほどの小さなスペースを貸してくれます。別料金でシャワーも使えます。

その後、私たちはビーチを探しに行きました。歩いて行くには遠いことが分かりました。少しでも涼めるように、店から店へ立ち寄りながら進みました。非現実的な暑さでした。次の場所で、ある種の第六感に導かれて、私たちは中年男性に気づいて駆け寄りました。彼は自動車に座ったところでした。近くに泳げる場所がないかと尋ねました。疑い深い眼差しを投げながら、男性は、自分がビーチの近くに住んでいると答え、送り届けることを提案してくれました。最初、閉鎖的で用心深く見えていた彼は、道々話に夢中になり、私たちは、隣にいるのは愉快で好意的な人だと理解したのです。馬場です、と自己紹介して、彼は私たちを自宅まで連れて来て、ビーチを示しました。彼の招待を受けて、私たちは夕方までのお別れをしました。

日本の警察との出会い（セルゲイ）　近くのショッピングセンターで、カゴに食品を入れてレジに行く途中、レーナが自分の全財産が入った財布が無くなっていることに突然気づきました。どうしてよいのか分からず、私たちは絶望して警察に向かいました。そこで、最後に札入れを見たのはインターネットカフェだったことを思い出しました。婦人警官がすぐにそこへ電話をし、財布をレジに置き忘れたことが分かりました。紛失物を翌日取りに行くことを約束して（私たちはカフェからかなり遠くまで来ていました）、安心してビーチに戻りました。日本の若者、特に女の子たちが海水浴のためというより、水着で自撮りをするためにビーチに来ているのが面白く思えました。

充分に海水浴をして、私たちは馬場さんの家に戻りました。客好きなご主人と奥さんには、二人の成人した息子がおり、家の敷地には八匹の猫、二匹の犬、数匹の亀と二匹のヤギが棲息しています。馬場さんは工場で働き、経営をしており、一人ですべての動物の面倒を見ています。彼の息子は、特に話し好きではないが、漫画家の引きこもり（世間から離れ、孤独でいようとする漫画を作る芸術家）です。アシスタントと何匹かの猫を除いて、誰も彼の部屋に入ることは許されません。しかし、レーナは目の端で彼の住処を見ることができました。山のような生活ゴミと、自尊心のあるあらゆる芸術家と同様の仕事上の資料の他に、至る所に（コンピューターゲーム、映画、文学、漫画のキャラクターに着替えるための）コスプレ衣装、将来の作品の絵コンテや珍しいアニメ映画のポスターが掛けられています。古いテレビ、プリンターのフタの上、漫画家やアシスタントの膝を含む残りの空いている場所で、満足そうな猫が華麗に座っていました。

馬場さんは私たちのために炭火で魚介類と肉の美味しい料理を準備し、古いキャンピングセットと二個の電灯を引っ張り出しました。こうして、私たちは、夜遅くまで身の上話をして過ごしました。

日本の警察（セルゲイ）　馬場さんは朝から私たちのことをとても気遣って、ヒッチハイクをするのに都合の良い郊外まで送ってくれました。私たちは大津市の中心部に戻りました。カフェに入ると、私は笑顔のマネージャーから財布を受け取りました。五万円あるはずのところ六千円しかないのを見たときは本当に驚きました。誰がお金を取ったのか、監視カメラの映像を見ることは合法だったのでしょうか。マネージャーは、警察の立ち合いが条件だと言いました。二人の警察官が同行し、インターネットカフェに戻りました。警察官は、私たちに質問をし、調書を取ってから、六時間に及ぶ映像の見直しに取り掛かりました。彼らが私たちに、映像からは結果が得られなかった、滋賀県では盗難はほとんどなく、大阪でお金を紛失したのではないか、総じて、そのお金があったという証拠は何もない、と言った時の失望がどんなものか想像できるでしょうか。

本当に落ち込んだ気分で近くの公園で、帰国さえ考えながら、これから先のことを決めかねていました。ちょうどその時、馬場さんが来ました。彼は、常に温かさと優しさを携えていました。私たちは馬場さんの家に戻りました。彼は、私たちのために美味しい夕食を準備し、以前カバンを盗まれた時の話をして、活路のない状況などないと言いました。美味しい料理と心地よい雰囲気で私たちはリラックスし、自分たちの力に自信を持ちました。私は函館の友人と連絡を取り、彼が親切にもお金を少し貸してくれることになりました。

伊豆の国の不思議なホスト（エレーナ）　旅行に興味を持っている人であれば、たぶんカウチサーフを知っているでしょう。宿泊場所がどこにもない場合、ホストと呼ばれる人を見つけることができます。彼は、無償であなたを受け入れるか、面白いプログラムを提供してくれます。こうして、私たちは伊豆の国でセンという姓の日本人のところで宿泊場所を見つけました。ホストが仕事から戻ってくるまで、公園で時間をつぶしていると、突然、彼のアパートに自由に入っても良いという連絡が来ました。住所が添付してありました。確かに、ドアは施錠されておらず、エアコンがついており、部屋のひとつには、布団が敷いてありました。ティーテーブルの上にはメモがあり、帰宅が遅いホストを待たずに、シャワーを浴びて寝るようにと書かれていました。こうしたおもてなしに感動してはいたものの（見ず知らずの人間に自宅を開放することは誰もがすることではありません）、やはりセンさんを待つことにしました。彼は時一〇時近くになって現れました。楽しい会話の中で、私たちは、彼の言葉が明確で分かりやすいことに気付きましたので、センさんが海外で日本語の教師になる計画をしていることに驚きませんでした。

埼玉の板前さん（セルゲイ） その日は、朝からうまくいきませんでした。車は脇を走り去り、その後強い雨に見舞われました。私たちはパネルを濡らすまいと、ひさしの下の狭く乾いた所に身を寄せました。恐らく私たちは十分に哀れな様子をしていたのだと思います。最後には車が止まって、そこから中年男性が事務的に出てきて、余計な言葉なしに私たちのシンプルなカバンを積み込み始めました。私は特に会話を始めることはしませんでした。彼は、埼玉まで行くが、私たちを東京まで送ることができるとだけ言いました。男性は道中黙っており、私たちが彼にとって不愉快なのかと思えるほどでした。泊めてもらおうと思っていた友人たちとは連絡が取れなかったため、心配しながら静かに自分たちで話をしていました。お盆休みの真っ最中で、道は渋滞していました。暗くなるのが早かったので、運転をしている彼に埼玉でどこかテントを張れる場所があるか聞きました。彼は意外にも「私のところに宿泊しても良いですが、とても汚いんです」と提案すると、余念なく運転を続けました。家の乱雑ぶりは、私たちにとっては全く問題ではありませんでしたし、喜んで提案を受け入れました。家に近づくと男性は少し陽気になり、夕食をとるために私たちを居酒屋に連れていきました。そこで

ビールを二杯飲むと、彼は全くの別人になりました。日本食レストランでずっと板前をしていたこと、サクラという名前の猫と暮らしていること、サクラは最も良い友人と妻の代わりとなる素晴らしい猫であることを語りました。会話が少なかったことについては、運転に集中していたと説明をしました。朝、この新しい知人は、私たちを高速道路のパーキングエリアに連れていきました。そこで私たちは心からのお別れをしました。

長い一日と長い夜（セルゲイ）　一分も経たずに私たちは先週からパーキングエリアでのヒッチハイクは禁止されていると注意を受けました。私たちは一般道に移動し、そこで郡山まで行く車を捕まえることができました。郡山では、高速入口の側のセブンイレブンの駐車場に立たなければなりませんでした。運転手たちは暗い表情でこっそり私たちの写真を撮り、通り過ぎました。このような反応は初めてのことでした。それまでは、ほとんどみなが微笑み、励ましてくれました。パーキングエリアのスタッフは適当な場所を探すのを手伝ってくれましたし、自転車や自動二輪車のバイカーは親指を立て賛同の気持ちを示しました。二時間が経ちました。暗くなってきました。状況は問題に直面しています。夜、ヒッチハイカーを拾ってくれる人がいるでしょうか。私たちが完全に意気阻喪していると、若い女性の車が脇に止まりました。ミーさんは、ヒッチハイクにもっと都合の良い場所を見つけるため私たちを拾い、大きなショッピングモールの駐車場に送り届けてくれました。「もしも車が見つからなかったら、連絡してください。何か考えましょう」と彼女は私たちを元気づけてくれました。

夜になり、私たちはミーさんにお願いすることに決めました。彼女は私たちのところに戻り、最初に軽食を提案しました。カフェで、今夜は近くの公園でテントを広げ、明日彼女が近くのパーキングエリアまで送ってくれるということを決めました。公園に行く途中、ミーさんは突然、私たちが泊まれるかもしれない友人がいると言いました。「彼はアフリカ人ですが、大丈夫ですか」これは全く問題ありませんでしたが、彼女がバーで一度

会ったきりの人だという事実に少し警戒しました。ミーさんは低いユニットハウスの家の側で車を止めました。通りに開け放した窓からは音楽が流れ出ており、大きなフランス語と英語の話声が聞こえました。ベランダに体格の良い青年が出てきて、私たちに大声で挨拶をしました。既に真夜中頃だったので、心中ご近所へ同情しながら、私たちは部屋に入り、更に素晴らしい体格の二人目のアフリカ人に会いました。主のレカノとサムと知り合いになり、ビールを注ぎました。サムは少しすると、自分はロシアが好きで、プーチンは「本物の男」だと言いました。私たちは真夜中に彼の世界史の知識に驚きながら、彼のロシアの政治に関する考えや、力への称賛を聞きました。その後は、日本の会社における外国人の困難さについて討議しました（サムはプログラミスト、レカノは自動車会社で仕事をしていました）。英語、フランス語、日本語を混ぜて一度に三か国語で話しました。一番感心したのは、私たちがお互いをよく理解できたことです！

福島の呉服屋（エレーナ） 別のホストが待っている青森まで行けなくても、仙台市までは行こうという計画でした。運が私たちに微笑みました。ミーさんが私たちをパーキングエリアに残して去るのとほぼ同時に感じの良い女性が車を止め、私たちを福島まで乗せてくれることに合意してくれました。（そこは仙台まで行きやすいところです）。女性は、呉服屋で仕事をしていること、私たちを自分の友だちの同僚に紹介したいことを話しました。呉服屋では温かく私たちを迎えてくれ、そこで仕事をしている若い女性たちと知り合いになりました。呉服屋チェーンのオーナーは、有名な日本のデザイナーです。着物と浴衣（裏地のない夏用の着物）のコレクションは、スタイル、価格帯において様々でした。来客が無かったので、私たちはモデルとなりました。私たちは浴衣を着せられ写真を撮られました。餡子という甘い大豆のペーストの入ったパンを頂き、その後仙台まで送ってくれるということになりました。それを買って出てくれたのは、今息

子が自転車で日本周遊中という女性でした。私たちがいたのは、衣類の店舗ではなく裕福な主婦の小さなサロンだったという印象です。

復路（エレーナ）　北海道に到着するまでに、まだたくさんの冒険が私たちを待ち受けていました。二日間友人のところにお邪魔しました。休息して英気を養い、新潟を経由して帰路につきました。ヒッチハイクは困難を伴いました。良い場所を探して徒歩で十分に長い距離を移動し、どこかで何時間も立ちました。暑さが酷かったので、近隣のガソリンスタンドや店舗の思いやりのあるスタッフが、私たちに水の入ったボトルを持ってきて、色々と励ましてくれました。夜、私たちが意気消沈して二四時間営業のコンビニエンスストアの近くでテントを張る場所を探している時、若い日本人が私たちを拾ってくれました。群馬まで送るという提案に元気づけられました。この青年は、実はコスプレ専門のカメラマンでした。妻との口論の末、彼は実家に向かっていたのですが、ケンカのことを言いたくないので、ホテルに泊まる予定でいました。口論の原因となったのは、オンラインで購入したとても高価なカメラ用レンズで、残念ながら、修理ができないという欠点がありました。妻は、夫がお金を無駄にしていると非難しました。写真家の彼は、自分の実家に一泊することを提案し、私たちを喜ばせました。帰宅の本当の理由を両親に説明しなくても良いため、彼にとっても都合良く、快適な宿は私たちにとっても悪くありません。互恵的合意の後、すぐに青年は目に見えて陽気になり、長岡市で一番大きな寺院の境内のナイトツアーをしようと提案しました。こうして私たちは新潟県に逆戻りました。

「コシヒカリは、日本で最も有名で美味しいお米のひとつで、私たちの県で栽培しています」と私たちの新しい友人は誇らしげに言いました。本当に彼の実家では私たちにコシヒカリの素晴らしい夕食をご馳走してくれ

ました。レーナの好きなものが枝豆(茹でた大豆)と知って、日本人の彼は謎に微笑み、朝面白いことになると約束をしました。朝になると、本当に家の脇の小さな菜園を見せてくれました。そこで私たちは自分たちで枝豆を収穫することができました。その後幸運にもその調理プロセスを見ることができました！青年の父親は、本当に風変りな人で、かつて軍事ジャーナリストをしていました。朝食のときに特派員時代の興味深い話をしてくれました。更に、彼はロシアクラシック音楽の愛好家であり、蓄音機と山のようなレコードの所有者であることが分かりました。私たちが彼の好きなソビエトのピアニスト、エミール・ギレリスを知らなかったため、彼は酷くがっかりしましたし、私たちは自分たちの無知が恥ずかしくなりました。別れの前に、再び経験豊富なジャーナリストの好意に応えて、ソビエト時代のピアニストの作品を勉強するようにとのご指導と、お土産一揃いと道中の食べ物を頂きました。

アスカだが、ラングレーではない（エレーナ）　私たちは、アニメ「エヴァンゲリオン」の登場人物と同じアスカという美しい名前の若い女性から、すぐに陽気さとカリスマ性という印象を受けていました。八歳の息子とともに水族館から戻る途中、彼女は喜んで私たちを車に乗せてくれました。彼女はロシアについては全く何も知りませんでした。ロシアの貨幣はどんなものなのか、ドルではないのか、と興味を持ちました。好奇心から私たちの旅の話を聞き、普段テントで寝ていると知ると、彼女は私たちを自宅に招待しました。しかし最初は、夕食をとアスカが蕎麦をご馳走してくれることになりました。レストランは一階にあり、二階と三階には彼女の両親と姉家族が住んでいました。典型的な家族の施設です。この街ではどうやら来訪が珍しい外国人を見るために、家族全員がレストランに集まりました。私たちの回りを三歳から七歳の子どもたちが走り、「外人！外人！」と喜んで叫んでいます。名前は何というのか、何年生なのかというセルゲイの問いに、リアクションの良い子どもたちは口を開けて、「おー！ガイジーン！どうして外人なの？ここで何しているの？」という以外何も話すことはできませんでした。彼らを観察するのは楽しいことでした。子どもたちはとても興奮して、静かに夕食をとることができず、厳格な女性主人が寝るようにと叫んで追いやるまで、私たちのテーブルの回りを回っていました。私たちも休みたかったので、アスカは、息子と一二歳の娘、騒ぎの中で子どもたちが自分の椀の蕎麦を食べさせていた犬を捕まえると、私たちを自宅に連れていきました。アスカは家でマッサージ師をしており、ひとりで子どもたちを育てていますが、大人の女性というより、無邪気で可愛い女の子のように見えます。家では気まぐれな息子を遊ばせ、緊急の問題を解決し、マッサージ室に私たちの寝床を準備し、作業用具を部屋中持ち歩いて片付けながら娘の宿題を見ることをやってのけました。朝、私たちは、分かれ道で温かくお別れをしました。

「隠れろ、台風！」（セルゲイ）　新潟を離れ、富山県と石川県を通過して夕方近くに福井に届けてくれたのは、私たちとほぼ同い年の二人の友人でした。福井で彼らは一緒に夕食をとろうと提案しました。ラジオは、台風が来ていると報じていました。私たちがテントを張ろうとしているのを知っている日本人たちは心配しました。どこも満室で、安いホテルを見つけることはできませんでした。彼らの一人は自宅に電話しましたが、とても残念なことに、母親は見ず知らずの人間に否定的でした。夕食後彼らは高速道路の別のパーキングエリアまで私たちを送りました。

　私たちはラッキーでした。暗闇で決めかねて半時過ぎた頃、京都から金沢へ送っていった帰りのタクシーが私たちを拾いました。時間はもうすぐ真夜中で、私が「日本に課された資本主義的価値」についてのドライバーの話を聞いているうちにレーナは眠ってしまいました。台風は私たちに追いつきました。車が倒されそうなくらいに強い風で、タクシードライバーのヒロシさんは、奥さんと娘さんはアメリカの親戚のところへ行っているそうで、彼の京都の家に泊まることを提案してくれました。

　私たちは京都見学をしながら素晴らしい日を二日間過ごした後、徒歩で大津まで行き、再び馬場さんに会い、大阪に戻りました。そこからは帰国便が出ています。想い出に残るヒロシさんからのお願いで物語を終わりにします。「私はあなた方に何の義務も負わせるものではありませんが、もしも助けを必要とする日本人に出会ったら、どうぞ助けてやってください」。

（翻訳　小川久美子）

趣味が昂じて大切な仕事になりました
私は自分の会社をつくりました

オリガ・シドレンコ

キャリアウーマン、滋賀県

私はいつでも愛国者でした。しかしロシア激変の九〇年代には、私たちの多くが国を愛する気持ちを忘れ、人生によって自身を世界の中に見出すことを余儀なくされました。テレビで日本のフォトモデル事務所の募集についてのテロップを読むと、私は少しの間考えながら、リュックサックに荷物を詰めて、出発しました。ロシアには私を引き留めるものはなにもなかったのでなおさらです（私は孤児です）。

事務所のあった大阪には素晴らしい印象を持ちました。未来都市を見たのです。超高層ビル、流行りのブティック、未来派的な建物、これらすべてが新年のツリー飾りのようにキラキラしていました！　これほど多くの光を私は見たことがありませんでした。仕事にも満足しました。モデルの女の子はプリンセスです。身長が低いので結婚式と、当然のことながらそのドレスの広告の仕事が入りました。多くのドレスには長いドレインがついていて、専門の教育を受けた人たちがずっと傍らで持っていました。彼女らは、私を団扇で仰ぐことをやめませんでしたし、飲み物を持ってきてくれました。メイクアップアーティストも同じようにメイクを直し続けました。つまるところ、仕事ではなく、純粋な喜びです。

事務所のオーナーはドイツ人なので、すべて英語でコミュニケーションをとりました。しかし、探求心が強い性質の私は、回りの人たちが何を話しているのか、とても知りたかったのです。私はボランティアの日本語教室を見つけ、週一回通うようになりました（日本での言語教授は、入門レベルでさえ学習対象言語で行われるため、他の教授法に比べて学習速度が著しく速くなります）。加えて、最初の三年間私は辞書とノートを常に持ち歩いて、知らない単語を書き込み、自分だけのより完璧な単語帳を作っていきました。おかげで、日本滞在の一年間で日本語能力試験N2に合格しました。これは、流暢な日本語会話を意味します。

相応の成果は得られたのですが、私は更に前に進むことを望んでいました。こんどは最高レベルのN1の試験を目指して学習を続けました。N1には三回目でようやく合格できました。その間、私のモデルとしてのキャリアは、論理的な終わりに近づいていました。すでに二八歳になっていたのです。モデルのキャリアは短命です。私は職業を変えることを考え始めました。日本語をレベルアップしたいという大きな願いが私を通訳ガイド講座に向かわせました。そこでは職業上の特徴に応じて、歴史、地理、社会学といった学科に重点がおかれ、信じられないほど私の視野は広がりました。

資格を得るためには国家試験に合格しなければなりませんでしたが、おかげで、ガイドという狭い世界に知人ができました。知人の数は増え、オーダーが入るようになりました。通訳は子どもの頃からの夢でしたので、私はようやく自分が本領発揮できることを感じました。

ガイドは季節労働です。充分すぎる自由時間がありました。私はその時間を、自動車部品の流通市場分野のボランティア通訳活動に充てました。その後、趣味が高じて自分の主要な仕事となりました。私は自分の会社をつくりました。会社は急速に発展しましたが、成功までの道のりで私は困難に遭遇することになりました。

言語　特に専門用語やビジネスレターを新たに学ばなければなりませんでした。また、二つの言語のどちらかのレベルを下げることなく、両方を適切なレベルで維持しなければなりませんでした。バランスをとることはとても難しいことです。

上下　日本には上下（従属）という、相互関係が明確に規定される現象が存在します。例えば、私が日本側に協力の提案を持ち込んだ場合、私が依頼人で、私の立場は「下」になりますので、協力の必要性を長い時間をかけて証明し

なければなりません。ですが、日本側に気に入ってもらえた途端に、私はバリケードの反対側にいます。クライアント、つまり神になるのです。

安全第一　安全規則順守のおかげで、日本人は無比の商品品質を達成しました。Made in Japan の表示はそれ自体がブランドです。しかし、まさにこの絶え間ない安全に関する考察がビジネスの大きな妨げになります。最も分かりやすい例がロシア極東の状況です。日本人が自分たちの安全について何年も考えている間に、中国人が事実上すべてのニッチビジネスを占領してしまいました。

ステータス　あなたが、個人経営者であっても、株式会社の社員であっても、同じ品質で仕事をすることはできるでしょう。しかし、日本人にとってはステータスが非常に大事なのです。株式会社に対する信頼度は比較できないほど高くなります。

社会的機動性　日本人は、極端に非機動的な国民です。これは生活のすべての範囲に及びます。そして昇進制度も、ヨーロッパで見られる成果によるものではなく、必然的に勤続年数によるものになります。これは私にソビエトのシステムを思い起こさせます。チームの中では、良心的に仕事をする人も力半分で仕事をする人も、お給料は皆に同じというものです。日本のビジネスが苦悩しているのは、管理職が更なる努力をすることを望んでいないせいです。

ドレスコード　日本の企業内には、色彩、形が制限される大変厳しいドレスコードがあります。工場などではユニフォーム、ヘルメット、安全靴が必須です。その代わり日常生活では服装に特別に注意をはらうことはしません。「チュニック」一枚でパーティでも海外でも。厳選されたレストランに行きますと、よく訓練されたウェイターが全身ドレスアップしてカウンターの脇に静かに立っています。傍には、たった今スーパーマーケットから出てきたばかりのようにお気に入りのエプロンを付けた主婦たちが座っているのです。隣にいても気が気ではありません。

食　日本には食崇拝があります。旅行について話しているときに、「そこで何を見ましたか？」という通常の質問の代わりに「そこで何を食べましたか？」という質問をされることが、始めは奇妙に思われました。しかし、少しずつ日本食の謎にのめり込みながら、私は食が喜びになり得ることを理解しました！日本語には「目で食べる」という概念があります。それぞれの料理が、もっとも美しく見える器で出されることで、更に審美的な満足も得ることができます。また別の概念「隠し味」は、「隠された味」を意味します。これは、料理のベースになる「出汁」のお陰で実現されます。出汁作りには時間がかかります。日本料理で最も重要な概念は「素材」（意味的な訳は「材料」）です。これは、最高に新鮮な食品の味を楽しむことです。これらすべての概念のお陰で、日本人はもう一種類舌に受容体をもつことに成功しました。それは「うまみ」です。日本人は、満足ホルモンの放出を刺激しながら、食品の「隠された」味を感じ取っています。私なら、うまみ受容体を喜びの受容体と名付けたでしょう。

旅　まさに喜びとしての食への愛が私を国内の旅へと駆り立てました。特定の地域でしか食べることのできない料理のほかに、日本には見るべきものが本当にあります。全世界的に有名な寺院や未来の建物、自然の聖域、そして、最近人気の観光スポットとなった灯火の工業都市。日本は一年中どんな季節でも色彩豊かです。冬にはツバキやウメ、春にはサクラやフジ、夏にはツツジやハス、そして秋にはモミジの色に圧倒されます。どんな時期でもここでは楽しみを見つけることができます。北海道（北）はスキー、沖縄（南）はシュノーケリング、本州では、すべてが少しずつです。

年齢　日本人が皆旅行好きなわけではありません。ある人たちは安全の理由から、また資金不足（日本の交通機関は世界で一番高価です）や単に面倒なだけの人たちもいます。彼らは、慢性的な疲労や、おかしなことに年齢を理由にその説明をします。これに関して、私は日本でコンプレックスがなくなりました。なぜなら、日本人は三〇歳で老いがくると考えているからです！

日本のすべての魅力にもかかわらず、ノスタルジーが絶え間なく私を支配しています。ここに長く住めば住むほど、より頻繁に、より長期間ロシアにいたくなります。最近では二つの国に住むようになりました。しかし、あらゆる移民同様、私はどこにいても家にいるとは感じません。

（翻訳　小川久美子）

ロシア語と共に生きる素晴らしきわが人生

清水　守男
エレーナ

夫婦、名古屋

私は清水守男《しみずもりお》と申します。愛知県に住んでおります。現在ロシア人の妻と娘がおります。また、現在ロシア語の勉強を続けております。

小学生の時

小学校の六年生の頃、塾で勉強している時、私は漠然と自分の将来について考えたことがあり、他の人にはない特技として「外国語を生かせる仕事をしたい」と考えるようになりました。先ず頭に浮かんだ外国語は、中学校から始まる新科目、英語で、それに興味を持ち始めました。

まさにこの頃、「外国語を生かす道に進みたい」という後の私の人生において重要なモチベーションが、私に形成されたのです。

中学生、高校生の時

中学校に入学すると、他の科目よりも好きな英語に力を注ぎました。先生にも恵まれ英語については常に良い成績を収めることができました。

高校に入っても英語に対する情熱は変わらず、英語のスピーチ大会に出場したり、当時の文部省認定英語検定の二級を取得したりしました。この時期、感動した本は故種田輝豊《たねだてるとよ》著『二十か国語ペラペラ』（東京、実業之日本社、一九六九）でした。私なんか日本語でさえもまともにできないのに世の中にはすごい人間がいるんだなあ、と驚き何度も読み返したものでした。今でもその思いは変わりません。彼はまさに語学の天才です。

高校三年生の時、大学への進学を考え、自宅から通学でき、是非とも英語に関係する学部に入学したいと決心すると、名古屋市にあり、自宅から乗り物で二時間の位置にある中京大学の文学部英文科を選び、そこに入学いたしました。

中京大学生の時

当時大学に入学すると、一年次と二年次には第二外国語が選択必修科目となっており、中国語、フランス語、ドイツ語、ロシア語が開講され、その中から一科目選択し二年間勉強することになっていました。私は元来文字そのものに興味があったので、ローマ字と異なるキリル文字を使用しているロシア語を専攻することにしました。

最初は見慣れない文字であった為、ロシア語文法を克服するまでは苦労しましたが、もともと外国語には興味があり好きであったので、私は二年間一生懸命勉強しました。勿論成績は「優」でした。三年次になると、ロシア語の担当教員である故稲垣兼一《いながきかねいち》教授から個人的に「もっと深く勉強してみないか。」というお誘いを受け、恩師との一対一によるロシア語勉強会をスタートさせました。

勉強の合間に恩師にはプライベートな話をして頂きました。彼は若い頃中国に存在していた日本の傀儡国家、満州国の国立大学ハルピン学院の卒業生であられます。大学では大体週一五時間もロシア語の授業があったそうです。卒業後は日本軍のロシア語通訳として強制的に現地で働かされたそうです。第二次大戦後はスパイ容疑で彼はソ連に抑留され、一一年もの長い期間過酷な捕虜生活を送られた後、日本に帰国されました。帰国後は得意とするロシア語を生かした仕事（通訳、翻訳）で活躍されながら中京大学で教鞭をとられていました。

中京大学で三年間ロシア語を勉強した後、私は恩師からの勧めで、ロシア語を専門に勉強する決心をし、東京にある上智大学外国語学部ロシア語学科の三年次編入試験を受験しました。運よく合格することができ、本格的にロシア語の勉強を始めました。上智大学での二年間はあっという間に過ぎて行きました。

まさに中京大学でロシア語選択と亡き恩師との運命的な出会いが、その後の私の人生を決定づけたのです

上智大学卒業後

上智大学を卒業すると、私は中京大学で働きました。

在職中ロシア語翻訳にも挑戦し、ロシア語から日本語に翻訳した論文「レーニン図書館　―創立一二五周年を迎える―」（一九八八）を発表しました。また、当時日本の運輸省が主催していた唯一の外国語国家試験『通訳案内業試験（ロシア語）』にも何度か挑戦し、無事合格を勝ち取

ることができました。その他、当時日ソ学院が主催した「ロシア語学力検定試験」の上級にも合格することができました。

中京大学には附属研究所として社会科学研究所があり、そこではロシア研究部会が活動していました。私は仕事を終えるとロシア研究部会の研究活動にも準所員として定期的に参加していました。私のテーマは「東スラブ諸語の比較研究」でした。つまり、ロシア語を中心としたウクライナ語、ベラルーシ語との比較研究が私の研究テーマでした。特にベラルーシ語については、日本においては日本語の書籍がほとんど皆無で、研究者も少なかったため、大変興味ある言語でした。ロシア研究部会では私は幾つかの研究発表する機会を得ました。ウクライナ語、ベラルーシ語については、日本では入手困難な図書資料もありますので、自費でキエフ、ミンスクまで足を運び必要な文献を探し購入したこともあります。今思えば、それらは私にとってはお金に代えがたい貴重な財産となっております。

過去のロシア研究部会で私が発表した研究テーマを列挙してみますと、

① 「ベラルーシ語に見られる子音の無声化・有声化とその表記について」（二〇一一）、

② 「標準ベラルーシ語における名詞とその格変化―総性名詞を中心として―」（二〇一二）、

③ 「ベラルーシ語の動詞現在（完了未来）変化形に見られる子音交替について」（二〇一三）、

① 「ロシア語の軟音符で終わる単数名詞形とそれに対応するベラルーシ語形の文法性に関する一考察」（二〇一四）などが挙げられます。

また、私はロシア研究部会に在籍中、社会科学研究所の出版物『社研叢書』（各研究部会の研究員たちによる学術図書シリーズ）の中で三点論文を発表することができました。私の論文名は、

① 「トムスク大学図書館の現状」（『社研叢書』九、二〇〇〇）、

② 「シベリア少数民族の人名システムについて」（『社研叢書』一六、二〇〇五）、

③ 「セミョーン・ウリヤーノヴィチ・レーメゾフ―シベリア地図作製者・最初のシベリア史家―」（『社研叢書』二八、二〇一一）、です。

大学を早期退職すると、私は社会科学研究所に在籍のまま研究活動を続けていました。そして次なるロシア語に関連した目標を模索していました。

エレーナとの出会い

次の目標は、私の好きなロシア語が毎日使え、研究のサポートもしてもらえる「ロシア人女性と結婚すること」でした。

エレーナとはインターネットで知り合いになり、私は彼女とメールのやり取りをしました。私にとりまして彼女は興味があり、教養を備えた素晴らしい人でした。彼女は日本が好きで何度か旅行したことがあります。

ウラジオストクで私たちは出会いました。その時の印象は、魅力的な女性で、彼女もすぐに私を気に入ってくれました。私は彼女と六歳の娘の我が家に招待することにしました。そして私と両親は首を長くしてエレーナと娘のブラーダを日本で待っていました。

彼女たちが我が家に到着すると、私の両親も彼女たちをすぐに気に入ってくれました。

私たちは結婚式を挙げました。エレーナとブラーダは誠実で飾り気のない人なので、我が家はすぐに大変良い関係となりました。

家では我々三人はロシア語を話しております。エレーナは覚えが早く、すぐに車の免許を取得しました。日本語については、知らない単語が多いが、何も恐れず生活をしております。彼女は自分が運転して、東京、大阪、富山まで行くことがありました。また、自分でウラジオストクからのお客様を迎えに行くこともありました。彼らをどこへでも車で送っていくのです。今でも私が驚いていることは、彼女は頭脳明晰で付き合い上手な点です。

彼女はウクライナ、モルダヴィア、ブラジルの女友だちが沢山います。私たちはしばしば彼女らを客として迎え入れたり、彼女たちの所に遊びに行ったりすることがあります。また、ウラジオストクからエレーナの長女アーニャが家族と共に遊びに来ることもあり、時には彼女の子どもたちだけでロシアから我が家に来ることもあります。みんな気に入ってくれています。

私たちはよくウラジオストクに出かけます。私が分かったことは、祝日や誕生日はロシアではみんなが集まって盛大に、陽気に楽しく行うのに対して、日本では例えば、誕生日を祝うことはしない家庭も見られ、またはしても、普通小規模で例えば、家族で質素に祝う点です。

エレーナはロシアからのテレビ番組を遅くまでよく視聴し、夜は遅く寝ます。私が彼女にお願いしたいのは、日本のテレビを見て早く就床してほしいことです。

私がエレーナに、「日本では通常、遅刻をしたり、待ち合わせ時間を変更したり、授業を休んだりはしない習慣がある」とよく言って聞かせますが、エレーナは、「その場合は私が電話をして交渉し、変更または キャンセルをすればいい」と言います。ロシアでは日本ほど厳格ではないようです。(特別な理由がある場合を除き)私はそのようなことはできない人間ですが、彼女は自分で電話をして、変更または中止の交渉をやってのけるのです。以前、私は平穏で静かな生活を送ってきましたが、エレーナとブラーダが来日すると私の生活は活動的で、せかせかしたものとなりましたが興味ある生活に変わりました。

私はエレーナの自信と生活力に驚いております。彼女はよく働き、勉強をし、私たちの面倒を見てくれております。休息をとる代わりにどこかへ出かけたり、友だちと会ったりすることが好きな女性です。私の生活の変化は、驚くべきものがあり、以前より若返えったような、陽気になったような気分でおります。

娘のブラーダについて

ブラーダは現在小学六年生です。エレーナとの結婚後、彼女も一緒にロシアから来日しました。一年生の五月から日本の小学校に入学し、日本人生徒たちと一緒に勉強しています。今日の日本語能力は日本人の子どもと変わらないレベルです。彼女は日本人とは日本語で話し、母親やウラジオストク在住の親族とはロシア語を使って会話をしております。

彼女は、学校作文「将来の夢」の中で、「私の夢は、『通訳者』になることです。私は日本語とロシア語をしゃべることができます。二か国語がしゃべれるだけで、より多くの人と話すことができるのはすごいことだと思います。一歩一歩積み上げて夢に近づけることができるようにしたいです」と日本語で書いております。ブラーダは大変賢く、学校の成績も良いです。漢字能力についても素晴らしく、テストはいつも百点近くを取り、将来多くの言葉を勉強したい、という驚嘆するほどの夢を持っております。

なぜか彼女は、私が描いた小学六年生の頃の夢と似たようなものを持っております。確かに、彼女は二か国語の会話の点では、小学校六年生としては日本語もロシア語もほとんど不自由なく意思疎通ができます。しかしロシア語の文法については、学校で直接勉強していないのでよく間違えます。まだ小学生ですので、今後は更なる努力が必要だと考え、私たち夫婦でサポートしていくつもりです。

私の若い頃の趣味は、ロシアのコイン収集と多種多様な外国語の辞典収集です。特に後者については､近い将来、もし娘が通訳者または翻訳者になった暁には、それらは身近にあると大変便利であり、利用してほしいと願っております。私が若い頃、旧ソ連で苦労して集めた外国語辞書がいつかブラーダの役に立つと確信しております。

私の人生の基盤となっているもの

小学六年生の時、思い描いた将来の夢「外国語を使って仕事をしたい」を常に持ち続け、その後私は中学校、高校へと進みました。

中京大学に入学して、二年間学ぶ第二外国語としてロシア語を選択したご縁で、今は亡きロシア語恩師である稲垣兼一先生との運命的な出会いがありました。先生のお陰でロシア語の勉強を本格的に開始し、今日でもその切磋琢磨を続けています。

私のこれまでの人生において、まさにこの二つの出来事が今日の私を形成し、誇れる並外れた人生の基盤となっています。

そこで通訳は、ソ連の代表団が誰も日本語の「に」の字も知らないことを利用して、一か八か、やけくその行動に出ることにした

セルゲイ・シプコ

一匹狼
「僕がいる場所が僕の家」

　我が旧友が語ってくれたこの話には、何も特筆すべきことはないように思われた。一般のソ連の人々が外国人との付き合いを禁止され、またそれ故に外国人と話そうとますます努めた時代の、遠い昔に起こった話である。外国人との交流が許されたのは、特別に選ばれたグループか、または、もっとも、これも特別に編成されるのだが、正式な代表団だけであった。四〇年前に起こったことにも関わらず、この出来事は日本を訪れようとする人にとっては相変わらず現実的で教訓的な事件に思えるのだ。

　それでは、始めるとしよう。数多くあるソ連の代表団のうち、大ボス率いるある代表団が日本にやって来た。御多分に漏れず、この大ボスもまた巨漢であった。実質一五〇キロ以上はある体重の半分は、巨大な太鼓腹……もっと品のある言い方をすれば、へその周囲の巨大な胴体部分が占めていた。見た目は威嚇的、内面は頑固な意思の持ち主であった。ソ連代表団のメンバーは、彼がひと睨みするだけで震え上がった。それもそのはずである。この人物がちょっとペンを走らせるだけで、忠実な僕ですら、「危険」だと判断した職員の外国渡航機会を永遠に奪うことができたのだから。当時外国に行ける程までに出世した人にとっては、完全な人生の崩壊である。これまで生きてきた歳月がまったくの無駄になるのだ……。

　交渉は事実上四日で終わり、ソ連代表団の一一人のメンバー全員が大ボスの前で最高の実力を発揮していた。大ボスの部下たちは日本人との交渉がどのような結末を迎えるかについてはついぞ関心がない、という印象を私の友人は受けていた。彼らにとっては、自らの忠誠心や能力、へつらいが大ボスにいかに評価されるのかが何よりも重要だったのである。それによって、彼らの未来とさらなる出世がかかっていた。

いつものように、交渉が終わると日本側がソ連代表団を最後の晩餐にと、東京は赤坂にある伝統的な料亭に招待した。給仕をする従業員の女性は皆、多彩な柄のセンスの良い端正な着物を着こなし、スケートリンクの氷のようにつやつやに光り輝く床を、足袋で優美に、音も立てず滑るように歩いていた。

大ボスは、この料亭ではテーブルにテーブルクロスがかけられていないことが判ると、極めて不愉快そうな驚きを見せたのである。日本の伝統と礼儀作法とは無縁であるところの彼の理解では、テーブルクロスがかけられていないレストランは、まったくもってレストランではなく、大衆食堂の類だったのだ。ちなみに、この料亭は、東京の洗練された高級料亭のひとつだったのだが……。こうした場合に通訳者に求められることは、その国の言語知識や文化事情のみならず、彼がちょっとした誤解をしていることを大ボスに慎んで説明するための、果てしなき根気と冷静さであある。おそらくそれは、「ちょっとした」どころではないのだが。また、気づけばこの場において我が旧友は、経済の専門家という職務の他に、この代表団の日本語通訳者としての役割も担っていたのである。しかるべき教育と訓練を受け、日本語の読み書きと会話ができた故に、である。

幸いなことに、友人には大ボス御一行と日本人ビジネスマンとの非公式会合の経験があった。この経験があったおかげで申し分ない仕事ができ、時としてほぼ同じポイントで起こるものの、長きにわたって関係を損ねてしまう類の多くの問題を回避することができたのである。

いつものように、友情、相互理解、更なる相互利益をもたらす協力関係を願いつつ酒を酌み交わした。すると、半ば格式張った乾杯を何度かした後で、少し酔いが回り友好的雰囲気に満たされたモスクワ出身の大ボスは、日本人も素朴な奴らでシベリアや極東の人間と変わらないと感じ、突然、あろうことかワシーリイ・イヴァノヴィチ・チャパーエフについてのアネクドート（ロシア式ジョーク）を話そうと思い立ったのである。日本人との一体感を感じる程の状態まで達した彼は、素直に悟ったのだ。「もしここでこのアネクドートを話さねば、この会合すべてが水の泡となる！」と。

通訳は凍り付いた。日本には、まさにロシアにあるようなアネクドートのジャンルが存在しないことを通訳者はよく知っていたからである。もちろん、日本にも独自のユーモアがあり、落語という愉快で滑稽な小話もある。しかし、これは全く別物だ。なんて事をしてくれるんだ！ せめておおよその形でもと日本語に訳そうとしたところで、ワシーリイ・イヴァノヴィチ・チャパーエフが一体何者なのかを最初に説明せねばならい。どうして有名たるのか、ロシアの内戦や十月革命とは何ぞや、赤軍、白軍とはどういう人たちを言うのか、そして、話のオチの本質はどこにあるのかを。しかしそうなると、完全な歴史の授業であって、戦後に生まれ育った日本人には全く馴染みのない歴史ばかりである。一方、大ボスの考えではこのうち解けた状況にはもってこいだと思った素晴らしいアネクドートの効果に期待をかけて、すでに自分で笑い出していた。そこで通訳は、ソ連の代表団が誰も日本語の「に」の字も知らないことを利用して、一か八か、やけくその行動に出ることにしたのだ。大ボスが舌なめずりしつつアネクドートを話し出した時、我が旧友は懸命に各々の言葉を通訳するふりをして、日本人に言った。大ボスはいつも日本人のことを真面目で頭が良く、交渉の際には神妙な面持ちをしており、楽しく笑うことなど果たしでできるものかと疑いすらしている。彼が話し終わったら、日本人も愉快な人々であるということを、ただこの賓客にお見せいただけませんか？と。そして、大ボスが話し終わるや否や、通訳は合図の意味でうなずき、日本側の代表団全員が一斉に楽しげに笑い始めた。

大ボスが自分で語るアネクドートに他の誰よりも自分で笑った時、これ以上ない程の笑いが起きた。彼を見るのは実際に滑稽だった。肥えた身体全体が揺れに揺れ、頬と三重あごは、日本のゼリー状のお菓子、水ようかんのごとくプルプルと震えていたからだ。彼は、この状況で自分のアネクドートを披露することがいかに不適切なのかを一秒たりとも想像することすらできなかったのだ。

会食が終わった次の日、東京成田空港まで来た時、大ボスは我が旧友に歩み寄り、肩を抱いてこう言った。「君は才能があるな！ 数多くの通訳者がいたが、こんなに正確に日本人にわかるように我々のアネクドートを翻訳できたものはいなかったぞ。いつも何を考えているのかわからん顔をして、怪訝そうにしていたな。それが、お前ときたら、なんて出来る奴なんだ！偉いぞ！」。

（翻訳　樫本真奈美）

夢が叶いました
謎めいた素敵な国をめぐる、
ほとんど信じられない夢

エレーナ・ソローキナ

沿海州テレビ「プリマメディア」
番組「日本を知ろう」元司会者

テレビのクイズ番組「日本を知ろう」の話は二〇〇一年のことで、私は当時、沿海州テレビで司会を務めていました。日ロ青年交流センターと共同で、在ウラジオストク日本総領事館の後援を受けて大学生と高校生が参加するクイズ大会の番組をつくったのです。事前に応募者から日本に関するエッセイを送ってもらうことになったのですが、日の出ずる国をめぐる作品の入った手紙の山がまさに嵐のごとく私たちに襲いかかってきたのです。それは、詩作や物語、絵などでした。一〇回の放送番組の賞金として、毎回の優勝者に日本旅行がプレゼントされることは事前に予告されていました。それでも、この番組を企画し制作した私たち全員にとって、本当に日本好きの人がこれ程大勢いることは予期しなかったことであり、彼らは皆、本や映画で東洋の一対一で戦うコンバットスポーツ（柔道など）をはじめ、生け花の技巧、日本語、文化、伝統などを勉強していました。とても沢山の手紙が沿海地方の遠い町や村から届いたのです。五〇〇通を超える封書が編集部に届き、それぞれの手紙に書いた本人が一度も行ったことのない国に対する愛が告白されていたのです！

思えば、一七年前の沿海地方はインターネットが普及し始めたばかりで、ツアー旅行は中古自動車や家電製品の買い物に集約されていた頃でした。富士山や俳句の美しさについて書くために、若者たちは何日も図書館で勉強していたのです。

応募者の選考手順は厳正でした。私は手紙を書留にし、特に面白い文章に印をつけて領事館に送りました。そして、領事館職員がその中からさらに優秀な作品を選んだのです。彼らはひとつひとつの手紙を注意深く精査していました。とはいえ、遠いチュグエフカに住む高校生が書いたサクラについての叙情的エッセイと、日本の外交手法を詳細に論じた東洋学部の学生のエッセイをどうして較べられるでしょう？　また、サクラの木の枝に彩られた自作の詩と、日本文化を紹介する展覧会の完全にプロレベルのレポートを比較できるでしょうか？　こうなったらもう、運試しのようなものでした……。それまでに私は一〇年以上テレビ会社に勤めていましたが、私の経験でもこれ程難しく責任のある選抜はありませんでした。というのも、ひとつひとつの手紙にその人の願いが込められていて、もしかすると、運命を変えてしまうかもしれないのですから。何かとても私的なことや、魂の断片をエッセイに込めた人は優先的に選ばれました。

クイズ番組の毎回の収録では、スタジオの空気が緊張で震えていました。賞金は豪華で、日本の五都市をめぐる二週間の旅でした。参加者が緊張して簡単な言葉も忘れてしまうような時、スタジオの観覧者や視聴者と何を話せばよいのかとても困りました。というのも、彼らの隣にはもっと緊張した両親がいるのです。多く場合、母親が子どもたちを番組に連れて来ていました。クイズの問題は多岐にわたっていて面白かったです。ゴミ出しのルール（今でも分別することなくゴミ出しをするロシアで、出場者はどうやってそれを知っていたのでしょうか？）、寿司の種類と食べるときのエチケット（寿司の端っこだけを醤油につけ、手で食べてもまったく構わないと知った時は、私自身も驚きました）、生け花の法則、芸者の着物と化粧（お歯黒のことなんてどの文献に書いてあるのでしょう⁉）、日本の国民的祝日などでした。

問題はそれぞれ三択式で、課題を解きやすくしていました。賢い人と「ツイている人」の両方に勝つチャンスがありました。私たちは、回答し終えた回答者を観覧席に移動させ、一日に三回分の収録をしました。スタジオで参加者が交代している間に、私は楽屋のスタイリストの所へ行き着替えをしました。一日が終わる頃には、足元を見ないようにしていたのですが、

目が回り、微笑みすぎて頬骨がずきずき痛みながら家路につきました。私も参加者に対して気を揉み、応援していましたが、それを表に出すことは許されませんでした。カメラを見守るスタジオの三人のオペレーターは、観覧者の中に落ち着いて好印象な顔をした人を探していましたが、そう簡単にはいかなかったのです！すでに観覧席にいた前の回答者は、日本行きの切符をかけてまだ戦っていたのです！観覧席から答えを叫ぶ人もいれば、自分が出た時の問題の方が難しかったと怒り出す人、また、知り合いの回答者に答えのヒントを出そうとする人もいました。

　最後の戦いをかけた放送回は、全体としてドラマと興奮に満ちた戦いになりました。長身の若者が、間違った回答をした後にスタジオを飛び出して行ってしまったので、私はアシスタントと一緒に追いかけ、通りでなんとか追いついたのです。苦労して落ち着かせ、スタジオに連れ戻し席に座らせました。そしてなんと、この若者が優勝したのです！彼はその放送回で最高得点をマークして、出発する列車の車両に文字通り飛び込んだのでした！私たちは、番組の収録が終わった時、安堵のため息をつきました。ゲームは公平に行われ、知識だけでなく神経も使った容易ではない戦いにおいて、参加者ひとりひとりが旅行を獲得したのです。

　その後に待っていたのは、素晴らしい日本でした！そして、番組制作の過程でとても好きになった子どもたちに対するひどい絶望でした。何も言うことを聞かなくていいというお祭りのようなものだったのです！旅には、厳しい親も引率者もおらず、私たち撮影班は彼らの目の中に入っていませんでした。旅行者はまったくの子どもだったのです。男の子はバスの中でたばこを吸い、女の子はアフリカ種族のリーダーのごとく厚化粧をし、レストランでの食事のあとは、テーブルのお皿に食べかけの食事がすっかり残されていたり、私が

彼に追いついたという理由でのみ優勝した、バスケットボール選手ほどの背丈のある男の子は、私のカバンをバスの座席から投げ落としました……自分が座るために。なんて残念なことでしょう！ 沿海地方出身の一〇代の若者は、古代日本の伝統を知っていても、日常のエチケットルールに関してはまるで無知だったのです。

東京、京都、奈良、大阪、新潟……旅行の日程はあっという間に過ぎていきました。

観光をして、歌舞伎場、江戸東京博物館、静かな仏教寺院と神道神社、東京タワー、ディズニーランドに行きました。ディズニーランドでは、雨が降ったのでアトラクションを待つ長い行列はなく、それぞれのアトラクションに何回も乗ることができたのです！ 夢が叶いました。謎めいた素敵な国をめぐるほとんど信じられない夢、それはもう思い出となり、そう思うと少し切ない気持ちです。少年少女は大人しくなりました。新しい知識と印象、日本の秩序、親切さ、日本人が互いに敬意をこめて

接する態度が奇跡を起こしたのです！ 日本の雰囲気が、これまでやってきたことを洗い流し、若者の虚勢を拭い去り、田舎の不良たちを賢い若者に変化させました。賢明な日本は、一週間でこれをやってのけたのです。このロシアの若者たちが、現地の日本人がするように会話の時にお辞儀をしたり、人と会う時にはにっこり微笑むようにすらなったのです！

ある時、子どもたちが本屋さんの所でバスを停めて欲しいと言いました。日の出ずる国の新しい知識を得ることでさらなる旅路の助けになると期待して、自分たちの少ないお小遣い（日本政府からひとり二〇〇ドルが支給されていた）から辞書や旅行ガイドブックを買ったのです。彼らのうち本が役立った子はたくさんいるかしら、と思うと興味深いですが、私はそうだと確信しています。だって、「惚れて通えば千里も一里」という日本の諺もあるではありませんか。

（翻訳　樫本真奈美）

高木　建司

やまやコミュニケーションズ社員
東京

ロシアと日本を結ぶ食文化

二〇一五年一月七日　私はアエロフロート航空の機内におりました。この日、一月七日は、ロシアではキリスト教　カトリックなどとは違い、ロシア正教におけるクリスマスであり、そんなことも知らずにモスクワに向かっていたのが、私の初めてのロシア渡航でありました。

私が水産加工品を扱うメーカーに勤務しており、その関係でロシアより水産加工品の原料を輸入していた経緯もあり、また、二〇一三年一二月に「和食」がユネスコ無形文化遺産に登録されたことも受けて、ロシアでも和食ブームがおきているということを聞き及び、まずは現地を見てみようと思い、欧州の大都市、ロンドン、ベルリン、パリなどを人口で上回るキャパシティにも魅力を感じ、ロシアの首都、モスクワに単身乗り込みました。

当時、二月に出展を予定していたモスクワで行われる食品見本市「PROD博覧会」の下見の目的もあって渡航したので、当然、水産加工品や漬物などの日本食の売り込みも含めて、和食レストランや事前に調べた日本人シェフの運営しているレストラン、市内の高級スーパーなどを視察しました。

兎にも角にも、モスクワ市内では寿司がいたるところで販売されており、日本人というと非常に温かく、笑顔で迎えて頂きましたが、私はビジネスが目的できているので、そんな嬉しい気分に浸っているわけにもいかず、気温はマイナス温度のなか、ひたすらモスクワ市内を歩きました。そして、いざ食品の売り込み、商談となると、とにかく価格の厳しさと物流の障壁が立ちはだかり、特に食品は工業製品、電化製品と違い、単価も低いため、物流コストを吸収する利益を生み出すのが非常に難しいと痛感しました。

それから約一年間で、商品の売り込みに五度渡航し、幾つかの案件で取引の兆しを見出したのですが、ロシアルーブル為替レート下落が大きな痛手となり、日本からの輸出ということは非常に難しい状況に追い込まれ、私は何の実績、結果も残せず、帰国の途につくばかりでした。

ある時、そんな日本へ帰国の際、ドモジェドボ空港で、商談相手のロシア人の社長から、グルジアワインとマトリョーシカのキーホルダーとボールペンをお土産として頂きました。商談も決まらず落胆しております私にとっては、このマトリョーシカのデザインを見ておりますと、幾らか気が安らかになったものの、やはりビジネスとしては一つも案件成立せず、日本に帰国することは自責の念に駆られてばかりでした。

帰国後、このマトリョーシカについて、私にロシア語を教えて頂いていた講師の方より、このマトリョーシカが日本の箱根細工の七福神の入れ子人形がもとだったという説があること、日本がこのマトリョーシカ人形の輸入国として上位実績の国の一つであることなど聞いて、驚きとともに、いつしか、日本とロシアの繋がりばかりを調べ始めました。明治時代に九州の八女では、ロシアに紅茶を輸出していたことなど、ロシアと日本の繋がりについて、さらに調べるなかで、やはり、そのなかで強く気になり始めていたのが、あの入れ子人形のようなマトリョーシカでした。

モスクワ市内のカフェなどにあるマトリョーシカデザインのタンブラーなどは、ロシアオリジナルのバージョンで日本に限らず人気で、二回目の渡航では、ロシアのブリヌイ（クレープのようなもの）専門店のファーストフード店のお店ロゴマークが、このマトリョーシカをモチーフにしたのが特に印象的で、このマトリョーシカのデザインをロシアの文化的象徴として、日本の食文化&ビジネスとして活かせないかと、私をさらに惹きつけました。

そして、考え方の根本を変え、輸出が価格相場で難しいなら、戦後アメリカが新たな食文化を日本に持ち込み、啓蒙したように、ロシアから食品や原料そのものでなくとも、新しい食文化、または食に関わるイメージだけでも取り込めないかと考え始めました。

当時、私の食品商品開発の案件で、先述のユネスコ無形文化遺産登録の「和食」の核となる、出汁を使った「うまだし缶　（飲む出汁スープ）」を日本国内で発売した頃であり、同じようにロシアのスープで、ウハー（уха）というう出汁スープと似ているスープがあったこともあり、そのようなスープ缶飲料を日本国内で開発、発売できないかとイメージを膨らませました。

しかし、日本において馴染のないものを売るには広告宣伝費用もかかるため、元々知名度のあるものでないと、食文化の啓蒙はもとより、ビジネスとしても成立しないことが懸念されたため、結果、日本でロシアの食というと、必ず、筆頭メニューとして名が挙がる、「ボルシチ」をスープにして、このロシアの文化的象徴に思えたマトリョーシカをデザインに盛り込もうということになりました。

その後、二〇一六年一二月に　プーチン大統領が訪日するということもあり、それにあわせて、このボルシチスープ缶を発売をすることになりました。当時、SNSで芸能人をはじめ、話題となりましたが、なによりも、パッケージのマトリョーシカの可愛いデザインが日本の食品、飲料商品にはあまり見られないようなデザインで、その中身を飲んだ後にペン立てにしたり、飾ったりされている画像がSNS等でアップされました。また、日本風にアレンジして、敢えて「ぼるしち」と商品名を平仮名にしたことも話題となりました。

これは、ロシア人の友人から平仮名が日本らしく、可愛いいと聞いたためでした。

さらに、二〇一八年ロシアサッカーW杯の年が、ロシアにおける日本年ということを知り、第二弾として、夏向けの「ぼるしち」を販売致しました。これは、正直、ボル

シチスープのイメージが冬ということもあり、販売好調とまでは至りませんでしたが、改めて、このマトリョーシカのデザインの影響の大きさを感じました。このマトリョーシカのデザインは日本において広く浸透、認知されているのだと確信に至りました。

ロシアにおいては、石油、木材、水産品などの資源のイメージが強いのですが、私は実は、日本にはない独特の、日本に最も近いヨーロッパとも喩えられるロシアのデザイン、ファッション性を帯びたコンテンツにおいて、文化交流は勿論、隠れたビジネスの種を感じております。

特に、為替に変動影響を受けたりすると、なかなか物的な量を求めて輸出したりとなりますと、コスト的に持ちこたえれないケースを多々見て参りました。そのため、ベースは食品でも雑貨などモノでも、ファッション、デザイン性をメインとしたデザインコンテンツ、サービスなどを日本とロシアで融合し、創出できればと思っております。

私は、そのなかで食品に関わる仕事に従事しておりますから、当然、最初は食品ありきで考えます。このようなビジネスの種を食品カテゴリーばかりに縛られず、今後さらに越境してビジネスを広げていきたいと思っております。

マトリョーシカと水産加工品、日本のお菓子、アニメーション、温泉、銭湯など、モノ、コトが日本とロシア相互に交わって、新たなヨーロッパとアジアの化学反応が始まればなどと期待をしております。それは、一〇年、二〇年、五〇年と時間を要してもとは思っております。

末筆となりますが、私がそのような取り組みがきっと上手くいくと思えてしまう根拠は、やはり、ロシアは我々日本人が思っている以上に、間違いなく親日国であるということでしょうか。

そのうえで、歴史的な過去を白紙に戻し、地政学上の圧倒的な有利な相互の関係を活かして、世界経済の地図を約一世紀ぶりに日本とロシアで少し色を変えることが出来たら、次世代にとって未来が豊かで魅力的になるのではと、そこは個人的ではありますが考えたりも致します。

今回、この私の拙い文筆に目を通して頂きました皆様には、敢えて、寒いロシアをおすすめします。夜、光が輝き、綺麗なデザインの装飾、街並みに囲まれて、こんなに美味しくスープが飲める国はないのではないでしょうか。

今まで日本が抱いてきた印象とは違うロシアを今後も紹介して参りたいと思っております。

田代　紀子

日ロ演劇・文化交流コーディネーター
日本・ウラジオストク協会副事務局長
東京

あるとき、チェーホフの「かもめ」を稽古していた際、ロシアで芝居を観るチャンスが巡ってきました

一九の頃、小学校公演を行う児童劇団に在籍していました。北海道から全国を旅で回り、小学校で演劇公演を行う仕事です。いくつかの小学校が合同で劇団を呼ぶこともありました。日本には、演劇教室といって年に一、二回、教育の一環として小学校で演劇公演を行います。この旅回り公演を通して、私は演劇に魅せられ、そして演劇とは何かを考え始めました。舞台にも出ましたが、身体をこわし続けられなくなりました。それでも演劇を辞めようとは思わず、児童演劇から新劇の世界に入りました。あるとき、チェーホフの「かもめ」を稽古していた際、ロシアで芝居を観るチャンスが巡ってきました。

時を同じくして、私の祖父が他界しました。祖父は旅行と歴史が大好きでした。ヨーロッパの国々を回り、ソ連まで旅し、その後はロシアに毎年旅行に行くようになりました。帰ってくると、旅行の話をしながら幼い私に写真を見せてくれました。ある時、一緒に写真を見ていると、誰に言うでもなく「ロシアだけは避けていたんだ」とつぶやきました。これは小さな女の子にはショックでした。理由はとうとう聞くことは出来ませんでした。そして私は祖父の言葉の謎解きがしたくなり、ロシアに行くことにしたのです。

初めてのロシアで私はあこがれのモスクワ芸術劇場を訪れました。美術家でありプロデューサーだった松下朗氏が、阿部公房の「砂の女」をオムスクドラマ劇場に紹介し、そのモスクワ公演に私たちを招いてくれたのです。その公演で「砂の女」は三つの「ゴールデンマスク」を受賞し、松下朗氏は直ちに来日公演を決定しました。そして、私は彼の来日公演の事務所で働くことになります。ロシア語をまったく知らないのに、です。

　日本公演では「砂の女」だけではなく「三人姉妹」も呼ぶことになり、公演団は三〇〜四〇名になり、制作はてんてこ舞いでした。俳優のなかにはロシア国籍だけではなく、ベラルーシ国籍もいて、ビザ問題解決にも時間を要しました。通訳はたったの二人。そんなとき、俳優たちと言い争いが起きました。どこのホテルの規定でも禁じられていることですが、ひとりの女優がホテルのバスタブで髪を染めたのです。しかしロシア語を知らない私は彼女を納得させることが出来ませんでした。さらに来日公演の現場ではその他にも様々な問題が起こり、そのとき、私はこれらを解決するにはロシア語が必要！と思ったのです。もうひとつの理由としては、この来日公演のあと、プロデューサーが亡くなりました。日本人ではあるけれども、分骨されオムスクのお墓に眠っています。彼ほど強く演劇とロシアを愛していたひとを私は知りません。そして、私は彼の遺志を継ぎ、日本とロシアの若者の懸け橋になりたいと思いました。恐らく、私が今日頑張れるのは、私に多くを教えてくれた人生の師匠たちの強い想いが後押ししてくれているからです。新しい企画を生み出す力を与えてくれている彼らに心から感謝しています。

著者、1993年

　そんなわけで、私は東京ロシア語学院に入学し、三年ロシア語を勉強しました。私はもちろん演劇を続けたいと思っていましたが、身体を壊したこともあり、舞台に立つことはもう出来ないと分かっていたので、今度は舞台を下から支える仕事、つまり演劇企画を実現させる制作側の人間になろうと決めました。けれども、日露演劇の企画にはロシア語だけでは不十分。何故なら、海外公演を行うには、書類作成、物流、食事、ホテル、ビザなど旅行に関する幅広い知識が必要だからです。そこで私はロシアを専門とする旅行会社に入社して、三年間必要な知識を学びました。

　転機は二〇〇七年、民間団体「日本・ウラジオストク協会」が東京に設立され、私はここで活動を始めました。

オムスクの松下朗先生、2016年

母体となったのは、ウラジオストク市で二年に一度開催されている「ウラジオストク・ビエンナーレ」実行委員会で、イベントには北は北海道から南は沖縄まで、全国各地の日本人参加者が集まり、これが協会設立のきっかけとなりました。この協会は、沿海地方ウラジオストク市との文化親善交流事業を全国的な規模で組織し恒久化させていくことを目的として、沿海地方の文化、芸術、経済の情報を会員へ伝え、日ロ双方の窓口として事務局を置き、日本とウラジオストク市及び沿海地方の都市との相互理解と親善交流の輪を広げる活動を行っています。

二〇一八年、私は協会の活動として、ウラジオストクにおける歌舞伎訪ソ九〇周年事業として歌舞伎の訪ロ公演の企画に携わりました。その後は日本人観光グループをロシアやバルト三国に案内する添乗の仕事。さらに八月末には、クラスノヤルスク墓参団に同行。日ロ交流に関わっていると、どうしてもシベリア抑留問題を避けることは出来ません。初めてクラスノヤルスクの墓参団に同行した時、遺族は自分の肉親が亡くなった工場の跡地で号泣しました。そして、そのとき、私は祖父の「ロシアだけは避けていたんだ」といった言葉を思い出したのです。祖父はシベリアには行きませんでしたが、もしかしたら、戦時中の同志たちがシベリアから戻らなかったのかも知れない。祖父は旅の中で戦争の原因を探ろうとしていたのではないか。そして時間をかけてロシアを受け入れ、好きになっていったのではないか。今日、私たちが平和な世の中に暮らしているのは、先人たちの尽力の賜物であることを忘れてはいけないと思うのです。それを胸に刻み、今後も日ロ交流の一端を担っていくこと、それが私の使命だと思っています。

ウラジオストク歌舞伎公演、2018 年

遺族会植樹の桜、2018 年

そこで何者であるのか、「ガイジン」か仲間であるのかを決めるのは自分自身なのです

ダリヤ・チューピナ

撮影スタジオ You Tube Space Tokyo コーディネーター、日本旅行者向け雑誌「キモノ」記者
東京

　私はごく幼い頃から、地震が起きた時は何をしなければいけないのかを知っていました。それは、「机の下に隠れる」です。地震など一〇〇年に一度起きるか起きないかのザバイカル出身の女の子が、どうしてこのようなことを知っているのか不思議でしょう。しかし、私は当時からすでに地震大国のひとつであるこの国に住む用意が密かにできていたのかもしれません。学生の頃、インターンシップで来日準備をした時、まるで危険なホットスポットにでも出張するかのようだったことを覚えています。周囲からは、日本には地震の他にさらに活火山や津波があると忠告されました。私の父は、万が一、日本滞在中に何か不測の事態が起こった時に備えて、地震や津波、その他諸々の自然災害からどうやって身を守るのかが書かれた本を私にくれました。そして、もし突然何か起こった場合、どうしなければいけないかを私がちゃんと覚えているか、ひっきりなしに尋ねてきました。友人たちは、「必要な薬はすべて持っていくこと。日本の薬はロシア人の身体に合わせて作られていないから。化粧品もね。それに、ストッキングも。だって、アジアのは全然良くないわ」などと教訓をたれたものです。もし日本でまっとうな食事にありつけない場合に備えてと、ご丁寧に即席カップ麺をくれる人もいました。とにもかくにも、一致団結して準備をすすめ、最終的には北極探検に行く備えよりも念入りに日本渡航の準備ができたのでした。すでに冬を迎える用意のできたみぞれ模様のイルクーツクを後にして、蒸し暑い日本に到着すると、驚きました。九月も末だというのに、ロシアでは夏真っ盛りの、それもとりわけ暖かい夏でしか起こりえないような暑さでした。日本は空気もまったく違っていました！ロシアのように爽やかで、

からっと晴れやかではく、アンズのような香りを含んだ、ジメジメ、ジトジトとした空気でした。後に、アンズの香りに桂花、または日本人が「キンモクセイ」と呼ぶ黄金色の花の甘い香りが加わりました。キンモクセイは九月に日本中で咲きます。いつもこの花を見ると初めて日本で過ごした、素晴らしいのん気な時代を思い出します。

　ところで、私は一体どうしてこの謎めいた国に来ることになったのでしょう？ そのことを何度も日本の人から聞かれましたし、特に、日本人でも皆が知るわけでない日本の片田舎に、シベリア出身の私が住んでいるとなるとなおさらです。でも私は、皆が驚くのもわかります。遠いシベリアの田舎に突然アフリカ系アメリカ人がやって来た時のことを想像してみてください。なぜここに住んでいるのかを探ろうとするロシア人おばあちゃん達の質問攻めにうんざりすることでしょう。イルクーツク国立言語大学を卒業し、通訳翻訳、言語学専門の資格を持つ私は、レストランのウェイトレスをしていました。当時、多くのお客さんが、私だって答えを見つけられたらどんなにいいか、と思う質問を好んで投げかけてきました。「ねえ、あんたの教養が何の役に立ってるの？ これからも年金生活に入るまでずっとテーブルを磨いて過ごすつもり？」。私だって、希望を失ったわけではありませんでした。……キャビンアテンダントになろうと思っていたのです！ そうですとも、通訳翻訳者でもなく、教師でもなく、キャビンアテンダントです。というのも、旅をしたくてたまらなかったのです！ たくさんの身体検査を受け、国際線がある航空会社に何度も足を運び、真っ赤な制服を着て機内に入る乗客に挨拶をする自分をすでに想像していました。しかし残念ながら、当時私が耳にしたことは、次のフレーズに集約されました。「残念ですが、我が社の募集は締め切りました。来年にお越しください」。そんなある日、突然電話が鳴りました。その電話は航空会社ではなく友人からでしたが、その時はとても馬鹿げていると思えたことを言ったのです。「日本のテレビ局が、日本語ができて日本で働きたい人に向けてオーディションをするんだって。参加すべきだよ！」人生で誰かの言葉が根本的に私の人生を変えたことは二度とありません。そして、私はこの冒険に身をゆだねることにしたのです！ だって、そうでしょう？ 私には失うものなど何もありませんし、子どもの頃から女優に憧れていましたから！ 実際には、面接用の広間に入り、当時の私よりもはるかによく日本語ができる同級生、優等生たちの姿を目にした時はとりわけ、子どもの頃のように、自分にチャンスがあるとはあまり思えませんでした。生まれつき恵まれた魅力的な容姿（驚くべき謙虚さ！と言っておこう）のおかげか、日本の大学で研修をした最近の経験からか、はたまた民謡と踊りを披露（音楽学校で習った経験が生きた）したからなのかはわからないが、一次審査の後、審査員から最終オーディションに進むように言われました。審査員のひとりは、そのテレビ局の代表取締役でした！私はほとんどショック状態で、我が耳を疑いました！二次面接はもっと難しいもので、東京の地下鉄線の数よりもたくさんある日本のエチケットと決まりに気をつけながら、英語と日本語で話しをすることでした。オーディションは約一時間続き、私が最初でした。日本の南部にある、大きな持株会社の経営者の方々は、とても愛想のいい中年男性で、その時の私には奇妙に思えた質問をたくさん投げかけてきました。「お酒は好きですか?」から「彼氏はいるの?」

日ロ共同撮影チーム　ペテルブルグ

といった質問に至るまでです。今ならわかります。お酒に関する質問は、日本ではごく当たり前で、実際、ロシアでこの質問がもつであろうネガティヴな意味とは違って、それどころか正反対なのです。お酒が好きだということは、付き合いやすい人だということを意味し、仕事仲間にもすぐに馴染める人だと見なされるのです！日本語には、こうした現象を説明するのに「飲みニケーション」という言葉もあります。日本人は、こうした飲み会でしばしば大切な仕事上の問題を決めたり契約を結んだりしますし、お互いをより良く知る機会でもあるのです。仕事中にはその人のことを少ししかわからなくても、オフィスを出れば皆緊張が和らぎ、その時はほんの少しでも性格が出るからです。

　こうして、オーディションに合格し、それから五年にもなる私の日本の物語が始まりました。テレビ局は、誰も知らない都城（宮崎県）という小さな町の、小規模なケーブルテレビだとわかりました。そこは、山と火山の間に隠れた、謎めいた島々がある九州の町です。そこに観光客が訪れるのも稀で、日本の中心部に住むほとんどの日本人はこの町の存在を一度も聞いたことがないぐらいです。だって、東京から一歩離れれば、すべて「田舎」ですから。

　私たちは、新年を迎える前に到着し、すぐに撮影に入りました。大晦日の夜の生放送だったのです！　歌あり、踊りありの、視聴者が想像しているような遠くて寒いシベリアを紹介するものでした。こうして、新年を過ごしました。ありがたいことに、ロシアほどの寒波ではありませんでしたが、寒い中を六時間ぶっ通しでテレビ撮影の洗礼を受けました。その後は慣れるのに何ヶ月かかかり、私たちは日本人に慣れ、日本人も私たちに慣れてくれました。日本で留学することと働くことは、まったく違うことがわかりました！　渡航前に、友人たちが私をからかって、インターネットをよく探さないと見つけられないような、日本に関するありとあらゆる映像を私に送ってくれました。その中に、会社のオフィスで皆一緒に掃除をしたり体操をしたりするものがあったのですが、それを見て、失笑するばかりでした。ぜんぶファンタジーよ、と。信じていませんでした！　ですから、初出勤の日の朝にオフィスに行ってみると、埃を拭き、床に掃除機をかける従業員を目にした時はどんなに驚いたか！　上司ですら、自らオフィスの入り口付近の場所を掃いていたのです！　私たちはあまりにショックを受けて、言葉を失いました。しかし、朝の作業はこれで終わりではありません。その後は皆体操をしに行くのです！　体操が終わると、まったく独特な儀式が始まりました。あらかじめ順番で決められた職員が全従業員の前に出て、好きなテーマで三分間スピーチをするのです。その後、全員で企業理念が書かれた特別な手帳を音読し、唱和していました！　それは、子どもの頃によく行った子どものサマーキャンプを彷彿とさせました。しかしすぐに、インターネットに出ていた、日本の似たような日課を映した映像のことを思い出しました。それはごくありふれたことであり、まさにこうして日本企業の仕事の一日が始まるのです……。

　日本での人生行路が始まったばかりの当時は、想像することもできませんでした。時が経ち、二〇一七年にイルクーツクの映画館「ソドージェストヴェンヌイ（芸術）」の舞台に立って「ゴンザ　世界最初の露日辞典を作った男」というドキュメンタリー映画を紹介することになるとは。この映画は、日本のＢＴＶ株式会社（宮崎県都城市を中心にケーブルテレビやインターネットの

サービスを展開）と、かつて私たちのオーディションを企画したイルクーツクのテレビ局АИСТが共同で撮影しました。この映画では、船が難破してカムチャッカの岸辺にたどり着いた日本の若者、ゴンザがテーマになっています。船の乗組員のうち、生き残ったのは一一歳のゴンザ少年と同僚のソウザだけでした。コサック達に捕らえられ、時の女帝アンナ・ヨアノヴナの宮殿に届けられました。一八世紀の出来事です。サンクトペテルブルグへのゴンザの道のりは、イルクーツクを経由し（そういうわけで、ここでテレビクルーの募集が行われた）、長いものでした。自らの短く悲劇的な生涯で、ゴンザは日本語の手引書を数冊と辞書を作成することに成功しています。ゴンザが大きく貢献したことで、ロシアに最初の通訳翻訳者たちも現れました。しかし、この辞書に顕著なのは、今も九州南部にある鹿児島県の地元の方言で書かれていることです。手引書の原本とゴンザ手書きの辞書は、サンクトペテルブルグに保管されています。これは、自分がふたつの国家の絆を結ぶことになろうとは思いもしなかった日本の若者の偉業の物語なのです。映画はロシアでも日本でも好評を得て、権威ある賞をとり、その後ＮＨＫが買い取りました。撮影当初は、私たちもこの映画が多くの人の目に触れるようになるとは予想もしていませんでした。

日本で過ごす年月の間でわかったことは、私たちがどんなに違っていようと、どんな言葉で話そうと、私たちをいつも結びつけるものは同じで、人間性と互いを理解したいと願う気持ちです。そして、こうした願望がある限り、私たちはひとつなのです！

日本の片田舎に暮らした時のことはずっと覚えています。故郷ザバイカルの大草原を思わせるような果てしなく続く田んぼ、二三ヵ所の活火山、そのうちの三つの山に登り、火山灰が降ってきたこともあります。言い伝えにより日の出ずる国の歴史が始まったとされる聖なる神社、そしてもちろん、親切で心優しい、何者にも代えがたい人々のことです。「ガイジン」を控えめな家に入れてくれて、すぐにではなくても、心を開いてくれた人たち。日本人は、私に「あなたがいるところがあなたの家」というフレーズを教えてくれました。そこで何者であるのか、「ガイジン」か仲間であるのかを決めるのは自分自身なのです。

こうした思い出に思いを馳せる時、今でもいつも鳥肌が立ち幸せの涙がこみ上げてきます。もしあの運命を決める電話がなかったら私はまったく違った自分だけの日本を知ることはなかったのですから。

（翻訳　樫本真奈美）

チュービナ撮影「日本」

ウラジオストクとの出会い

藤本　和貴夫

大阪大学名誉教授
大阪経済法科大学特任教授

1．　二〇一八年一二月初め、「第三四回日ロ極東学術シンポジウム」が大阪で開催された。このシンポジウムは、ロシア極東と日本の関西で毎年交互に開催され、日ロ関係を含めて、東北アジアの政治・経済・歴史・社会・文化に関わる諸問題をグローバルな視点から議論するというものである。ロシアからの参加者は主としてウラジオストクとハバロフスクのロシア科学アカデミーと極東連邦大学など大学の研究者で、今回は特にV．I．セルギエンコ・ロシア科学アカデミー極東支部議長、V．V．ゴルチャコフ前沿海地方議会議長に参加いただいた。

第一回日ソ極東学術シンポジウムが開催されたのは、一九八四年七月である。その後三四年間もこのようなシンポジウムがほぼ毎年続けられてきたことは奇跡的である。かつて日ソ間には歴史、文学、経済、政治などに関する多くの学術シンポジウムが存在したが、ソ連の崩壊と新たに生まれた新国家への体制転換のなかで関係が途絶し、現在続いているものはない。

今から考えると、このシンポジウムが続けられている理由はいくつか考えられる。まず東北アジア地域というソ連時代にはマイナー、あるいは冷戦のために不可能と考えられていた研究テーマが新しい時代に適応できていること、中央の政治動向に直接左右されることを避けることのできた地方同士で融通のきく交流であったこと、さらにウラジオストクを中心とするロシア極東と日本の歴史的関係の深さではないだろうか。

一九八〇年代半ばにソ連でペレストロイカが始まるまで、ウラジオストクは外国人にとってはベールに包まれた秘密の存在であった。第二次大戦後の日本のシベリア抑留者の帰国の窓口となった同じピョートル大帝湾に面するナホトカとは異なり、ウラジオストクは軍港であり、閉鎖された都市であった。

私がウラジオストクに関心をよせるようになるのは、一九七一年である。この年の春にウラジオストクのソ連科学アカデミー極東学術センター（極東支部の前身）から五人の学者代表団が大阪大学を訪問した。団長はアンドレイ・クルシャーノフ同センター幹部会員、それにボリス・スラヴィンスキー学術書記（後に『極東の諸問題』誌副編集長）らで、私は一週間ほど代表団の世話役を命じられた。一行は東京などを訪問した後に帰国した

その年の夏休み、私はナホトカで開催される環太平洋世界青年友好祭にクルシャーノフ博士の招待で参加した。八月一三日に新潟からハバロスクに飛行機で飛び、列車でナホトカに入った。日本以外にフィンランド、ニュージランド、ペルー、チリやメキシコなど世界各国の青年友好団体が招待されていた。

この会議についてはは昔のノートが残っている。それによるとモスクワからナホトカにやってきた講師陣はカピッツァ博士やルキーン米国カナダ研究所長、そして若いモスクワ国際関係大学のアレクサンドル・パノフ助教授（元駐日大使）らである。また地元ではクルシャーノフ博士やゴルチャコフ極東大学学長らが講演者であった。この友好祭はその後も何回か続いた。

私はその後、日本学術振興会の海外派遣研究者として、モスクワのソ連科学アカデミー・ソ連邦史研究所で一九七八年一〇月から一〇ヶ月間の研究生活を送った。ブレジネフ政権末期で、われわれをとりまく官僚主義的で非効率な社会体制に悩まされたが、ソ連社会を研究するという意味では興味深いものであった。一方、私が研究テーマとしたソ連極東における革命で、クルシャーノフ所長の了解をえて、モスクワでウラジオストクの歴史研究所への訪問の申請書を出し、何度も折衝したが実現できなかった。当時は、図書のコピーに関して研究者にはある程度寛大であったレーニン図書館でも、内容にかかわらずテーマがウラジオストクかウラジオストク発行の著書、雑誌のコピーは一切の説明なしに拒否されていた。ウラジオストクが閉鎖都市であったということであろうか。

変化の兆しが見えたのは一九八三年であった。ナホトカにあるソ連対外貿易公団「ダリイントルグ」と取引する貿易会社を経営していた友人の岩崎義氏から、ソ連極東の研究者が学術交流を希望しているという話が伝わってきた。当時、日ソ間の学術交流はあったが、モスクワの研究

者が独占していた。この話は、地方で時代の空気が変わりつつあることの反映であったのであろう。先方は、極東学術センターの若手研究者を日本一周のソ連の観光船（クルイーズ）に通訳などの名目で乗せ、日本で研究者との交流を図らせようと考えているということであった。ウラジオストクにも知恵者がいたというべきである。

　その後、ウラジオストクとのすべての連絡は岩崎氏の貿易会社とダリイントルグのテレックスを使って行われた。われわれはソ連の研究者を受け入れるため関西で「ソ連極東の研究者との学術交流推進日本研究者会議」を組織した。そのクルイーズ船は、一九七四年六月二五日金沢港着、以下、鹿児島、広島、神戸、東京、小樽を回り、七月一三日に小樽を出航して帰国することもわかった。

　最終的には、ウラジオストクの歴史研究所や海洋経済研究所の八人の若手研究者がクルイーズ船に乗って来日した。当初の参加者リストにあったクルシャーノフ歴史研究所長、ゴルチャコフ極東大学学長は不参加で、団長はアルカージ・アレクセーエフ太平洋海洋学研究所の学術書記（現ロシア科学アカデミー準会員）であった。

　岩崎氏と私はシンポジウムの報告のための原稿を金沢港に停泊中の船まで受け取りに行き、大阪に持って帰った。原稿は、クルイーズの船が鹿児島、広島を回って神戸港に到着する間に関係者で手分けして翻訳した。こうして、一九八四年七月四日、大阪大学で第一回日ソ極東学術シンポジウムが開催された。報告はソ連側からだけでなく日本側からもなされ、ソ連極東と日本の研究者の自然科学を含めた互いの研究情報の交換の場となった。

第１回シンポジウム

　神戸港から会場の大阪大学まで、デニソフ在大阪ソ連邦総領事の好意で、総領事館のマイクロバスで送迎してもらった。通訳はモスクワ大学を出て東洋レーヨンのモスクワ駐在員の経験者である岩崎氏の独壇場で、それにデニソフ総領事の指示で日本語の堪能な総領事館員（今では誰であったか思い出せない）が助けてくれた。日本で行う会議の通訳をボランティアで行うという「伝統」は現在も続いているが、私はそれがこのシンポジウムを続けられた大きな理由の一つであると考えている。

同日、ソ連科学アカデミー極東学術センターの研究者と日本の関西地区研究者との共同声明を採択し、ネハエンコ氏と私がサインした。互いの交流の拡大と次回のシンポジウムを翌年ナホトカで開催するというものであった。

形式的には、ソ連の巨大学術組織であるソ連科学アカデミー極東学術センターと「関西地域研究者」との共同声明で、日本側はいわばボランティア団体で、いかなる権威からも認められたものではなかった。

このシンポジウムはマスコミで大々的に取り上げられることはなかったが、「朝日新聞」夕刊に編集委員の白井久也氏が「成果あげた民間外交」というコラムを書いてくれた。少し引用しておきたい。

「……ソ連側は日ソ関係がよくないときだけに、当初、シンポジウムが果たしてうまくいくかどうか不安を持った。だが、いざフタを開けてみると、百人前後の研究者が集まっただけではない。人文・社会・自然科学全般にわたる両国研究者の報告とそれに基づく討論は、きわめて水準の高いもので、日ソ双方とも「一衣帯水の関係にある関西とソ連極東地域の学術交流がこれまでなかったのが不思議だ」（竹浪祥一郎桃山学院大学教授）。「今後、関西と学術交流を進める礎石となった」（アレクセーエフ太平洋海洋学研究所学術書記）と手放しの喜びよう。

次回のシンポジウムをどういう形で開くかは未定だが、これが機縁となって、日本側が希望するウラジオストクでの開催が実現すれば、ソ連極東地域は日本に一段と近いものになる」。

2.

第二回シンポジウムは、一九八五年八月にナホトカとハバロフスクで開催された。日本からは関西の研究者以外に北海道大学の三名の研究者が参加した。前年のクルイーズは北海道にも寄港して北海道大学でも会合がもたれ、シンポジウムへの参加が合意されていたからである。そのため日本側の参加者は一四名となった。

われわれはバイカル号でナホトカ港に入り、シンポジウムは、八月一八日からナホトカの海員文化宮殿の大会議室で始まった。極東学術センターは、本部のあるウラジオストクから、センター総裁のA．D．シチェグロフ・アカデミー準会員と歴史研究所の所長A．I．クルシャーノフ・アカデミー準会員ら極東学術センターの首脳陣がナホトカまでやってきた。ソ連側の参加者二〇～三〇名のほぼ全員がウラジオストクからの出張であることを、われわれはその時初めて知ったが、科学アカデミーと極東大学の研究者が中心であった。シンポジウムは二二日の午前中で終わり、われわれは夜行寝台列車でナホトカのチホオケアンスカヤ駅からハバロフスクへ向かった。

ハバロフスクは外国人にも開かれた都市であり、ここには極東学術センターの経済研究所があった。所長はチチカーノフ・アカデミー準会員である。シンポジウムは市の中心部にあるソ連対外友好文化交流団体連合会ハバロフスク支部の会議室で行われた。シンポジウムは二三日の午後から二五日の午前中まで経済関係の討論が行われ、われわれは再び夜行寝台列車でナホトカに帰った。そして、その日、ナホトカ港から日本に向かう船中二泊の船旅についたのである。

この年の五月に、この国の中央では大きな転換が始まっていた。ゴルバチョフ政治局員が共産党書記長に就任していたのである。極東学術センターがほぼ一体となってわれわれ外国の研究者とのシンポジウムを始めようとしたことは、その改革の先取りであったともいえるのではないだろうか。

第二回シンポジウムの最後に、われわれと極東学術センターは次回を大阪で継続することに合意した。しかし、国家組織であるソ連科学アカデミーとわれわれの団体との協定では、不安定であることに間違ない。さまざまな交渉を重ねた結果、このシンポジウムを日本対外文化協会とソ連対外友好文化交流団体連合会の「一九八六年度　日・ソ交流協定」に加えてもらうことに成功した。こうして第三回以降は、公式の友好団体間の協定に基づくシンポジウムと見なされ、財政的な問題は別にして、形式的な問題はなくなった。

第三回日ソ極東学術シンポジウムは、一九八六年一一月、再び大阪大学の文学部棟で開催された。ソ連側はV．A．フェドセーエフ極東学術センター海洋経済研究所長を団長に四名が、日本側は報告者として、新たに東レ経営研究所の森本忠夫社長、加藤九祚・国立民族学博物館名誉教授、日本中世史の脇田修・大阪大学教授にお願いした。

この年の七月、ゴルバチョフ書記長がウラジオストクを訪問し、「ウラジオストク演説」を行っている。その演説のなかで、書記長は、米国、インド、中国、日本などと並んで、「ソ連もアジア太平洋国家である」と宣言した。われわれのウラジオストクでのシンポジウムの開催への期待は徐々にふくらんだ。

3. 「ウラジオストク演説」がウラジオストク市訪問の期待を高めた。ゴルバチョフ書記長は「ウラジオストクを東に向かって大きく開かれた窓にしたい」と述べており、日本ではゴルバチョフ書記長の訪日の期待も高まった。しかしそのためには太平洋での政治情勢が好転するという条件もつけられていた。

一九八六年一二月二九日付けの「毎日新聞」は、「ウラジオストク・江川昌特派員」の記事として「不凍港に灰色の軍艦」という「要塞」ウラジオストクの取材ルポを一面に掲載した。軍艦に近づくことも写真撮影も禁止という条件ではあったが、ウラジオストクへの入市が認められたスクープ記事である。これらの記事の中で、江川特派員は、現地の指導者のなかではウラジオストク開放への期待が大きいが、ゴルバチョフ演説で期待が膨らんでいたウラジオストク開放の方針が変更されたというドミトリー・ガガーロフ共産党沿海地方第一書記の言葉を伝えている。一一月のレイキャビク米ソ首脳会談が物別れに終わり、米ソ首脳会談以後の情勢変化で「太平洋の情勢の好転」はないと判断され、「窓」は開かれないことになったというのであった。

その後、一九八七年四月二一日付けの「朝日新聞」夕刊一面で再び「太平洋にらむ灰色の軍艦群」という見出しの記事が掲載されている。筆者は白井久也・編集委員で、「西側記者としては初めて地上から金角湾の全景をカメラに収めた」と、今度は港に停泊する軍艦群の写真入りであった。白井編集委員は、その後二週間の極東シベリアの取材旅行の後、五月一三日付「朝日新聞」朝刊で、五月二六日から五日間、ウラジオストクで「日ソ沿岸貿易見本市」が開催される予定であり、ウラジオストクの恒久開放には「太平洋と日本海の軍事緊張が解ける」ことが必要であるという慎重論もあるが、ウラジオストクが「西側に開かれた窓」となる日は、確実に迫っていると

書いていた。

第四回日ソ極東学術シンポジウムは一九八七年八月に開催されることになり、日本側の参加者一四名は、八月四日、敦賀港から「プリアムーリエ号」でナホトカ港に到着した。われわれのビザに書かれた滞在地はナホトカとハバロフスクであったが、先方からウラジオストク訪問については努力しているという話を聞いていた。

しかし、シンポジウムは八月五日から、前回と同じナホトカの海員文化宮殿で始まったが、いつまでもソ連側からウラジオストク訪問の話がでてこなかった。そこで会議の三日目になってシンポジウムの会場で、日本側からソ連側の実行責任者であるニコライ・ネハエンコ極東学術センター幹部会国際部長に説明を求めた。ネハエンコ氏からは努力したが今回は許可が出なかったといった釈明があったが、日本側も簡単にはおさまらず、「ペレストロイカと言いながらそれは偽りか」「ゴルバチョフ書記長に電報を打とう」など勇ましい意見が飛び交った。最後は、ネハエンコ氏が再度努力するということでその場は終わった。

結局、その日の夜になって、翌日、水中翼船で日帰りでウラジオストクに行くという連絡があった。水中翼船ならウラジオストクまで二時間の行程である。しかし、翌日、海は凪いでいるように見えたが、外海は波が荒く、船長が、いま船を出せても、ナホトカへの帰路は保障できないといっているという説明を港で受けて、ウラジオストク行を断念せざるを得なかった。(後に聞いた話では、実際は許可が下りず時間稼ぎでの苦肉の対応であったという)八月九日、われわれはナホトカのチホオケアン駅から夜行寝台でハバロフスクへ向かった。

第4回シンポジウムの様子

ハバロフスクでのシンポジウムは八月一一日の午後に開会し、一二日の昼で閉会した。一三日にウラジオストク訪問の許可が出たという連絡が同行していたネハエンコ氏から入ったからである。一二日の夕方、モスクワ発ウラジオストク行の寝台列車にハバロフスクで寝台列車が一両増結された。

翌朝、ウラジオストクとの最初の出会いが待っていた。

ウラジオストク駅では、ナホトカで別れたばかりのウラジオストクの研究者たちが出迎えてくれた。駅前広場のレーニン像に花束を捧げた後、当時、最高級のホテルであったウラジオストク・ホテルで朝食兼打合わせ、その後、レーニン通りにある科学アカデミー極東学術センター幹部会を表敬訪問、地質学の研究所を見学の後、昼食を空港からウラジオストク市に入る境界にある民芸調のレストランでとった。都心への帰路に科学アカデミーの植物園を見学、ウラジオストク市長表敬訪問の後、ウラジオストク港から水中翼船でナホトカに帰った。われわれは一日中パトカーが先導するバスでウラジオストク市内を駆け巡った。

当時、どのような経緯でわれわれのウラジオストク訪問が許可されたのか知る由もなかった。ほぼ同時期にハーバード大学の研究者グループもウラジオストクを訪問するという話を私は聞いていた。しかし、モスクワからやって来た彼らは、結局、ハバロフスクで足止めされ、ウラジオストクには入れなかったという。

ウラジオストク到着後の朝食時、今回のわれわれのウラジオストク訪問の許可をえるため、中央との交渉が大変難しかったという説明を聞いた、また、全く別の人からも中央への報告が必要なので、今回の日本の研究者のウラジオストク訪問の意義をどのように考えるかという質問を受けた。私は、今回の参加者の多くはソ連研究の専門家であり、日本のジャーナリズムなどからウラジオストク訪問の記事を依頼されてきている。もし、ウラジオストクに入れなかったら、日本でのペレストロイカの評価にかかわることになっただろうと答えた。帰国後、参加者の多くが新聞にソ連におけるペレストロイカの現状と結びつけてウラジオストク訪問記を書いた。反響が大きかったことを覚えている。

インターネットの時代とは異なり、モスクワとの時差が七時間もあったことは、ウラジオストク

1995年、
第11回シンポジウム

とモスクワの間の実質的な交渉時間が限られていたことを意味する。ネハエンコ氏をはじめ当時「交渉相手」であった多くの友人たちが若くして亡くなっていることに改めてこの時代の厳しさを思わざるをえない。

その後、一九八九年の第六回、一九九一年の第八回のシンポジウムは問題なくウラジオストクで開催された。一九九二年一月にウラジオストクは外国人に開放された都市となり、さらに新たな出会いが始まった。

かつてウラジオストクに居住していた人々の子孫や関係者たち、あるいは研究者たちが日本人の足跡をたどる試みを始めた。その結果、明治維新前後から始まるウラジオストクでの日ロ交流の歴史が改めて再発掘された。浦潮本願寺碑や与謝野晶子の詩碑が建てられ、旧日本商店の建物に紀念プレートが取り付けられ、旧日本人街の地図が作られた。私は多くの訪問者たちがこの街で新たな出会いに巡り合うことを期待している。

1984年 第1回日ロ極東学術シンポジウム（大阪）後、読売新聞のインタビューを受けたゾーヤ・モルグン先生（当時37才）の記事を紹介します！

「日ソ関係嘆く学者　ウラジオ生まれ、日露戦争研究」

ゾーヤ・フォードロブナ・モルグンさん（37）

日本海の向こう側、ウラジオストクで、日露・日ソ関係史、それも日露戦争を主要テーマに研究している歴史学者。六月末、約三百人の観光客に交じって来日、阪大、東大などで日本側の学者とミニ・シンポジウムのシリーズをこなした。

「そうね。なぜ日ソ関係史を学んでいるのかしら。私の場合は何といっても、日本の一番近くに住んでいるからね」

ウラジオ生まれで、ウラジオの極東大学東洋学部で日本語を学んだ。学生のころ、どうしても日本が見たくてナホトカから出る客船に「通訳」として乗り込み、広島、大阪、東京に立ち寄ったこともある。もっとも当時、日本語は習いたてだったため「通訳」としての用はなさなかったとか。

十七世紀から今日までの外交史の一環として数人の共同チームで日露戦争を手がけるようになった。日本側の文献を読むのが主な仕事で、今回の旅行から帰国した後は、日本の知人からもらった司馬遼太郎「坂の上の雲」に挑戦した。私が大学に入ったころは、日ソ関係が一番いい頃で、日本のことは何でもソ連国内で紹介されたものでした。経済、文化など様々なチャンネルを通じて両国関係をもっと改善することができると思います。でもこれだけ待たされると、生きている間にその時がくるかどうか……」冷え込んだ日ソ関係に話が及ぶとゾーヤさんの顔が曇った。

（布施裕之記者）

ロシアや世界の写真界は、作家のパイオニア精神とオリジナリティに敬意をはらってくれる

福田　俊司
アレクサンドル・オメリヤネンコ

福田　ネイチャーフォトグラファー、東京
オメリヤネンコ　国立海洋生物学研究所技師
ウラジオストク

福田俊司

一九九〇年以来、わたしは、極東ロシアでワイルドライフを撮影してきた動物写真家、つまり「写真ハンター」です。

今年で三〇年目、毎年五〇日から一五〇日間、延べ二千数百日間以上、北はウランゲル島、南はハサン地区、東はコマンドルスキー諸島、東はバイカル湖と、ほとんど極東ロシアの僻地で過ごしてきた。

しばしばロシアの友達が心配する。

「お前、こんなに留守にして、家族は大丈夫なのか？奥さんは心配しないのか？」

わたしは、いつもこう答える。

「日本には良い諺がある。『亭主元気で留守が良い！』」

ロシア女性も、笑いながら……

「亭主にするなら……船乗り」。

このように夢中になって、極東の自然を取材してきたが、その切っ掛けは、一九九〇年六月、初めて外国人へ解放されたイトウ釣りのフィッシング・ツアーだった。

わたしの実家は鯉養魚場を営んでいたから、リカナは商品であり、釣りに関心が向かない。しかし、無縁の地とばかり思い込んでいたロシアの僻地に、足を踏み入れるチャンスが突然やってきた……未知の世界、わたしのこころは沸き立ち、この企画に飛びついた。

同行の釣り人たちは、一メートル超のイトウや七〇センチほどのサクラマスをつぎつぎと釣り上げ大興奮。そして、サカナを釣り上げては「キャッチ・アンド・リリース」。

案内のロシア人が不思議そうに尋ねた。
「サカナが小さくて、不満か？」
「とんでもない。満足、大満足！」
「なぜ、逃がす？」
「殺しては可哀想だから……」
「だったら、なぜ捕るのだ！　おれの子どもは腹を空かせている。可哀想なおれの子どもに、そのサカナをくれ！」
当時、ソ連経済は迷走していた……反論できる日本の釣り人は皆無。

いっぽう、かつて昆虫少年だったわたしは至福の時をすごしていた。わたしの故郷は、東京から北へ一〇〇キロの宇都宮（日光連山を仰ぎ見ながら育った）毎晩、裏庭の繁みではフクロウの鳴き声が轟き、庭の樹液にはカブトムシ、クワガタ、スズメバチが群れていた。まして奥日光、それも半世紀以上前……じつに生命が濃かった。戦場ヶ原をあるくと、花吹雪のようなチョウの乱舞、餌になる昆虫が豊富だから、草原は野鳥の囀りに満ちていた。しかし、時を経て、今、戦場ヶ原をあるいても、サイレント・スプリング……。

釣りグループから一人はなれて、森のなかを散策すると、クマの真新しい足跡があちらこちらに深々と、そして数百頭のミヤマカラスアゲハが吸水しつつ羽を振るわせている。目の前をオオイチモンジが飛ぶ。故郷から姿を消して久しい高山蝶。しかも次々と……。突然、フクロウが飛び立った。

一瞬、タイムトンネルを抜けて、数十年前の奥日光、自分の故郷にもどったと……身体がふるえた。これがわたしのシベリア取材の原点。

そして、ロシア人たちの温かいもてなしにも感動した。日本人グループのなかでも、どうした訳か、わたしのみが彼らの家々に招かれて楽しい時間をすごした。「ありがとう《スパシーバ》」、「素晴らしい《ハラショー》」など、二つ三つの単語しか知らないのに……ロシアの人たちと馬が合ったとしか言いようがない。

帰国してからも、あの素晴らしい体験が頭にこびりついて離れない。次回はひとりで飛び込み、マイペースで極東ロシアのワイルドライフをじっくり撮りたいと念じた。

そこへ、突然の朗報。日本水産界の重鎮、日ソ・サケマス漁業交渉の担当者、水産庁日光養殖研究所所長、丸山為蔵からお誘いがあった。実家の養魚場を継いだ叔父の恩師だ。

「来週、太平洋漁業科学研究センターの副所長が来る。遊びに来い」。

わたしは依頼書をもって駆け付けた。

「日ロの自然は補完関係にあります。例えば、ハクチョウやツグミなどの日本の冬鳥は、ロシアのツンドラやタイガで繁殖しています。レッドブックのオオワシやマナヅルも日本で越冬し、ほとんどが無事にロシアへ帰ります。渡り鳥が両国を飛び交って、お互いの自然を豊かにしているように、わたしも極東ロシア自然の取材をつうじて、日露友好の一役を担いたいと願っています。ぜひロシアの研究者をご紹介下さい」。

この副所長は「おおいに結構！」と快諾。これで安堵と思ったのも、束の間……数か月間、梨の礫。当時、極東の研究機関があつまるウラジオストクは、外国人の立ち入りが禁じられていた。わたしは、ご夫婦で大臣経験のある大物政治家、インツーリスト、日本の旅行会社等、あらゆる手段を講じて、ロシア科学アカデミーと接触を試みたが、無力感に打ちのめされていた……そんなある日……カタッ、カタッ、カタッと、自宅のファックスが鳴った。

「貴方の撮影に協力します。まず、ハバロフスクに来てください。ロシア科学アカデミー」。

差出人は、のちに無二の親友となった技術部長オメリヤネンコ・アレクサンドル。

早速、わたしはハバロフスクに飛び、インツーリストホテルのロビーで、かれに会った。どのような手続きがなされたのか……数十分後、あれほど苦労したウラジオストク訪問許可が下った。ただちに夜行列車に乗って、翌朝、ウラジオストク駅に降り立った。そして様々な研究機関

があつまるチャイカ駅に直行し、ロシア科学アカデミー極東支部海洋生物学研究所に到着。

早速、副所長室に通され、わたしの熱意と実力が試された。

「一九九二年、われわれは千島列島の科学調査を実施する。しかし予算がない。福田！　日本でスポンサーを見つけろ」。

帰国後、わたしはいろいろな関係機関に打診し、ロシア人研究者達を自腹で招き、ＮＨＫとの橋渡しをして実現した番組が「ＮＨＫスペシャル　初めて見る千島列島」。

この功績を多とし、カシヤノフ・ウラジーミル所長から、ロシア科学アカデミー極東支部海洋生物学研究所名誉会員に任命された。これで、ロシアすべての自然保護区で取材できる可能性が広がった。

三〇年の取材のなかで、特別に強烈な印象があるのは、ウランゲル島のホッキョクグマ撮影とラゾフスキー自然保護区のアムールトラ撮影だ。

ホッキョクグマ取材は、撮影中に、子連れのホッキョクグマに襲撃され、右脚を叩かれつつも、奇跡的に危機を脱し、九死に一生を得て生還した。しかし、この話は紙面の都合上、別の機会に譲ろう。

ここでは、アムールトラ撮影について、筆を進めたい。なぜならTiger untrappedと名づけられた一枚の作品が、わたしの写真人生に第二の扉をひらいてくれたからだ。

その前に、わたしの拙いロシア語日常会話……その独学法について。

中学から大学まで一〇年間、英語を学びながら、読み書きは別として、日常会話も覚束ない。そのうえ、不惑の歳をすぎた、わたしがロシア語を学ぼうと思い立った……その理由は、

①警戒心が強い野生動物を撮影するには、同行者は少ない方が良い。

②当時、日本人捕虜墓参団や釣りのグループ旅行が多く、

単独で、しかも苦労の多い動物写真家を相手にする日本語通訳は見当たらなかった。

わたしのロシア語習得の最終目標は、通訳抜きで、ロシア人協力者とフィールドで意思疎通を図れること。

さっそくNHKロシア語ラジオ講座を取り寄せて、半年間、理屈抜きで、ラジオと教科書を丸暗記する。センテンスで覚えれば、そのなかの単語を一つ、二つを換えて、即戦力にできる。会話の目的は、ロシア人との信頼関係をつくることだから、マイナスの単語は後回し……「ダメ《プローハ》」なら「よくない《ニハラショー》」で充分だし、表現も柔らかくなる。自分の表情、しぐさ、絵など、これら、すべてが行動言語。当時、長女は大学受験だったが、父親の方が勉強した。

そして、ロシア科学アカデミーの人たちのなかへ、カメラを抱えて、単身で飛び込んだ。

「おまえのロシア語はどこで習った?」

「日本のラジオで勉強しました」

「なるほど……でも、日本のラジオは、修理が必要だなぁ……」

そのロシア人の目は笑っていた。

閑話休題、アムールトラ撮影に話をもどす。

二〇一二年二月二七日未明、一晩中、すさまじい風が吹き荒れ、撮影小屋がシンシンと冷え込む。ここはラゾフスキー自然保護区の日本海にのぞむ「危険な湾」に突きだした岬の中腹。昨年の秋、この斜面を掘って、撮影小屋を建てた……長さ二メートル三〇センチ、幅一メートル五〇センチ、高さ一メートル四〇センチ……ここに閉じ籠もって五〇日目……ようやく世界最大の野生ネコ、アムールトラが歩いてくる……わたしは直感した。

「カァー、カァー、カァーッ」

カラスの鳴き声が次第に大きくなる。肉食獣に纏わりついて、食料のおこぼれに与ろうとするのはカラスの習性。

「ワロージャ、起きろ!」

撮影協力者、ウラジミール・メドベージェフの身体を揺すった。かれが窓をすこし開けると、一筋のひかりが射し込む……ワロージャが声を潜めて、「トラ!　静かに準備しよう」。

それから無我夢中……ほとんど記憶にない。しかし、アムールトラにむかってシャッターを押しつづけた数分間……それは写真人生最高の瞬間だった。

それからも二四日間、撮影小屋ですごしたが、チャンス

は一回のみだった。

この野生アムールトラ目視撮影を、世界最初に評価したのは、ロンドンの自然史博物館主催の世界最大のネイチャーフォト・コンテスト、Wildlife Photographer of the Year。

・二〇一三年一〇月、「Tiger untrapped」と題した作品は、Wildlife Photographer of the Year 二〇一三絶滅危惧種部門特別賞を受賞し、イギリス王立地理学会で「Photographing the Amur Tiger」を講演。受賞作品はイギリスの科学誌 NATURE のニュースに紹介され、BBC Wildlife 誌が「SAVING A GHOST」で一連の作品を特集。

・二〇一三年一二月　Dubai Travellers' Festival 2013 に招待され、ドバイの王族たちの前で「Photographing the Amur Tiger」を講演し、皇太子から賞状を手渡された。

・二〇一四年六月、ロシアの野生誌（Дикий Журнал）が「トラを見る」特集。

・二〇一五年　アメリカ最大の Smithonian 博物館発行の Smithonian 誌（二百万部以上）二月号「Cinderella Story」にアムールトラ作品掲載。

・二〇一七年一月　ロシア政府主催（Избранные Фотографии Фестиваля）に於いて、作品展示および講演「アムールトラ」。

・二〇一八年一二月、ロンドンの Royal Albert Hall で開催された世界最大の野生トラ祭典「SAVE WILD TIGERS」に世界のネイチャーフォトグラファー三三人の一人として招待される。

・その他、WWF、GEO、WCS、NEWTON 等で、アムールトラの作品が続々と紹介されている。

ロシアや世界の写真界は、作家のパイオニア精神とオリジナリティに敬意をはらってくれる。作品をつうじて世界の人たちとつながる……これは、長年にわたって協力してくれたロシアの皆様や関係機関の協力の賜と、こころから感謝の意を表したい。

昨年九月、ウラジオストクのルースキー島で、東方経済フォーラムが開催された。その文化プログラムの一環として、わたしの写真個展「国境なき自然」が、マリンスキー劇場沿海地方舞台の五階で展示。一階ホールは、なんと……あのチャイコフスキー展。

もちろん、この展覧会も、アムールトラが目玉だったけれども、くわえて、あと一つのスーパースターが壁面を飾った。

それは、ナショナルジオグラフィックが「世界一美しいカモ」と絶賛し、鳥類学者ウラジーミル・フリントが「東洋の真珠」と讃えたオシドリ。

オシドリの本来の生息地は東アジアだか、中国から移された欧米諸国でも、多くの人々から愛されている。

ところで、日本はオシドリ最大の越冬地だ。しかも、最近三〇年間余で、その数は三倍に増加。

なぜ、日本でオシドリの数は急増したのだろうか？

その答えは、ロシア極東の自然保護の成果だと、わたしは考える。プーチン大統領肝煎りの「ヒョウの国」の創設により、三〇未満と絶滅寸前まで追い込まれていたアムールヒョウが八〇頭強までに回復。そして、タイガの帝王アムールトラも、四五〇頭から四八〇頭の数を維持している。ちなみに、二〇世紀にトラの生息数を回復できたのは、世界でロシアのみ。

わたしは、オシドリを日ロ友好のシンボルと捉えて、これからも日本とロシアで撮りつづけていく所存。ウラジオストク郊外ファンザヴォドで、オシドリを撮影するわたしを見かけたら、ぜひ声をかけてください。

アレクサンドル・オメリヤネンコ

私たちの人生は、時に偶然に左右されます。私の場合もそうでした。以前、ソ連科学アカデミー海洋生物学研究所のヴァレーリー・イワーノヴィチ・ファジェーエフの執務室で、昨年の熱帯遠征を思い出しながら、次の計画を立てていた時でした。会合の終わりに、ヴァレーリー・イワーノヴィチから数枚の用紙を手渡されたのですが、それは、日本の写真家からシベリアの自然を撮影する手助けが欲しいという依頼の手紙でした。私自身、旅をしながら写真をとるのが大好きです。そのために造船技師のキャリアを捨てて、海洋生物学研究所で水中撮影の勉強をしました。研究所の校長が、写真用の暗室を自由に使わせてくれたり、遠征に参加する機会を与えてくれました。その頃には、私はスキューバをつけて、北はオホーツク海から南のニュージーランドまでの勉強を「修了」しました。

福田俊司さんと初めてお会いした時、私は小柄で痩せた日本人を想像していましたが、実際にお会いしてみると、私たちの背丈と体格はほぼ同じ

でした。大切なことは、共通する多くの関心事で私たちは盟友になったことです。この客人にウラジオストクの歴史を紹介しようと、一緒に海軍墓地に行きました。他の墓地の中でも、巡洋艦「ヴァリャーグ」の亡くなった水兵の慰霊碑に案内しましたが、写真家の興味をあまりひきませんでした。その隣にはウラジーミル・クラヴジエヴィチ・アルセーニエフの墓があります。福田さんは、「これが『デルス・ウザラー』を書いたあの人ですか？」と言い、有名な作家であり探検家の墓のところでたくさん写真を撮っていました。その写真のいくつかは、ご自身の本に掲載されています。その時、福田さんは、多くの日本人にとってロシアといえば、シベリア、雪、凍てつく寒さ、熊……といったイメージしかないと前置きをしてから、シベリアに関する本を作りたいと語ってくれました。福田さんは、四季折々の本物のロシアの自然を紹介したいと望んでいたのです。

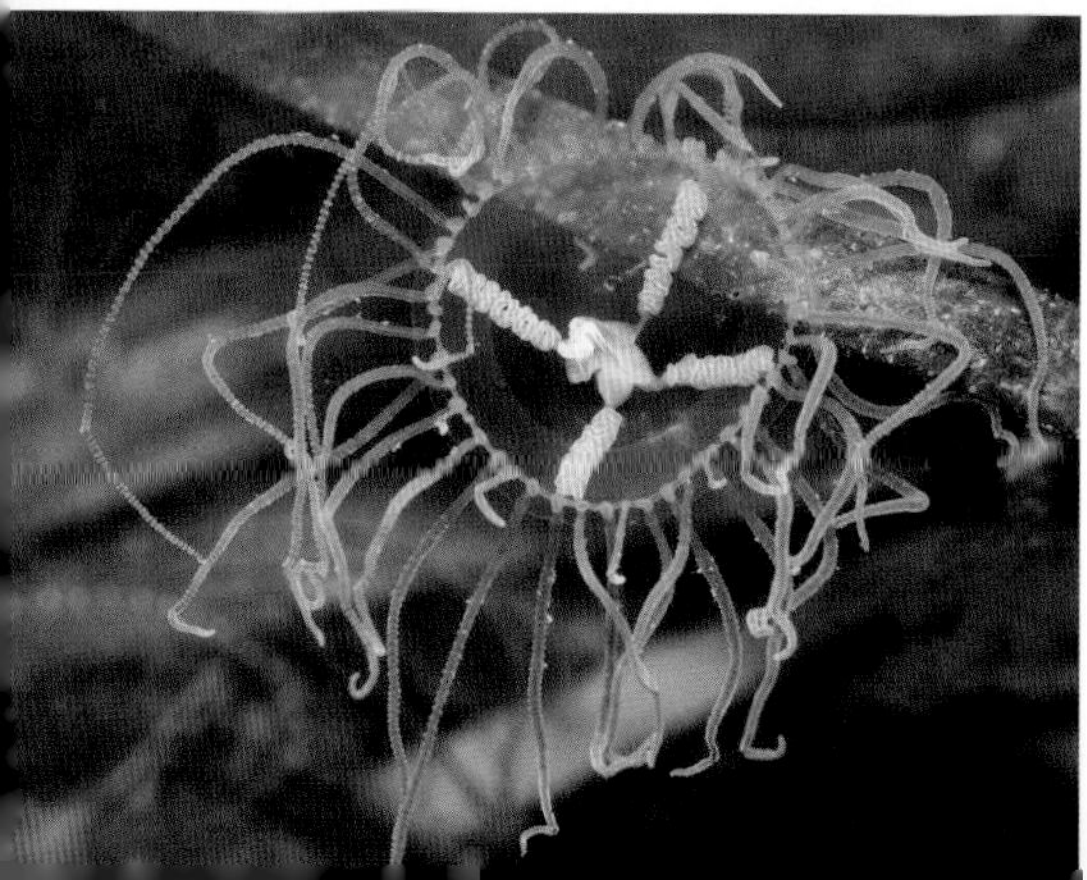

撮影　オメリヤネンコ

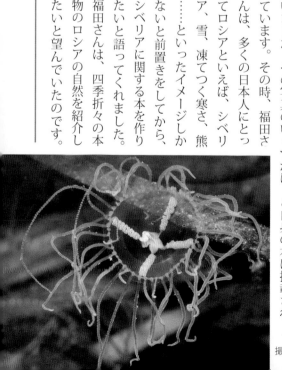

こうして、大変面白い人物であり、素晴らしい写真家との友情が始まったのです。ちなみに、後の一九九五年に福田さんは日本で素晴らしい写真集『シベリア』を出版し、日本のテレビ局ＮＨＫがこの写真集をもとにして極東の自然をテーマに映画を製作したほど、成功を収めました。

我らが沿海州の自然を知ってもらうために、極東最南端の島、フルゲリマ島から始めることをお勧めしました。島には、カモメ、鵜、アオサギの大群れがいます。私たちは撮影小屋を設置し、福田さんはそこで数時間ばかり撮影しました。私はあらかじめ、ミネラルウォーターの入ったガラス瓶を福田さんのために置いておいたのですが、数時間後、撮影を終えて嬉しそうな福田さんが、「喉がカラカラだよ！」と言いました。見ると、ビンは蓋がされたままでした。福田さんはどうやって空けるのか、わからなかったようです。私はすぐに三脚を使って空ける方法を教えました。今は、福田さんはいつもスウェーデン製の小さな折りたたみ式ナイフを携帯し、私たちはお互いに、こうした些細な事にも配慮するようになりました。

極東ロシアの自然を一緒に撮影し始めてからはや三〇年ほど経ちますが、私は、福田さんがどんな撮影に臨む時でも、几帳面に準備をされることにいつも感銘を受けています。しかし、そうでなければ撮影はできないでしょう！

福田さんと交流をするなかで、私はクリル諸島（千島列島）の水中の世界について何度も話をしました。そこは最も美しい場所で、私がこよなく愛する場所です。どんな熱帯も比べ物になりません。一年後には福田さんがやって来て潜水のライセンスを見せてくれました。「ライセンスはいいけど」と私は言いました。「ほら、装備があるから着てごらんよ、実際に潜ってみてどうか、みてみよう」。

福田さんは実際に、お手本通りに装着し、潜り、水の中を泳ぎまわり、落ち着いて上がってきました。次の機会に、カムチャッカの蟹の産卵を撮影し、クリル諸島の探検に向けて準備に入りました。

　クリル諸島の水中の写真撮影は、他の場所とはまったく勝手が違う。深く潜れば水温は低く、流れも強い。でもその代わり、とても素敵で水が綺麗です。さらに、ユニークな眺め、たとえば、水中の森が見えるのです！中でも面白かったのは、「ロブーシュカ」という岩場で潜った時です。岩場はトドやキタオットセイが特に好む群集地です。海の底に潜り、周囲で五〇〇キロ級のトドが遊泳している時の感動は忘れられません！トドは、岸に上がるととても不器用ですが、水中ではしなやかで優雅な動きをします。晩に福田さんと感想を分かち合った時、私は福田さんに、写真のフラッシュをトドが「食べようとした」のを見たかどうか、尋ねてみました。福田さんは、自分のフラッシュにも同じように反応していたことを教えてくれました。

　私たちが一緒に行った極東の地域は広範囲にわたっています。チュコトカ（チュクチ自治管区）、ヤクーチヤ（サハ共和国）、カムチャトカ、サハリン、沿海州、ハバロフスク地方、アムール地方。ウランゲリ島で撮影をしながら、最北端の地点まで到達しました。初めて行ったのは、一九九六年の夏です。印象深い景色は、一万頭以上の巨大なセイウチがいて、それをシロクマたちが狙っている光景でした。通常、シロクマが襲ってくると、セイウチはシロクマに背を向けて逃げます。そうすれば、シロクマは成す術がないのです。しかし、ある日私たちは若いセイウチの狩りに成功したシロクマを目撃することができました。

　三年が経過し、初夏にもう一度この地を訪れましたが、母クマと子グマが冬眠用の穴からでてくるところを撮影するためでした。つまり、子グマたちが初めてこの世を目にする瞬間を撮りたかったのです。撮影場所までは難路用自動車「ブラーン」（「大吹雪」の意）で島全体を縦断して走りました。マイナス四五度の寒波、寒い！どうにかこうにか三日目に宿営地にたどり着き、落ち着いてから、シロクマの親子がいそうな穴蔵を探し始めました。私は偶然、遠くに何かの動きを目にし、双眼鏡をとって見ると、確か

文中の写真は注記を除いて福田俊司撮影提供

にメスのシロクマが歩いていました。早朝から、風向きと対象物の焦点距離を考慮に入れて位置を決め、「雪の煉瓦」で撮影小屋を建てました。翌日から二日間、私たちは早朝に福田さんを撮影場所に連れて行き、晩に迎えに行きました。三日目の朝、いつものように福田さんを撮影小屋に残し、戻って仕事に取りかかった時、突然、何かの騒ぎ声が聞こえてきたのです。外に飛び出して見ると、福田さんが歩きながら「俺は生きてるぞ！ 生きてるぞ！」と叫んでいました。何が起きたのか尋ねてみると、はじめはうろついていた母クマが、その後勢いよく彼の方へ走ってきて、後ろ足で立ち、雪の家を破壊したというのです。話によると、福田さんは動揺することなく照明弾（これが彼の唯一の武器だった）を発射した。母クマは撮影小屋の周囲を走りまわり、今度は別の方向から襲ってきた。この数秒間に、照明弾を入れ替え、引金を引いた。なんと、不発だった！母クマは、「私の散歩を邪魔しないで」と言わんばかりに福田さんの足を平手打ちし、去っていったそうな……。

福田さんは一気に老けたようでした。その後、半年は悪夢にうなされることになる。まあ、無理もありません。

ただ、福田さんは子グマが穴蔵から出てくる様子は、しっかりと撮影していました！

（翻訳　樫本真奈美）

陛下は再び受賞者が並ぶ列の傍をお通りになりながら、お辞儀をされ感謝のお言葉をかけられました

アンナ・ハマトヴァ

極東連邦大学
中国学科教授、ウラジオストク

中国研究者である私が、日本や日本人について書く日が来ようとは夢にも思っていませんでした。専門家ではないものの、日本研究者が日本のテーマにいかに慎重に取り組んでいるかを知っているつもりです。誰の言葉かは覚えていませんが、ある有名な日本学者の誰かが、日本を一度訪れた者は日本についての本を書こうとする。ひと月滞在した者は論文を書こうとする。しかし、一年滞在した者は何も書けなくなる、と言いました。その人が言った文言の通りではないかもしれませんが、この発言の本質は理解できます。私は、日本と日本人、その文化や芸術、勤勉で親切な国民性が大好きですが、私自身が日本について何かを書くことに不安を感じます。ましてや、私はこれまで一度も日本に行った時のことを日記やメモに書いてこなかったのです。そういうわけで、私の思い出の断片はおそらくとりとめのないものになり、この国とこの国の人々に対して抱く愛情をすべて表現できないかもしれません。

興味深いことに、私が人生で初めて訪れた外国が、まさに日本だったのです。

一九六四年一〇月、日本で一か月にわたる東京オリンピックが行われた時、日本政府が極東海運会社と契約を結びました。そのため、オリンピックのトレーナーや観客が泊まる東京のホテルのすぐ近くにソ連の客船が数隻停泊することになりました。極東海運会社から極東連邦大学に対して、英語や日本語をはじめ、諸外国語ができる学生をこの船のサービス員として派遣するよう依頼がありました。そういうわけで、一九六四年五月、東洋と英語を学んでいた私たち一、二回生は、事前研修をして特等の客室係や掃

除係、ウェイトレスとしてこの客船の乗務員の一員となり乗船することになりました。私たちは慣れない仕事をものにしながら、汽船「ミハイル・ウリツキー号」で働きました。空き時間には、アマチュア演劇の出し物を練習しました。合唱団、カルテット、軽音楽団、ダンスグループがありました。リハーサルはウラジオストクの金角湾で行ったのではなく、クリル諸島（千島列島）からサハリンに向かう労働者を運ぶ往復航路で、乗務員をしながら練習しました。

日本への試験運行は八月に行われました。甲板に横浜に向かうフランス人大学生のグループがいたのですが、フランス人の印象について少し触れておきたいと思います。どうやら、フランス人学生たちは、民族衣装のサラファンとココーシュニク（帽子）を身につけた若いロシア女性が外国人旅行者に給仕する姿を期待していたようでした。ところが、彼らを迎えたのは、オリンピックのために特別にしつらえられた制服（黒いスカートと白のジャケット）を着てハイヒールを履いた女の子たちでした。そして、音楽サロンでは毎晩様々な言語が飛び交い、フランスのクラシック音楽だけでなく現代のモダンな音楽についても語り合いました。その時は乗客を下船させ日本を見ずにウラジオストクに帰りました。それから数日後、観光客を迎えに横浜に戻った時に、最初に聞かれた質問は「乗務員は同じ人たちですか？」だったのです。そして、「そうですよ」という返事を聞き、「やったー！」と声をあげながら文字通りタラップを駆け上がって乗船していきました。

日本で私たちを待ち受けていた最も大きな試練は一〇月に起きました。船は清潔で掃除が行き届き、乗客が快適にくつろげるようにしなければなりませんでした。ところがここで、予想外の出来事が起こりました。日本のテレビ局ＮＨＫが、その時に日本に来ていた一三ヵ国の代表が出演するコンサートを催すと決めたのです。当然、そのメンバーを決めたのはＮＨＫ側でした。ソ連を代表して、カザフスタンのダンスグループと私たちの船から四重唱が出演することになりました。四重唱は女学生で編成され、その

メンバーは日本専攻のリュドミーラ・クラスノジェン（現在コルビナ）、中国専攻のアンナ・ラブーチナ（現在ハマトヴァ）、そしてあとの二人は極東漁業技術大学の学生でした。「ランディシ（すずらん）」か「カチューシャ」のうちどちらかを歌うことになりました。

　歌を決めるために、政府高官レベルで話し合いが行われました。（というのも、これが日本のテレビ史上初のソ連代表の出演だったからです！）私たちは「カチューシャ」を歌うよういわれ、二日間かけて四人の声を合わせ猛練習しました。テレビ局には、日本語をとても上手に話すソ連の特派員が同行してくれました。日本にいるすべてのソ連人に、ソ連の女の子たちがテレビに出演することが知らされたと聞き、私たちは緊張して震えました。早めにスタジオ入りすると、すぐにメイクを施してくれました。メイク担当の日本の女性たちは、ひと目で私たちが持つ顔の特徴や長所を見極め、丁寧に化粧を施し

てくれました。数分後には、鏡の中からロシア人美女が見つめていました。私たちはうまく歌を歌い上げました。船に戻った時には、乗務員が皆私たちを祝福してくれましたが、ウラジオストクまで顔を洗わないようにと言うのです！残念ながら、ウラジオストクまではさらに七日ありました。日本人のメイク技術には、皆とても驚きました。

　まさにこの東京オリンピックの時に、私は初めてリヒャルト・ゾルゲの名前を耳にしたのですが、どういう人物なのかは想像もつきませんでした。ゾルゲのお墓を観に行く見学ツアーに参加したいから当直を代わって欲しいと友人から頼まれた時は、交代に同意しました。少し後の数カ月後に映画「あなたはドクターゾルゲですか？」（邦題「スパイ・ゾルゲ真珠湾前夜」一九六一年）を見たのですが、さらに時が流れ、私はゾルゲの日本人妻、石井花子さんと知り合ったのです。花子さんはゴリャコフとボニゾフスキーが書いた本『リヒャルト・ゾルゲ』にサインを残してくれました。この本は私の未来の夫、アミール・グリモーヴィチ・ハマトフに贈られたもので、それは、一九六八年四月三日の出来事でした。

　オリンピックの後、私たちは頻繁にウリツキー号で働くよう勧誘を受けました。なぜならこの客船は、日本の周

囲を周遊したり、日本から香港へ向かうルートなど、新しい航路開設を目指してリースをしていたからです。それは、忘れられない日本との出会いになりました。私たちは、広島、長崎、京都、奈良にも行き、日本人と知り合いました。その文化、伝統に触れるにつれて、日本人や日本に対する愛情が強まり胸が熱くなったのを覚えています。

大学在学中に、私はミハイル・ウリツキー号で三等室の客室係りから一等室の掃除係の仕事までを経験しました。船長さんが笑いながら、「アヌーシカ、大学なんて辞めて極東海運会社の最高の客室係りになりたまえ。全世界が見られるよ」と言ったのを覚えています。全世界であろうとなかろうと、世界なら私も目にしました。卒業後も大学で働く中で、日本とソ連両国における日本人との出会いは、これまでの五〇年の間にたくさんありました。

もうひとつ、面白い出来事があったことを忘れていません。日本人が私たちの船をチャーターした時のことです。結婚式のため特別に東京から香港まで航海するルートでした。結婚式は船の上で私たちの船長が執り行いました。……が、その後船酔いに耐えられた者は幸運で、すっかり具合が悪くなった人は水夫によって運ばれていきました。暴風が吹き荒れ船が揺れ、甲板にいたか細い花嫁たちを水夫たちが抱き上げ救出しました。私たちは何組かの若い新婚夫妻のお世話をしました。日本人の女の子は皆とても華奢で、お人形みたいだったのを覚えています。こうした航海路をこなしているうちに、ある時、船の合唱団にテレビ出演の打診があったのです。私たちは誇りをもって自国の歌を歌いました。あまりに緊張しすぎて疲れた私は、船室で横になっていたのですが、そこに政治部副主任がやってきて、愛の告白を受けました。私は、彼は単に疲れた私をなだめているのかと思いましたが、それは想像していたよりもはるかに真剣な告白だとわかりました。一九六八年四月、私たちは広島でウェディングドレスの材料を買い、四月一二日（宇宙飛行士の日）に結婚しました。二〇一八年、私たちは金婚式を迎えましたが、広島で買った材料で作ったドレスは

今も大事にとってあります。

一九六八年に大学を卒業した後は、ロシアでも日本でも日本人と接する機会は度々ありました。それは、学会や研修の場など様々でしたが、私は、いかに日本の若者が自国の文化や風習を理解しているか、どのように変化してきたのかを見てきました。もちろん、変わらない特徴もあります。

まず、私がこれまでずっと胸を痛め、忘れることができない悲しい出来事についてお話します。ある日本人の男子学生がロシア語を勉強するために私たちの学校にやってきました。優しく、勤勉で親切な学生でしたが、ある日突然、ウラジオストクの麻薬中毒者によって殺されてしまったのです。日本の若者は、同い年のロシア人と町の中央広場で知り合い、自宅に招き入れました。犯行の目的はお金でした。この悲劇で私は心臓が止まり卒倒しそうでしたが、この青年のお父様が来られたときは、はるかに大きな精神的ショックを受けました。ロシア語学校で偲ぶ会が行われましたが、皆一様に、どんなに素晴らしい青年であったか、私たちが彼を守ってやることができず、どれほど申し訳ない気持ちで一杯なのかを口にしました。その会の終わりに、お父様がお話しされる時になって、私は、私たち全員が口を極めて叱りとばされると思いました。しかしお父様は、息子は死ぬ前にロシアにいられて、この学校のひとたちに囲まれ幸せだった、と感謝の言葉を述べられ、息子から日本に届いた最後の手紙の一部を読まれたのです。私はもう立っているのもやっとなほど震えました。涙がとめどなく溢れ、頬をつたいました。いっそのこと、私に駆け寄り、どうして息子を守ってくれなかったんだ、と平手打ちでもしてくれたらどんなによかったでしょう。感謝は時折、罰よりもはるかにやり切れないことがある、とその時に知りました。

日本人の伝統である、尊敬に値するすばらしい息子さんの例を沢山挙げることができます。長年記憶に留めてきた例のうちひとつをお話ししましょう。一〇年以上（年に二回）にわたってウラジオストクを訪問されている武藤光一さんです。極東連邦大学の委員会の決定により、日本語学科の学科長、アレクサンドル・シヌィルコ教授の出席のもとで、日本語学習と日本語教育において優秀な成果を収めた学生と教師に対してささやかな奨学金が送られたことがありました。そこに至るまでのストーリーはこうです。武藤さんのお父様はかつてソ連の捕虜になりました。そして、その抑留時にソ連の人が捕虜の自分に親切に接してくれたことへの感謝の気持ちとして、日本語を勉強するロシア人を応援するよう自身の子どもたちに託したのです。武藤光一さんは財閥でもなければ大金持ちでもありませんが、父親の言いつけをしっかりと守りました。お父様の遺言の通りに、年金生活者でありがならも年に二回は大学を訪れ（いつも同じスーツでいらっしゃいます）、学生ならびに日本を専門とする教師を表彰しておられるのです。（むとう・しげたろう記念基金）

私には、日本人もロシア人も含め、日本に住むたくさんの友人がいます。多くのロシア人が日本で働き、家庭を築き子どもを設けていますので、不思議ではありません。友人等との再会をいつも心待ちにしています。しかし、さすがの私でも、天皇皇后両陛下に謁見できるとは夢にも思っていませんでした。実際に、このような栄誉に預かったのです。

二〇〇三年、わが東洋学院は国際交流基金（ジャパンファウンデーション）から特別な賞をいただきました。国際交流基金と東洋学院は、長年にわたって共に仕事をしてきました。この基金の助成金で我が校の日本研究者たちは著書を出版し、日本の主要大学の研修プログラムに参加したりしています。そして二〇〇三年に突然、極東連邦大学付属の東洋学院がロシアで初めて国際交流基金の特別賞を受賞したのです。国際交流を担当していた副学長ディカレフと学院長の私がウラジオストクの日本総領事館に招かれ、マスコミが大勢集まる授賞式に出席するため、日本に渡航しなければならないと説明を受けました。東洋学院の他に、三人の日本学者と、ドイツ人日本語言語学者にも同賞が贈られ、このドイツ人は日本語を教えるトルコのある教育機関で主導的な役割を担っている人でした。

表彰式の翌日には、天皇皇后両陛下に謁見を賜るため、受賞者全員が皇居に招かれました。

私はディカレフと共に、賞は大学総長が受けるべきだと主張したのですが、ノミネートされたのは東洋学院なので、受賞するのはこの学院の学院長になることの説明を受けました。また、大学総長は受賞式に参加できるものの、皇居のレセプションで天皇陛下に接見できるのはハマトヴァさんだけですよ、と言われました。日本の外交儀礼は厳格なのです。

こうして、他の受賞者とともに決められた時刻に東京の皇居に向かいました。私には通訳があてがわれました。私たちは横に一列に並ぶよう促され、まず天皇皇后両陛下が私たちに挨拶のお言葉を述べられ、その後でそれぞれの参加者に両陛下と数分の歓談時間があると説明を受けました。天皇皇后両陛下はひとりひとりにお辞儀をされ、世界で日本語と日本文化を普及させる仕事に対して感謝のお言葉を述べられました。皇后陛下をひと目拝見し、私は日本人がいかに皇后様を愛しているのかがわかりました。この世の方とは思えないほど、女性として完璧な存在です！はじめに、天皇陛下がドイツ人の日本研究者にお言葉をかけられ、私は次の順番でした。

天皇陛下が最初にお尋ねになったことは、「あなたの大学では、いつ日本語の勉強が始められたのですか」というご質問でした。私は、一八九九年にロシア皇帝ニコライ二世の勅令によってウラジオストク最初の高等教育機関「東洋学院」が設立され、そこで日本語教育が始まったとお答えしました。陛下はまた、学校の卒業生は何の仕事をしているのか、日本語を教えているのはどんな人なのかをお尋ねになりました。

レセプションの最後に、陛下は再び受賞者が並ぶ列の傍をお通りになりながら、お辞儀をされ感謝のお言葉をかけられました。私のところまで来られた時、立ち止まられ私の手を握って、日ロ関係を強化するために全力を尽くしますよ、と仰いました。私はもう片方の空いた手を胸にあて、私たちの大学の日本語教育をさらに向上させ、ロシアで日本についてもっと知ってもらうよう全力を尽くします、とお伝えしました。まもなく天皇皇后両陛下はレセプションホールを後にされました。

（翻訳　樫本真奈美）

「歴史の神」のいたずらか、ロシアと日本は隣同士だ「隣人と親戚は選べない」と言うではないか

アミール・ヒサムトディーノフ

歴史学博士
極東連邦大学教授

一九九五年、横浜　アメリカから日本を経由してウラジオストクに帰る際、ロシア人墓地を探すために日本に一週間滞在することにした。その頃には、私は本腰を入れてアジア太平洋地域の国々に亡命したロシア人の問題に取り組んでいた。知られているように、幕府は横浜の海の見える丘の一角に外国人の墓地を定めたので、私は当然そこを目指した。そう広くないロシア人の墓地の敷地は、前世紀にヨーロッパ地区につくられた。それ以来、最後の停泊所を日本の地に見出した、様々な国の多くの船乗りたちの墓が増え続けてきた。

二〇〇六〜二〇〇七年、日本　極東国立技術大学日本学科で、国際交流基金（ジャパンファウンデーション）の研究補助金を受ける申請をするよう薦められた。正直に言えば、あまり期待していなかったが、それでもやはり、意を決して「ロシア極東に対する日本文化の影響」というテーマで研究に取り組む主旨の希望を書いた。ある日、日本領事館からの電話が鳴り、日の出ずる国で一年間にわたってこの研究ができることを知らされた時は、言いようもなく驚いた。国中を巡り、公文書館や図書館で研究をし、ロシア人が存在した様々な日本の場所を訪れる滅多にないチャンスが訪れたのだ。この来日を果たしてようやく、わからずにいた多くのことを明らかにすることができた。とりわけ、なぜ日本では人々がロシアに対して冷たく、警戒心すら持って接するのかが分かった。しかし、ロシア人はまったくもって逆で、日の出ずる国のことを夢中になって勉強する。「歴史の神」のいたずらか、ロシアと日本は隣同士

だ。「隣人と親戚は選べない」と言うではないか。ちなみに、日本語にも同じような言い回しがある。

道連れ　旅の道連れは崎原先生だった。崎原教授とはホノルルで知り合った。私が日本に行く前に、ホノルルの大学の「アジアにおけるロシア」という講座で授業を行った時だ。彼女も教授で、教育大学で着物に関する授業をしている。崎原先生は、とても真剣な目をした小柄で痩せ型の女性だ。初対面の時は冷淡な人に思えたが、私はすぐに、この無表情な日本人女性が、その分野で細部に至るまで高いレベルの専門性を持ち合わせていることがわかった。通常、私たちは週に一回の頻度で会い、あれこれ話しをした。崎原先生は真面目な人だが、現実をシニカルに受止めたり、目にした事柄に対してユーモアを交えて意見を言うことができる人だ。ある日、崎原先生が着物の公開授業に私を誘ってくれたことがあり、その公開授業で私は見世物になった。時々彼女は、男性の伝統衣装の様々な要素を披露するために私を講壇に引っ張り出した。私の北海道出張の計画を知り、崎原先生も温泉に入るべく北海道に行く予定をしているということで、現地で落ち合うことになった。

私たちは、かつてロシア人が住んでいたいくつかの居住地をまわることにした。崎原先生との話は、終始現代日本の生活のことで持ちきりで、自身の観察を思う存分語ってくれた。日本に生まれ、東京の大学を卒業し、その後ハワイに移住した崎原先生は、時折逆説的な結論を出しつつ、日本とアメリカの生活様式を比較した。観光客がよく過ちを犯すように、第一印象でその国を判断してはいけないと強調した。華やかな表向きの顔を持つ日本は、多くの問題を内包している。若者を例にとり、伝統を忘れ、服装のみならず行動までも欧米の生活様式を無批判に真似している、と崎原先生は嘆いた。第二次世界大戦の後に日本人が体験した苦労を思い出していた。多くの人が家宝を手放すことを余儀なくされ、代々受け継いできた礼式用の着物ですら、食料を手に入れるために売らねばならなかったという。

食事をとった後、私たちは札幌からそう遠くない所に泊まった。畳が敷かれた部屋で、すべてが質素で無駄なものは何もない。値段も手ごろだ。テレビの付近に書かれてある有料チャンネルの表示に興味が沸いた。「ポルノよ、このホテルは長距離トラック運転手や船乗りがよく泊まるのよ。空いた時間に楽しむのよ」と崎原先生が説明してくれた。

稚内　札幌まで一時間で行き、そこで乗り換えて北海道北部まで五時間だ。通常、ホテルの部屋には温泉の出る浴槽はついていない。温泉に入るために三階に上がり、私は大喜びで少し塩気のある熱いお湯に浸かった。まもなく、小柄でずんぐりした日本人が入ってきたので、ひとりの時間が奪われた。「どうですか？いい湯加減ですか？」とお決まりの挨拶に続き、のんびりと会話をした。私がウラジオストクから来たと知ると、その人は勢いよく言った。「おお！あんたと同じ町から来た若い子たちを知っているよ！私は蟹の輸送をしててね、その子たちとよく会うんだよ」。そして、ロシア語で「ウォッカ　ハラショー！」と付け加えた。この男性はイデミツさんという名前で、話好きだった。「実際、ロシア人がいなかったらこの地域は死んでしまってたろうに。いわゆる、『渡りに舟』ってやつだねえ！私はねえ、二〇年近くここら辺に来ているけど、目に見えて若い子たちが北海道北部から離れていってるよ。ここの自然は厳しいし、暮らすにも高くつくし、他の場所に比べたら仕事も少ないしねえ。いまのところこの地域は、あんたの国の蟹と魚で生きてるんだよ。日本の漁獲域ではとっくに獲りつくしちまったからね。だんだん日本の漁師も上手いことやるようになってね。遠くの仮泊地でロシア人と会って、獲物を積み替えて、密漁したものを合法的に獲ったと偽って売ってるんだよ」。

函館のロシア人墓地

　私が新しく知り合った男性は、この地域でロシアと日本のビジネスがいかに密接に繋がっているのかについて、さらに長々と私に教えてくれた。

北海道　どうすれば隣人をもっとよく理解できるか？　網走は、北海道の奥地だ。晩に付近を散歩しに出かけた。店のすぐ傍を通った時、看板から判断して、地元で有名なラーメンを出す店だとわかった。空腹を感じ、店の中を覗き込んだ。カウンターの向こうに立つ日本人が大胆に麺をどんぶりに入れ、調味料を加えてから香り高い濃い出汁を注いでいる。隅の席が空いていることに気づき、店の中に入ると、私に続いて中年の、見たところ素朴な労働者風の日本人男性が入ってきた。不意にひじがあたり、その男性が謝ってきた。

「大丈夫ですよ。ラーメンが美味しいことを願いましょう」と私は答えた。

「ここは初めてですか？　どこから来たんですか？　ああ、ロシア！　私のこともロシア人だと思ってもらっていいんですよ」。

　私の驚いた顔を見て、その人は微笑んで説明した。

「僕はねえ、一九四五年にロシアに占領された国後島で生まれたんですよ。運よく二回はあそこに行けて、先祖の墓参りができたんですよ。親の家が残っているか見に行ったんですけど、何も……」

　会話の話題が極めてデリケートで、思いもよらず不本意で不快なものになる可能性もあったため、こうして偶然隣合わせになったことを悔やみかけた。

「心配しないでください」、と隣席者は笑って言った。明らかに私が苛立っているのに気づいたようだ。「僕はね、いま日本の島を返せとは言いませんよ。もう少し後で、飯を食ってからかな（笑）そりゃ、だって、ロシアの神と日本の神々のいたずらか、こうして隣同士なんだ。いろんな歴史ものの本を読むんだけどね。ロシア語がわからなくて残念だよ。ロシアの歴史家の本もぜひ読んでみたいね。だって、ロシアではまた違った視点があるだろうから。日露戦争でロシアと戦う必要はなかった。『猿も木から落ちる』んだよ。樺太の南半分は『トロイの木馬』で、それによってロシア人は南千島に入ってきた。もちろん、わかってるよ、ロシアの内戦の最中には日本人がロシアに干渉したことをね。そんなことしなくてよかったんだ。だって、一番の原因は、日本人がパールハーバーを攻撃したことだと思うよ。だからもちろん、アメリカ人は徹底的に広島と長崎で報復していった。でも、いったいロシアはどういう訳で？」。

　私の話し相手は、長く極めて詳細に自国の政治と、「北方領土」に直接関係を持つ者の心に残された悲嘆を私に解説してくれた。

　その二日後、次々と出掛けた後で汗を流そうと立ち寄った温泉で、もうひとつの興味深い出会いがあった。そこはふたつの湯船が並ぶ露天風呂で、すぐ上には滝の水が激しい音を立てて流れていた。湯船は、巨大な岩で大胆に仕切られていた。シャワーで体を洗った後、ざぶんとお湯に飛び込むと、普通よりかなり熱かったので、思わず叫んでしまった。

「おや、熱いですか？」と、お湯から頭だけ出していた日本人が尋ねた。「どちらから来られたんですか？　ああ、ウラジオストクですか⁉」。

その日本人は、私のことがよく見えるように少し腰を上げて座りなおした。

「あちらから来られたロシア人には初めてお目にかかります。私の父親は戦時中に満州で従軍していましてね。その後は抑留されたんですよ。五年間ソ連で過ごして、ウラジオストクの町で建物を建てたりしたとか。父はそのことをよく話してくれましたよ」。

会話はこの男性の独白に集約していった。

「父は捕虜になったことで、別の世界を見ることができたんですよ。もちろん、あらゆるプロパガンダを詰め込まれたようですけど。飢えた時があっても、父はごく一般のロシア人もさほど良い生活を送っていないことを目にしていました。お祭りの時には、人々が捕虜たちにパンを投げてくれたそうです。日本に帰国してから、父の同僚の何人かはロシア料理のレストランを開きましたよ。父はそこで同じ連隊の仲間と会うために、私を連れて行ってくれて、ああ、それからロシアのピロシキを食べさせてくれました。ああ、それから、ロシアの歌！　例えば「カチューシャ」。子どもの頃から、父が歌っていたのをよく覚えていますよ。父に恨みはなかった。負けは負け。その事実と向き合わないといけない。もちろん、理想は崩れ去ったけどね。戦後はここもちょっと物騒になってね。ロシアのマフィアの話もよく聞いたよ。その上、みかじめ料をごっそり巻き上げる地元の暴力団もできてね。ああ、ヤクザを知ってるの⁉　闇商売が……」

別れの挨拶をしながら、日本人はこう付け加えた。

「父は特にロシアのサウナが好きでね。後で父は自分で家に同じようなサウナを作ったんですよ。もちろん、ロシアのもとの全く同じでないにしろ、多分似たような仕上がりですよ。ちなみに、家では酒の代わりにロシアのウォッカしか飲まなかったです。おまけに、父は酔っ払うと、ロシア人の女の子に恋をしてしまって、ウラジオストクにずっと留まりそうになったことも白状していましたよ」。

ウラジオストクと日本の瀬棚を結ぶもの　興奮せずにはいられず、瀬棚の町に出掛けた。一九八〇年代の中頃、私の処女作『Terra Incognita または沿海州、極東の旅の記録』

を書くために資料収集をしていた時、新聞「ウラジオストク」のある古い号で、ロシアの軍艦「アレウト号」が日本で座礁した時の記事を見つけた。この事件に興味を持ち、昔の悲劇の詳細な資料探しを始め、まもなくロシア海軍国立公文書館で見つけることができた。分厚い事件の資料には、日本海域でロシアの軍艦に起きた事がすべて詳細に記されていた。

また、日本でロシア水夫たちの追悼供養が丁重に行われ、日本人が東京のソ連大使館を通じてアレウト号遭難に関して問い合わせ、慰霊碑にその名を永久に刻むべく死亡した水兵の名前も尋ねていることがわかった。そこで私は、通訳を介して瀬棚の事件に関する情報を提供した。まもなく慰霊碑には、死亡した水夫たちの名が刻まれた石碑が建てられ、私は町長から感謝状を受け取ることになった。その時は、瀬棚に眠る同胞の共同墓地を訪れるという、幸せな機会が訪れるとは思いもよらなかった。いずれにせよ、人生とはなんと予測不可能なことか！

仏教の延命寺の近くにロシア人乗組員は埋葬された。

時が経つにつれ石碑はすっかり老朽化し、雑草が延びきった小丘は周囲の地面と区別がつかなくなっていた。寺の住職である松崎清光《まつざきせいこう》氏は、墓の保存について心配するようになっていた。函館日ソ協会の責任者が、函館にある外国人墓地に水兵たちの遺骨を移すよう申し出をしたが、すぐさまこの歴史的悲劇の一ページを自分たちの町から切り離したくないと願う地元住民が反対をした。瀬棚区の三本杉の丘にアレウト号乗組員の慰霊碑が建立されることになった。地元住民によって寄付金が集められ、一九七一年にロシア人の遺骨が共同墓地に移された。さらに翌年には、そこに立派な慰霊碑が建てられた。今は、慰霊碑のそばに亡くなった水兵の名が刻まれた碑石がある。そのオベリスクがある広場から日本海の広大なパノラマが広がり、その向こうにここで葬られている人たちの故郷があるのだ。上品だが、しっかりと作られた防壁が突然の落石から慰霊碑を守っている。別の、もっとしっかりとした防壁は、津波

露国軍艦アレウト号乗組員遭難慰霊碑

に備えて海側に設置されている。果てしなく碧い空間、近くの断崖からは様々な鳥の声、カモメの鳴き声。すべてが、ロシア人が初めて日本のこの僻地にやって来た時の遠い日々と同じだ。

私は崎原先生に慰霊碑の歴史を話した。崎原先生は全くお酒を飲まないのだが、こういう場合には完璧なロシア風にウォッカ「スタリーチナヤ」をぐいとひと飲みした。「この人たちの魂があなたをここに導いたのだと思いますよ！」と、彼女は言った。

猿払　天候良好。太陽が昇り、軽快で心地よい風が良い日和を約束していた。私たちは、一九三九年一二月一二日に貨客船「インディギルカ号」が座礁した場所に向かった。船はナガエヴォからウラジオストクに向かう時、宗谷海峡で「トド岩」付近の浅瀬に座礁した。結果として船は転覆し、七四一人の乗客と四人の乗組員が命を落とした。

稚内から一時間半かかる猿払村では、野村浅右エ門（一九五四年没）の呼びかけで定期的に追悼供養が行われるようになり、三二回目のインディギルカ号の遭難者慰霊祭で村に慰霊碑が建てられた。毎年、日本人は八月に故人を偲ぶ一連の供養を営むために集まっている。この日は猿払の港から汽船が出航し、船の座礁した浅瀬の周囲を迂回し、人々は海に花を投げ、高い丘に建てられた慰霊碑が捧げられる者たちを弔う。

この遭難犠牲者のための慰霊碑は、日本の努力によって多くの人に知られている。彫刻家の井口健は、人命保護をシンボル化した、五メートルに及ぶ群像を造った。手を繋ぐ者たちが球体を囲んでいる。この彫刻家のアイディアが気に入ったとは言えないが、他者の苦しみに対する思い遣りという事実そのものに

インディギルカ号遭難者慰霊碑　猿払村

は共感せずにはいられない。

断崖　強風。白波立つ海。どこからかカモメの群れが現れ、水の上を俊敏に飛んでいた。

　私たちは、風がさほど強く当たらない慰霊碑の後ろ側の小さな玉石の上に座り、長い間黙って、遠い昔に悲劇が起こった遠くの場所を見つめていた。日本の資料によれば、遭難者のすべての遺骨はソ連政権の代表に引き渡されたことがわかった。しかし、崎原先生は、未だここに眠っている者もいる気がすると言った。私はプラスチックカップにウォッカを注ぎ、風でひっくり返らないように石ころを入れ、一切れのパンで蓋をして慰霊碑に供えた。日本の海辺で永遠の冥福を、同胞よ！

神戸　神戸には今日までフョードル・パラシューチンの家が保存されており、外国人居留の発生と発展の歴史に捧げられた神戸異人館街の展示館のひとつになっている。

　白軍カッペル軍の兵士だったパラシューチンは、内戦の後ハルビンに行き、そこから一九二六年に、二番目の妻アレクサンドラ・ニコラエヴナと共に日本に亡命した。しばらくすると広島で洋服を扱う個人商店を営むようになった。しかし、原爆はたちまち二人を一文無しにしてしまった。フョードルとアレクサンドラは、一瞬にして自分たちの財産を失ったが、生き延びた。当時ロシア移民たちは互いに十分緊密な繋がりを持っていたため、パラシューチン夫妻は神戸の知り合いのもとへ向かい、現地に住む者は出来る限り彼らを助けたのだ。戦後復興期の活発な経済活動のおかげで、パラシューチンは素早く自立できるようになった。アメリカ人との繋がりで卸売業に携わった。手を休めることなく働き、迅速に貧困から這いあがることができたが、被爆はやはり健康に影響を及ぼした。パラシューチンはやがて喉頭癌を患うようになる。手術の後は、特別な器具をつけてのみ話をすることができた。生涯を閉じるまで広島や兵庫の原爆被害者に関する団体が支援をした。

　内戦と広島の原爆という悪夢を経験し、パラシューチンは神に召された。教会の運営に積極的に参加したため、彼は一九五三年に神戸の小さな正教会（神戸ハリストス正教会）の執事と会計係に選出された。

神戸異人館街の旧パラシューチン邸

　パラシューチン夫妻に子どもはいなかった。そのため、一家の主は赤十字を通してロシアにいる以前の家

族を探すことに全力を注いだ。一九六七年には白軍カッペル軍が結成された都市のひとつであるヴォトキンスクに手紙を書き送っている。それは無駄ではなかったことが判明した。子どもが見つかったのだ。息子のアンドレイは父を拒否し、返事をしたのは娘のエレーナだった。

一九八〇年七月に妻の葬儀を執り行った後、パラシューチンはエレーナを日本に招いた。ソヴィエト大使館は国籍を失った人物としてパラシューチンの申請を拒否したが、老人は譲らなかった。エレーナを関係当局が呼び出し、父親との面会を拒否するよう要請したことがわかっている。しかし、父親をほぼ覚えていなかったとはいえ、田舎育ちの女性には恐いものなしだった。兵庫県被爆者相談室と日ソ協会の請願を経て、ともかく日本への渡航許可が下りたのだった。別離から六三年を経て対面が果たされた。父は八七歳、娘は六五歳だった。この面会については、特別な出来事として日本の多くの新聞が報じた。日本の様々な都市に住むロシア移民たちが、ソヴィエトロシアから来たこ

神戸正教会

の女性と話しをしようとこぞって出掛けて行き、自分たちの母国の今の生活ぶりを当事者から直接聞こうとした。

外国に行くにあたって、エレーナはもちろん、手持ちの中で最も良い服を着ていった。黄色い毛織の薄手のセーターに、大きな花模様のある鮮やかなスカーフを頭に着けていた。代表団体や役所の表敬訪問に連れ回された際に着ていたこの服装を見て、ロシア人は驚愕し、フョードルに、娘に都会的な格好をさせるよう提案した。父親はエレーナを流行の服が売っている店と美容院に連れて行った。一月後、変身したエレーナがロシアに帰国した時、今度は家の者たちがしばらく彼女だと認識するのに時間がかかった。家族はスカーフを巻きつけたおばあちゃんを待っていたのだから。

娘と交わした長時間の会話から父は次のことを知る。ロシアに残した家族がいかに困難で食べるのもままならない状態にあったこと、家族が生き延びたのはひとえに「赤軍」の兄弟フョードルのおかげだったこと、また、エレーナが子ども時代はずっと「白軍ヤクザのガキ」という侮辱的なあだ名をつけられていたこと、自分が白軍コルチャーク軍に従軍していたことで長年に渡って家族に心ない言葉が浴びせられたこと。コムソモール支部の秘書だったエレーナ

の夫は、「白軍ヤクザの婿」として全連邦レーニン共産主義青年同盟から除名されて、その公式発表と共に、当時は相当な恥だとされていた「軍隊勤務不適格」にされてしまったこと……。フョードルは娘の話を聞きながら涙を流し、「申し訳ない」と際限なく繰り返した。

周囲はパラシューチンにエレーナを日本に留めるよう説得したが、彼は言った。「私は祖国と家族を失って、生涯ずっと苦しんできた。だから憂いとは何たるかをエレーナも知ることになるのは許せない」と。しかし、娘と共に日本を去るには、当時の彼には決断しかねた。それについては後に強く悔いている。エレーナを見送った後、パラシューチンは娘の次回の来日のために、事実上すぐに書類の準備を始めており、そこには、すべての財産を売り娘と共に故郷に戻る計画が記されていた。

エレーナにとって二度目の来日は悲しいものとなった。東京の病院に全身不随で横たわる父に会ったのだ。話すことは出来なかった。一週間後の一九八四年一一月二七日、フョードル・ミハイロヴィッチ・パラシューチンはこの世を去った。パラシューチンは神戸の外国人墓地に埋葬されている。

（翻訳　樫本真奈美）

"ロシア革命"越えて再会

63年ぶりに亡命の父

周囲の尽力 娘の来日が実現

神戸

ロシア革命（一九一七年）で生き別れたロシア人父娘がこのほど、父が住む神戸市で六十三年ぶりに再会した。二人は会ってからの一週間、「毎日、どこへもいかず、話ばかりしていました」という。二十三日、再会の橋渡し役をしてくれた兵庫県庁などをあいさつに回ったときも、半世紀以上の空白を埋めるかのように肩を抱き合いながら感激の余韻にひたっていた。

神戸市中央区北野町二の一〇、無職、ヒョードル・パラシュチンさん（八七）とソビエト・ウドムルト自治共和国ウォトキンスク市に住むエレーナ・シャラービナさん（六[illegible]）。

パラシュチンさんは、ロシア革命で白軍将校として革命軍と戦って敗れ、一九一九年（大正八年）に当時三歳だったエレーナさんら妻子をロシアに残したまま旧満州に亡命。その後日本に移住し、昭和二十年八月、洋服商をしていた広島で被爆した。戦後神戸に住み、繊維関係の商売で蓄えた資産で同市中央区北野町の異人館を買い取り、これを英国の商社に賃貸するなどして生活。日本で再婚したロシア人の妻が死亡した一昨年七月からは独り暮らしの孤独な余生を過ごしていた。

そのパラシュチンさんがただひとつ楽しみにしていたのが、戦後間もなく文通を始めた祖国の家族たちとの再会。先妻はすでに亡くなっていたが、エレーナさんへの思いはつのるばかりで、娘の訪日を許可してくれるようソ連政府に働きかけるなどした。しかし、パラシュチンさんが祖国を捨てて無国籍のため、ソ連政府はなかなか出国許可を出してくれなかった。

パラシュチンさんは昨年初め、兵庫県被爆者相談室や日ソ協会兵庫県連などに相談、各機関が尽力していたところ、先月五日、出国許可が出され、エレーナさんはこの十五日来日。父娘は感激の再会を果たした。

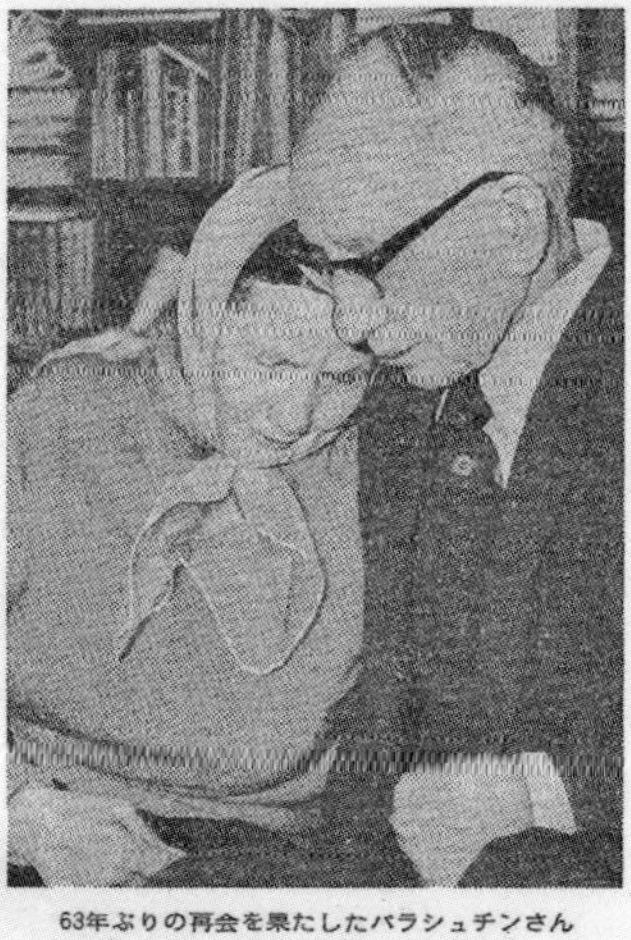

63年ぶりの再会を果たしたパラシュチンさん（右）とエレーナさん父娘＝兵庫県庁で

1982年4月24日　毎日新聞の記事

着物—それは絵画と同じ。そして今や、この「絵画」の興味深いあれこれを語るだけでなく、自分で創り出すこともできる

オリガ・ホヴァンチュク

日本研究者、着物作家
ウラジオストク

雲は、なぜまさにその方向に、なぜまさにその速度で流れていくのかを知らない。よし、今向かうのはあちらだ、とただ衝動だけを感じるのだ……。しかし、空は知っている。なぜどこに雲が流れ、どんな絵ができるのかを。地平線の彼方を見ようと高みに昇るとき、君にもそれがわかるだろう。

リチャード・バッハ

私が日本語を習うようになったのは偶然でした。小学生の頃は、日本語を話して日本に行くなんて想像すらできず、信じることもできなかったでしょう。正直に言うと、今でも信じられないと思うことがよくあります……。

一〇歳の夏休みにレニングラードに行った時、エルミタージュ、ペテルゴフをはじめとする美術館の学芸員さんたちに完全に魅了されてしまった私は、ウラジオストクに戻ると子どもながらに一大決心をしました。「美術館で働くあんなおばさんになりたい。絵の話をたくさんするのも面白いわ」と。こうして夢ができた私は、美術史を教えはじめた芸術学校に行き、さらにモスクワかレニングラードの芸術大学で芸術学部に入るという計画を立てました。しかし、私に定められた運命は明らかに違うプランだったのです。九〇年代のはじめは、経済的理由でレニングラードで学ぶという夢は叶わないとわかりました。片道分の航空券が買えるお金しかなく、もし試験に落ちた場合に帰ってこられるだけの予算がなかったのです。だから私は、一一年の義務教育を終えた後はウラジオストクで美術史を学ぶ可能性を探ることにしました。

すっかり失望して落ち込んでいた私を救ってくれたのは隣人でした。地域研究学科がある東洋学部に入学すれば、

美術史も含めてどんな歴史的な側面でも勉強できると助言してくれたのです。絶望は新しい希望へと変わり、新たな取り組みが始まりました……。当時は日本語学科に入るのは難しく、定員は一〇人から一五人でした。正直、可能性をあまり感じませんでしたが、信じられないことが起こったのです。私が入学する年に極東連邦大学で経済学部が新しく開設されたため、東洋学部の競争率が下がったのです。幸運にも、私は入学を果たしました。

日本語の習得には手こずりましたが、夢を叶えるために頑張れました。日本の歴史と民族文化に夢中になり、他のどんな辛いことも乗り越えられる力になりました。

一回生を終える頃には、将来の運命を決める出来事が次々と起こります。レポートのテーマを決めるくじ引きで、日本の伝統衣装に関するレポートを書くことになりました。本当は、日本人形か生け花がよかったのですが、「まあいいわ、服装でも衣装でもかまわないわ」と思い、資料探しを始めると、着物というテーマはあまり研究されていないことがわかり、あまりに興味深いため、人生をかけて取り組む仕事に変わりました。日本の伝統衣装の歴史というテーマで、最初は卒業論文を書き、その後修士論文に取り組みました。しかし、すべてはこれに止まらず、さらに大きな奇跡が起こったのです……。

一九九九年一〇月から二〇〇〇年三月にかけての京都留学研修はまさに試練であり、また同時に天からの贈物でもありました。冬の朝は部屋の中が零度をやっと上回る六度ほどで、その寒さに加えて、友達もおらず、人付き合いが少なかったため精神的な淋しさに堪えました。電話もインターネットもなかったからです。そこで、手紙はよく書きました。紙に書くごく当たり前の手紙です。手紙を書くのが好きになったのは、まさにあの頃です。古来日本では書簡文化が発達しています。様々な場面に応じて素敵な便箋と封筒があり、手紙を香りづけする文香、展覧会で買った綺麗な記念絵葉書など、その魅力に屈服せずにはいられません。可能な時は、友人や別の町に留学研修で来ていた同じグループの知人のところに遊びに行ったり、定年退職した日本人のグループと週に一回、社交ダンスをするのが何よりの楽しみでした。また、その半年間で、私は海と丘のない町には住めないとわかりました。潮風の香りや、高台から町全体を見渡したりできず、当時の生活では物足りなさを感じていました。

私が初めて本物の着物を手にしたのは、まさにその冬でした。ある日、長岡京という小さな町でロシアについて話をするよう依頼を受けます。聴衆のひとりに年配の女性がいて、私が日本の民族衣装の歴史に関心を寄せていることを知ると、昭和期の素朴な着物をプレゼントしてくれたのです。なんでも、その着物は青春時代そのものなので、棄てるには惜しい、けれども孫たちは古くて時代遅れの着物を着てもくれなければ、保管もしてくれないとのことでした。その女性は、着物が長く保存されて、大切にし、価値をわかってもらえるよう強く望んでおられました。大きな愛情でもって保存されてきたこの着物のおかげで、着物とその歴史に対する敬意がますます私の中で膨らみます。着物は「生き」ねばならない！というわけで、私は装具一式を取り揃え、機会があればこの着物を着ると決意しました。二〇〇四年、私はこの着物を着て日本の伝統衣装に関する講義を初めてウラジオストクで行いました。かくして、私の着物のコレクションと研究・普及活動が始まったのです。日本センターと協力して、講義、着物や浴衣の展示、着付けやデザインのワークショップを開催すると、それはいつも大人気で、町の人々の関心を広く集めています。

加賀友禅作家の山下智久先生と

　さらに京都の留学研修では、加賀友禅作家の山下智久さんと出会えたことが何より幸運でした。金沢市の日本海沿岸に以前私が日本語を教わった先生が住んでおり、彼女のもとを訪れた時に、着物の生地に模様を描くという知り合いの作家を紹介してくれました。これこそまさに天からの贈物でした。惚れ惚れと眺めていた日本のカレンダーにあった、最も綺麗な着物を作っている本物の工房に行けるなんて！出会いは短時間でしたが、忘れ難いものになりました。そこで、二〇〇二年に再び留学研修で日本を訪れた時、日本語の先生のお宅に遊びに行き、また山下さんの所に連れて行ってもらえるよう頼みました。初対面の時からその間に私は大学を卒業して大学院生になっていました。山下さんは私のことを覚えていてくれて、私が日本の伝統衣装に愛着を失わずに勉強を続けていることをとても喜んでくれました。一通りの話をした後で山下さんがこうおっしゃいました。「僕はこんなに着物に熱中する人にしばらく会ってませんよ。もし、再び日本に来られる機会があれば僕の所に来なさい。着物の描き方を教えてあげよう」と。

着物作家になる！最も大胆な自分の夢にすら、今後いったい何が待ち受けているのか想像すらできませんでした……。そして、来るべき時が来ます。二〇〇三年に山下さんが提案してくれた申し出は、ちょうど修士論文の審査を合格した二〇〇七年に現実となりました。日本の文科省が実施する二年間の留学研修制度で山下さんの工房に行けることになったのです。芸術学校で身に着けた描画技術と、母に教え込まれた裁縫が役に立ちました。

田んぼと山に囲まれた田舎で、人間としても素晴らしい、その道の巨匠の傍で二年を過ごしました。昼間は描画、夜は一家団欒。私たちは経験を分かち合い、この世のあらゆる事柄に関して話し合い、子どものようにふざけて遊んだりしました。ここで私は知識、技能、家族の喜びや温もりを頂き、私の方からも目新しい料理を作るなどして、喜んでいただきました。共有する体験や数え切れないほどの思い出に関しては、言葉で言い表すことはできません。山下さんの奥様のお父様は戦後ソ連に抑留されており、その辛い体験にも関わらずロシア人について良い思い出を持ち続けておられました。私とはいつも笑顔でロシア語で挨拶をしてくれました。それだけになおさら、知り合ってから間もなく事故による突然の訃報を聞いた時は、悲しくてたまりませんでした。師匠の長女が結婚式を挙げた時には、親戚家族、友人等と一緒にお祝いする栄誉にあずかりました。共に過ごした二年の研修が過ぎた別れの際、山下さんの奥様がきつく抱きしめてくれた時のことは、何ものにも代え

難い気持ちです。このご家族を訪れる時はいつも、とても幸せな気持ちになります。まるで家に帰ってきたように思えるからです。そこは、気心の知れた人たちが待ってくれている家なのです。

　絹織物に描くことは信じられない程面白い作業で、多面的な世界です。そこには技術だけでなく、植物、花の象徴的意味、色、文学、信仰、心理、歴史など、世の中の広範な知識も大切です。「ひとつひとつの図案にはドラマがある。そうでないと、面白くないからね」と山下さんはおっしゃいます。私たちはごく小さな模様ですら物語と題材を毎回考案しました。こちらで蓮の葉に虫が這っていれば、向こうの葉っぱの下には虫の巣があり、そこには虫の妻と子どもがいる、といった具合です。蒼いオナガドリは着物の持ち主に長い尾っぽで幸せを運ぶ。他人の目に触れない裏地には、小さなスズメが巣を作り、卵を産んでいる様子を描く。固い家族の絆を願うものです。こうしたことに関しては、本には載っていません。こうした知識は、毎日師匠の隣にいながら口伝えで会得する知識なのです。

　この工房では、さらにもうひとつの、胸に秘めた大きく大事な願望が叶いました。理想的な着物が描けたのです。山下さんのおかげで、この着物は第三一回伝統加賀友禅工芸展に飾ってもらうことになりました。二枚の着物以外には数多くの図案が展示されており、それぞれが各自の思いに満ちていました。

　こういうわけで、偶然に日本語を習ったことで、私は事実上子どもの頃の夢を実現したのです。芸術に携わるようになれました。着物—それは絵画と同じです。そして今や、この「絵画」について興味深いあれこれを語るだけでなく、自分で創り出すこともできます。その上、日本語があるおかげで教師となり通訳翻訳者にもなれました。留学研修に行けば行く程、興味深い事柄は尽きることがなく、有意義な体験を学生に伝えたくなります。

　それに続く日本長期滞在は、ＪＥＴプログラム（The

Japan Exchange and Teaching Programme）で二〇一一年から始まりました。私を待っていたのは、新潟県庁の国際課での有意義な仕事でした。五年にわたる私の仕事は、翻訳、通訳の他、各学校で日本の小学生たちにロシアの話をすることでした。

通訳者になることは難しいことですが、とても面白いです。この仕事でなければ、飛行機や列車がどのように造られ、ガスタービンエンジンや太陽光発電がどのような仕組みで動くのか知る由もなかったでしょう。これは鮮明に記憶に残るほんの一例です。ユニークな人たちと知り合い、数え切れない程の生き生きとした出張ができたことは、この仕事の恩恵でした。

新潟は、ウラジオストクに住む者にとってはとても馴染み深く身近な都市です。両都市の間には何年も直行便が存在していました。極東住民の大半の人は新潟を通して日本を知り、私もまた然りです。しかし、残念ながら二〇一一年の七月が新潟

定期便での最後の訪日となりました。新潟便は廃止されてしまいました。

日本海沿岸で最も辛いのは、風、湿気、そして陰気な冬です。もし住むなら、南向きの家がいいでしょう。長く湿った寒さを乗り切るには、陽当たりのよい家に限ります。大切な冬の友は、ゴム長靴、頑丈な傘、風を通さない上着。私がロシア人だとわかると、日本人は皆すぐに「日本の冬なんてあなたには全然堪えないでしょう？」と声高に言いますが、それは違います！日本の冬はとても寒いです！日本に何年住もうと関係なく、冬は毎年初めて体験するような冬としてやって来ます。外の気温が零度を上回る程度でも、家の中はそれよりほんの数度暖かいだけなのですから。お風呂場に行くときはいつも戦いと忍耐の連続でした。気温一、二度の中、勇気を出して服を脱ぎお湯を浴びる。それが熱いお湯であっても、凍えるような寒さであることには変わりありません。また、朝起きてから冷たいタンスから出した服を着ることも辛いです。居心地がいいのは、ひとつの部屋で暖

房器具の前に居る時だけです。概して、ロシアの冬の方が家の中が暖かいのではるかに心地よく、外は氷点下になるにも関わらず、乗り切り易いと言えます。

もし内陸の地域に生まれ育った人なら、ジメジメとした夏は気温二七度で意識を失ってしまうかもしれません。暑さと湿気で家の中はカビが生えやすくなるため、湿気を取り除く努力を常に怠ってはいけません。そういう点で、当地の気候を難なく乗り切るためには、おそらく私がウラジオストク生まれであることは幸運でした。絶えず吹き付ける風、六月の乾き切らない洗濯物、八月の台風といったことにはすべて慣れているからです。

歴史的に新潟は、政権にとって好ましくない人物を流刑した場所であり、今日まで秩序正しい生活が営まれています。夜は人通りが少なく、色褪せた色調です。反対に、ウラジオストクでは人々が急ぎ足で狭い歩道を歩き、大量の車、派手な看板や服装であふれ、生活は慌ただしい。こうした町の繁忙さを物足りなく感じて、月に一回は東京に行き、人混みに紛れ、友人と会い、踊ったり展覧会を観に行ったりしました。

冬の他に、私にとって最も大きな試練だったのは、交友関係を模索することでした。日本では、いつまで経っても外国人は外国人のままであり、もっと正確に言えば、異人です。だからこそ、常に付き合いのできる温かい友人の輪を見つけることはかなり難しいです。その上、価値観や習慣の違いから、同じ調子で付き合える人たちを探すのはさらに難しくなります。だからこそ、もしそうした人々がいれば、日本の生活ははるかに楽しいものになります。私の場合は、私のことを身内のように受け入れてくれた二つの家族と親交を温めることができて本当に幸運でした。

ロシア人の友人と話をするためなら、私はどこにでも喜んで出かけて行き、毎週東京と金沢を行き来しては、さらにどこかに出かけていたので、月に一週末しか家にいませんでした。ロシアにいる友人には手紙を書き、そのおかげで郵便局員の人たちと交流ができ、ウラジオストクに帰ってきた今でも彼らと文通をしています。

日本の衣装にまつわる私の物語は新潟で続きます。着物の着付け学院を終え、着付師の資格を取得しました。さらにもう一つ着物の絵付けをし、着物の生地で洋服も縫うようになり、写真プロジェクト「着物でタンゴ」も実現しました。

二〇一六年七月に雇用契約が終わり、家に帰ってきました。多くの人にどうして日本に留まらなかったのか聞かれましたが、それはまた別の話です。私と日本の関係が終わることはありません。創作、研究計画、友人訪問、通訳翻訳や教師としての仕事。日本語のおかげで、私が憧れたよりももっと多くのことを得ることができました。それは今後も続くのです……。

（翻訳　樫本真奈美）

着物でタンゴ

知人や友人に日本のお客さんのことを話す時、私は自然に「私たちの」優子、と付け加えて話していました

オリガ・フラプチェンコヴァ

物理学専攻、感傷的で楽天家
日本センター日本語講座生徒
ウラジオストク

五年前、日本文化と日本の生活は私たち家族の一部になりました。家族や友人のグループで外国語を勉強するヒッポファミリークラブのメンバーが東京からウラジオストクにやって来た時からです。クラブの主催者の挨拶状にはこう書いてありました。「私たちは単に国を訪問することだけを目的としているのではありません。家族の一員となり、その国の家庭生活や日常の言葉を知ることを意図しています。家族が増え、何でも一緒にするとどれだけ面白くなるか、想像してみるだけでいいのです」と。私たちの家族では、ホストファミリーに関する日本センターの申し出を喜んで受け入れました……が、不安もありました。以前日本を訪れた時、最も高いハードルは言葉ではなく、違った文化における生活様式、家族制度、異なる食生活、違った世界観であることを私は理解していたからです。

家族会議で日本センターの提案を受け入れることが決まりました！　日本では街路や公共の場が夢のように清潔なことを知っていたので、ロシアの家庭でもお客さんが来る前に必ずするように、家を理想的なまでにきれいに掃除しました。お客さんために部屋を用意し、食事内容を考えに考え、我が家のペット、メス猫のシムカとオス猫のセーリイにも、お客さんをもてなさなきゃダメよ、と事前に忠告しました。

優子は子どもたちのグループと一緒に到着し、私たちは花束を持って優子を出迎え、家に案内しました。最初に出会った時、私は優子が熟年齢にも関わらず、乙女のような体形と歌うような話し方をすることにとても驚きました。

私たちはすぐに共通の話題を見つけ、市内見学プログラ

ムを作り、状況に応じて調整をしました。家での最初の夕食は伝統的なロシア料理で、優子は我が家の料理をとても気に入ってくれました。優子に、普段は朝食に何を食べるのかを尋ねると、カフェオレ、トースト、ゆで卵が好きだと答えてくれたので、翌朝、夫が美味しいコーヒーを入れ、トーストとゆで卵を用意しました。私たちはというと、いつも朝食にはソバの実やカラスムギ、キビなどを炊いたお粥「カーシャ」と決まっています。優子がソバの実のカーシャを試し、とても喜んでくれた時は本当に驚きました。その後、ソバの実は朝食にも出し、夕食にも付け合せとして出しました。言うまでもなく、家庭料理のボルシチ、ビーツのサラダ、ペリメニ（ロシア風水餃子）を振る舞い、野菜は常に用意し、また我が家特製のデコレーションケーキやバターケーキを焼きました。優子はロシア料理を気に入ってくれましたが、やはり私の予想通り、サケ、オヒョウ、タラといった魚のほうを好みました。それは、簡単にわかりました。ある日、観光を終えカフェで昼食をとった時、優子は数あるメニューの中から真っ先に魚を選んだからです。

晩には家族で集まり、団らんをしたり好きな音楽を聴いたり、アルバムをめくっては家族のルーツや子どもたちについて話しをし、本当に様々な話題で語り合いました。

私たちは、優子が作ってくれた素晴らしい夕食、肉と野菜の入ったカレーがとても気に入りました。その後、伝統的な抹茶を振舞ってくれたのです。それは、完全な一連の儀式でした。ロシアではいつも何でも手早く済ませますが、それに対して日本の伝統的なお茶の作法には人感激でした。優子は、小さな茶碗に上品にお茶を注ぎ分け、泡立ててから、軽くお辞儀をしつつ各人に両手で茶碗を渡しました。伝統的な日本のお菓子（ロシアのお菓子のように甘ったるくない）は、お茶を飲む前に味わうことになっており、そうすれば、お茶は独特な風味を増し、格別な満足感が得られます。今、私たち家族は優子からもらったプレゼントを大切にとってあります。それは、きれいな陶器の茶碗、竹でできた茶筅、そして色付きのクリスタルガラスでできた、素晴らしいペアの「夫婦《めおと》コップ」です。

優子は興味津々で町を見てまわり、ウラジオストクを心から気に入ってくれました。しかし、特に興味深い時間としてお客さんの記憶に残るのは、何よりも身内のように打ち解けた場面です。というわけで、私たちは小さな夏用の家がある、ささやかなダーチャ（別荘）に優子を連れて行きました。優子は目を丸くしてあらゆるものに目をやっていました。うちは農家でありませんが、ダーチャでする畑仕事から満足感を得られ、少しだけイチゴと野菜を育てています。七月はキイチゴやスグリが実り始め、シベリアのジューンベリーが熟し、更にスイカズラの実もまだ見つけることができました。リンゴも実り始めました。優子はすべてに大喜びしていて、どうやら、私たちが週末に手入れをしている六〇〇平米の土地が優子には巨大なものとして印象付けられたようでした。彼女がミントの茂みを発見した時の、「ミント！ミント！」という嬉しそうな声が今でも聞こえてきます。そういうわけで、それから私たちは紅茶を入れる時はいつもミントを入れ、後には手作りの乾燥させたイチゴ、優子の大好きなソバの実、そしてもちろん、沿海州でとれるハチミツを日本に送るよう努めました。ハチミツは、中央広場で開かれる地元の素晴らしい夏市場で優子が自分で選んだものでした。また、地元沿海州の職人が作った、彩色が施された木製の食器を家族のためにお土産として買っていました。そして後には、ウラルの天然石でできた小さなアクセサリーも見つけて購入していました。

知人や友人に日本のお客さんのことを話す時、私は自然に「私たちの」優子と付け加えて話していました。というのも、私たちの興味関心事はとても似ているとわかり、優子を家族として受け入れ、私にとって彼女は妹のような存在になったからです。

私たち友人の間では、ルースキー島のアヤクス湾で、仲間内で誕生日を祝うという昔からしている習慣があります。かつてはハイキングで沿海州のハイキングコースを少なからず制覇しました。今でも休日になるとハイキングに行きますが、皆で集まる時には焚き火を囲んでギターを弾き歌うのがお決まりです。優子は私たちの輪にすぐに受け入れられ、薪と煙の香りがついたジャガイモと缶詰の肉でもてなされました。その後で泳ぎましたが、優子はウニを踏んでしまい、足の裏に刺さったのですがその場は何事もなく済んだようでした。その後日本から手紙が届き、いずれにせよウニの針の残骸が棘となって足に残り、それを抜くまでは苦しむ羽目になった、と書いてありました。思いやりがあり、心弾ませ、勇気のある優子にこんな試練が降りかかったのでした。

心弾ませるような優子……。私は優子と森で花を摘んだことがあります。私には、茶化して「友情」とも命名した、きれいなどっさりとした花束が出来上がりました。優子の花束は普通ではありませんでした。花束には生け花の名人を思わせる雰囲気があり、私たちの町の感触、そしてさらに優子の感情や印象がたくさん表現されていたのです。ここで私は、花をアレンジすることから発した、その独自性と繊細さで只ならぬ美しさを持つ日本の公園や、辻公園、庭園を思い出しました。

二年後、優子は夫妻で成人した子どもたちと共に、私たちを親しい家族のようにお客としてもてなしてくれました。私たちが大好きになった、和食で構成された夕食も、音楽もおしゃべりも、何もかもが素晴らしかったです。男性たちはすぐに共通の話題を見つけ、美味しい酒を味わいながら男連中がよくするように、学問、計画中の仕事、スポーツのことなど、英語で長時間難しいことについて語り合っていました。

優子は私たちにお土産を見せてくれて、私たちのお土産にも喜んでくれました。壁にはちょっとした小さな絵がいくつか掛かっており、地震が起こった時の危険性を考えて、全部は飾っていないが壁に掛けたり壁沿いに置きたいと思っている絵が他にもまだあることを明かしてくれました。ホームパーティーの終わり頃に弱い揺れを感じ、私は最初、感激しました。ついに、私たちにとっては非日常で、日本人にとっては日常的な現象に触れることができたと思ったのです。しかし、喜びはすぐに消えました。大した地震ではなかったものの、床がひどく揺れ、家全体が震動した時はいまにも壊れてしまうかに思えたからです。

私と夫のために用意してくれた客間は居心地がよく、畳の上で寝ました。優子は押入れの中から、日本の伝統的な寝具である敷布団と掛け布団を出してくれました。開いた窓から新鮮な空気が入り、布団で寝るのは驚くほど気持ちがよく快適でした。このほうが確かに背中には良いと思い、私はロシアの家でも同じように寝たいと思うようになったのですが、ロシアでは違う習慣で暮らしています。部屋一杯に家具を置くため、空いたスペースが格段に少ないのです。おそらく、地震が度々起こるという厳しい自然条件があるため、日本人は最低限の物で過ごすようになったのかもしれません。また、最低限の簡単な調度品に快適さを感じるという禁欲主義は、日本人の人生哲学でしょうか。もっとも、映画を観る限りでは、日本のデザインには趣向を凝らした工夫がたくさん施されていると思います。

日本語を勉強していると、いつも驚くべき発見があり、今や以前よりも多くの点で世界が違って見えるようになりました。文化、伝統、国民性について理解が深まったからです。しかしいずれにせよ、毎回自分が初心者だと感じています。そのホームパーティーの後、優子はとても困惑していました。伝統的に従って、お客さんに敬意を示しお風呂に最初に入ることを勧めるのが慣わしとされています。日本のお風呂はロシアのものより容量が大きく、常にお湯がわいた状態を保ち、循環する仕組みになっています。賑やかな夕食と楽しいおしゃべりの後、誰が一番にお風呂に入るかという質問が聞こえました。私は、男性が優位の日本の伝統を忘れ、夫より先に入ってしまったのです。後で通訳が私の不注意を説明してくれて、私たちは一緒にこの出来事をすべて茶化して伝えたのですが、ヨーロッパの伝統では、ドアは女性に対して丁重に開けられ、先に通すことが慣わしとなっています。その後日本に行った時、私は日本人が子どもたちに対して思いやりをもって接し、老人に対して細心の注意を払っていることに注目しました。私も様々なことを優子と同じ目線で見るようになりました。

彼女の名前は「やさしい」という意味を持ちます。名前は漢字二文字から成り、日本人は子どもの名前をきれいな響きと意味、漢字を使ってつけるそうです。優子という名前は正しく合っています。優子は明るく優しい人だからです。優子は、私がウラジオストクで優子を迎えた話を私が書いていることを知り、自身の印象を伝えたいと言ってくれたので、ご紹介します。

成田空港から、ほんの四時間ほどのフライトなのに飛行機を降りたら、日本とはまったく違う世界！　ヨーロッパ風の建物、街灯の照明を飾る曲線、教会のエキゾチックな形と色使い、白樺の細くてしなやかな枝と美しい緑の葉、その上に広がる空の色は深い青……そしてそこに住む人たちも髪の色、顔かたち、もちろん話す言葉の響きもまるで違う。でも一番忘れられないのは、そこに住む人たちとの出会い。ダーチャの木の実や野菜を一緒に収穫し、料理を作り、甘いお菓子とおいしい紅茶を飲みながら、ゆっくりと語りあうとても贅沢で素敵な時間だった。いまでもホストママの「気に入った？」というロシア語の声と笑顔を懐かしく思い出す。

日本語と日本文化を勉強していると、私は隣国の島々に住む人々の哲学にますます深く入り込んでいきます。言語学習には並々ならぬ労力と努力をしなければなりません。日本人の勤勉さが、水の流れる美しい庭園の創造や花の栽培、サクラ、富士山、大山といった自然を愛でる能力にいかに透けてみえることでしょう。こうしたことすべて、その他多くの点に私たちヨーロッパ人はとても感動します。礼儀正しさには本当に驚かされるのです。朝のカフェや公共交通機関で必ず「おはようございます」という挨拶が聞こえ、「ありがとうございます」は一日中耳にします。その軽いお辞儀と挨拶が自分だけに向けられているように感じるのです。

米子で海岸沿いを長いこと散歩していた時、年配の日本人たちと知り合いました。私は、その日本人たちが裸足で歩き、屋外に置いてあるトレーニング器具で体を鍛えていることに感激しました。皆、挨拶をしてくれました。私は少ない語彙を使って話をし、「私は六〇歳です」と日本人に言いました。しかし、私は普段から運動する努力をし、一〇歳か一二歳ほどは若く見えたので、人生を楽しむ私におそらく皆驚いたでしょう。

さらに私は、小さな林の茂みの中で野生のキイチゴやイチゴを採りました。気まずさを感じ、採ったのは少しだけです。というのも、他の誰もイチゴをとっていなかったからです。ある日、ある顔見知りの男性に出くわしました。その男性とは何度も会っては挨拶を交わしていたのですが、男性が私に歩み寄り挨拶をすると、白い手袋をした手の平で

真っ赤なイチゴを一掴み程差し出してくれたのです。私はすっかり喜びの波に包まれてしまい、涙が出てしまう程でした。長い間、このような優しさを感じていませんでした……白い手袋をした手の平に一掴みのイチゴ……六〇歳以上の年齢であっても、驚くべき人たち、驚くべき男性たちです。

日本から戻ると、思いがけず誰かにぶつかってしまった時、その人の方を向いて「すみません」と日本語で言ってしまうことが一度ならずありました。そして、相手が驚いているのを見て、ロシア語で「イズヴィニーチェ（すみません）！」と言い直すのです。または、何かを手渡す時には、つい癖で物を両手で持ち軽くお辞儀をして「どうぞ」と日本語で差し出してしまいます。そして、快い気持ちを感じれば、何度も相手に「ありがとう」と言います。日本では、私たちロシア人がひと月かけても言い切れない程の丁寧な表現を何度も耳にするのです。

職場や公共交通機関、そしてお店で、「こんにちは」、「ごめんなさい」、「ありがとう」、と挨拶されるのを耳にすれば、気分が変わり、精神状態も変化します。私たちは変わるのです……。

（翻訳　樫本真奈美）

ヴィターリー・チスチャコフ

ロシア合気道協会
天道流沿海州支部会長

毎年生徒を連れて東京に研修に行くので、日本語学習は必須です

　五歳の頃、私は棒を刀に見立てて、侍の真似をするのが大好きでした。密かに父の東洋の武道の教科書をめくっては、様々な技のテクニックの写真を見たものでした。六歳のとき、私は空手道場に入門し、本格的に格闘技をすることができてとても幸せだったことを覚えています。そのときに私は、実際にはいくつかの礼儀的なフレーズだけでしたが、初めて日本語に触れました。「ありがとう」、「はじめ」、「さよなら」、一〇までの数「いち、に、さん……」、それにさまざまな動作と当身技の名称です。

　その後の私の少年時代には、柔道やキックボクシングがありましたが、ある時、合気道の道場がオープンしたと知ったのです。当時、それは一九八〇年代の終わりに日本からロシアにやって来た、新しくてあまり知られていない武道でした。

　最初の何回かの稽古で、自分の温和な性格と自己防衛の傾向には、他のどの武道よりも合気道が合っていることを悟りました。合気道における立ち方、独特な動き、技の名称を翻訳するために、すぐに日本語の辞書が必要になりました（当時コンピューターはまだ少なく、インターネットは大変な贅沢でした）。

　日本文化と切り離しては理解できない言葉がいくつかありましたので、多くを読み、これらの言葉が日本人にとって何を意味するのかを理解しました。こうして日本文化研究の真剣な第一歩が踏み出されました。合気道は、武道及び哲学として、私を魅了し、今では私の人生の重要な一部となっています。最初は趣味でしたが、やがて仕事となりました。二〇〇一年に私は子どもたちのトレーナーとなりました。生徒たちが、ロシアにいながら日本武道の技を学び、彼らが日本に興味を持ち、その国に行ってみたいと夢見ていることを私は好ましく思っています。結果として、そのうちの何人かは東洋の言語をより深く学習できる学校に行ったり、「日本学」を専門とするため大学に進学したりしました。

二〇〇二年、私は天道流合気道の創設者である館長の清水健二八段とそのご子息の清水健太道場長に会いました。彼らはセミナーのために初めてウラジオストクを訪れたのです。私個人の成長と技の仕上がりを見守るなか、八年後には、先生方は私にウラジオストクで合気道の道場を開く事業　を任せてくれました。今では、ロシア及びウラジオストクの天道流合気道の代表者をしています。今道場ではおよそ一五〇名の子どもと五〇名の大人が稽古をしています。ところで、大人の合気道家たちは合気道の武術や日本文化だけに関心を抱いているわけではありません。ビジネスの分野でも日ロ関係を発展させています。

毎年生徒を連れて東京に研修に行くので、日本語学習は必須です。私たちに合気道の知識を与えてくださる長老たちの教えを理解するためです。はじめ、私は独学をしようと決めました。一般的な言葉から始めました。しかし、日本語には、ひらがな、カタカナ、漢字といった多くの「訳の分からない罠」があるという事実から、私は文字通り身動きできなくなりました。「なんのために文字が二種類ある上に漢字がたくさんあるのだろう？ロシア語は文字が一種類、英語もひとつ、日本語にはみっつ……絶望的だ！……」専門家の助けなしには無理だと理解しました。家庭教師探しが始まりました。その時、私の教え子の一人で当時の東洋研究所の学生が、日本センターの日本語講座のことを教えてくれました。

こうして二〇一三年七月、私は日本センターの日本語講座の受講生になりました。武道である合気道の技を学ぶことは、日の出ずる国の言語習得よりもはるかに易しいことだと分かりました！論理的に考える私にとって、話すことも書くことも簡単にはいきませんでした。しかし、先生

初心者の頃　1992年

方の行き届いた、親切で忍耐強い対応のおかげで、私はこの素晴らしく旋律的な言語の学習を進めることができました。それでも一番難しかったのは、いくら学んでも情報が頭に残らず、指からこぼれる砂のように滑り落ちてしまうことでした。先生方は、諦めてはいけない、最初の半年が一番大変で、その先はずっと楽になるから、と言って私を励ましてくれました。驚くべきことに、これは合気道でなじみのない技を身に着けるプロセスを思い起こさせるものでした。最初はただ真似をするだけで、それから少しずつ動きに慣れていきます。最後には技を覚え、数か月が経ってようやく本当に使える技を習得できるのです。

一年が過ぎました。私に続いてロシア合気道協会の他の合気道家が日本語に興味を持ち、同じように日本センターの講座受講者になりました。面白いことに、私たちと机を並べる他の受講者も合気道に興味を持つようになりました！　日本センターの河原和尊所長が自ら稽古を見にきたほどです。

二年目の講座では、情報量の増加につまずきました。再び多くの忍耐と努力を要しましたが、私はすべてうまく行くと信じました。スポーツをする中で、困難を克服することを学んでいるのです。もしもうまく行かないときは、他の道を選ぶか、その道を最後まで歩むために可能なこと、そして不可能なこともすべてやるかです。したがって、三年目も受講しなければなりません（主な時間はロシア合気道協会での仕事に費やされます）。受講させてもらえることを祈ります。

私たちのロシア合気道協会にとって、二〇一九年一〇月に東京で行われた天道流合気道五〇周年記念行事は輝かし

い出来事となりました。風光明媚な保養地、静岡県伊豆の観音温泉で行われた祝賀セミナーには二〇か国から二三〇名が参加しました。私たちは毎日朝夕稽古をするために畳敷きの練習場に集まりました。稽古の合間の休み時間には、温泉に入ったり、日本食を試してみたり、自然を満喫することができました。ある晩、私たちはチームで小さな出し物をすることにしました。ロシアの国民芸術家であり、音楽アンサンブル「ヴェチェ」の代表であるイゴール・シュカロベニコフの指導の下、ロシアの民族衣装を着て踊りと歌を披露しました。私たちにとってその時の観客の反応は嬉しい驚きでした。私たちのパフォーマンスによって多くの観客は涙を流し、ロシア文化に対する心からの関心と、ウラジオストクを訪問したいという願望をもってもらうことができました！

（翻訳　小川久美子）

中央に天道流合気道の創始者、清水健二氏　2014 年、東京

「ああ、謎めいたロシアの心よ」と仏陀はため息をつき、微笑んだ

セラフィーマ・チョードゥ

『2時間で逢える日本 - ウラジオストク』
エッセイコンクール優秀賞
ウラジオストク

ウラジオストクの四季は変わりやすく、間延びする。ウラジオストクの四季を思うと、徐々に味がなくなっていくチューインガムをいつも連想する。冬は長く、しまいには四月の雪が町を覆う。本当の春が来るのはおそらく五月の始め。しかも、暴風がうなりをあげることもある。

そばを次々に通る車に水溜りの水をはねかけられることは、おそらく一日に一〇〇回はくだらない。ズボンから水がしたたり落ち、スニーカーはぐしょぐしょになる。前方に何か東屋のようなものがあることに気づき、足を速めた。

「ああ、これはおなじみの！」

それは、屋根に覆われた仏陀だった。

ゆっくりと服を絞る間、仏陀がしっかりと風を防いでくれた。穏やかに開いた手の平に誰かが一握りほどの小銭を置いている。

「ラッキーね、そうやって簡単にお金を貰えるんだもの……」

私は仏陀に目を遣る。仏陀がウィンクした。

「さて、じゃあね。避難させてくれてありがとう」

奨学金の支給まであと数日ある。ソバの実にも飽きたし、何か別の、すぐにたくさん食べられるものが欲しい。

「チョコレートを買おう。ミルクチョコレート！　いや、ソーセージのほうがいいわ。燻製の！」

水溜りにはまったことに気づく。湿ったスニーカーの横で五〇コペイカ硬貨が漂っていた。どこからか笑い声が聞こえてきた。

「それでチョコレート買えるじゃん！」

私に向けられた言葉だと思われる。もちろん、お店でまず最初に手にとったのはまさにチョコレートだった。

「そもそも、ペリメニ（ロシア風水餃子）を買えばいい

じゃないか」と良心の静かな囁きがあったが、時すでに遅し。ペリメニを買うにはあと五〇ルーブル足りなかった。

夜中の一時にマルチクッカーでソバの実を炊く。

翌朝、紅茶を入れて、話し相手が誰もいないことに愚痴をこぼしながらソバの実を温めにいく。友達は家に帰ったからだ。戻ってみると、私の椅子に座る仏陀を目にした。

「それ、私の紅茶だったのに！」

「これじゃあミルクチョコレートがぜんぜん足りないよ！」

と仏陀が紅茶を手放さずにハハハ、と大笑いした。

「誰かがうっかりお前とお金を分け合ったんだ。それなのにお前は……お茶ですら分け合いたくないのかい？」

「もう、わかったわよ。飲めばいいじゃない……」

「急かせないでくれよ、美味しいお茶なんだから」

仏陀は目を細めて、満足げな猫にそっくりだった。あんまりそっくりだったので、笑わずにはいられなかった。私たちはおそらく半時間はずっと大笑いしていた。そして、私が笑いに笑って落ち着いた時、仏陀は跡形もなくなってしまった。

「用事があるんだわ」、とティーカップの中の絞られたティーバックを見ながら思った。

仏陀には、ごく幼い頃から馴染みがあった。というのも、私は住民の大半が仏教徒であるトゥヴァ共和国で生まれたからだ。多くの家には様々な関心の度合いを持ってお客を眺める小さな仏像が置いてある。私がウラジオストクに引越して来た時、故郷にいるかのように感じた。極東、とりわけ沿海州に関して皆が知っていることは、ロシアの最もアジア的な地域だということだ。この「アジア性」の中で何が一番興味深いかといえば、日本や中国から入ってくる品物でもなく、ロシア人女性の顔に合わせた韓国製の化粧品でもなく、まさに塩気のきいたウラジオストクの空気だ。この捉えどころのない感覚は、何とも間違うことはない。穏やかな地域にも関わらず生活のテンポは速く、新しい印象や出会いがた

くさんあっても、心がすぐに打ち解けるわけではない。

仏像がウラジオストクの多くの市民の心に深く根ざすようになるまで、大変な苦労を余儀なくされた。移転をし、チンピラに壊されそうになっても、それでも生き残った。そして今や正教会の真隣にいる。

「ああ、謎めいたロシアの心よ」と仏陀はため息をつき、微笑んだ。

私は仏像の横に立ち、つい最近鮮やかな花を満開に咲かせた木々、町の上にかかった虹を惚れ惚れと眺めた。

「ねえ、知ってる？トゥヴァのラマはよく言ってたのよ。仏陀の姿や仏像は、仏陀自身が世界に到来することと同じだって」

仏陀はウィンクをして笑った。その笑い声は遠くまで響き渡った。

（翻訳　樫本真奈美）

「ああ、与謝野晶子！」と叫べば、心が揺さぶられます

ダリヤ・シェルバク

『2時間で逢える日本 - ウラジオストク』
エッセイコンクール入賞
ウラジオストク

ついこの間までなら、与謝野晶子について話す時、たった一行で済ませていたでしょう。「極東連邦大学日本学科がある敷地の辻公園に、日本の女流歌人を記念する石碑が建てられた」と。私たちは、例えば「なぜ突然石碑ができたのかしら？」などとさらに疑問を抱くこともせず、物事の本質に踏み込まないことがよくあります。より深く物事に触れたとたんに、ますます素晴らしい発見があるのです。私にとっての発見は、与謝野晶子でした。

実際、与謝野晶子には驚くべき点がたくさんあります。古典和歌である短歌に没頭しながら、与謝野晶子（本名は鳳志やう）は、和歌において全く伝統的ではないテーマに触れました。過剰なエロチシズム、明け透けな作品が非難されることも稀ではありませんでした。驚いたことに、ほぼすべての抒情詩が愛するひとりの男性、与謝野鉄幹に捧げられています。若い女性が既婚男性への想いを包み隠すことなく書いています。鉄幹が自身の結婚を解消した時は、晶子は愛する人と共に過ごすため実家を飛び出しました。その行動は、慣例や伝統に真っ向から反するものでした！晶子の率直さと勇気は、処女詩集『みだれ髪』に反映されており、まるでわざと愛の情念を見せつけるかのようで、それはおそらくフェミニズムの思想に晶子が傾倒していたからかもしれません。与謝野晶子は文芸評論家になり、古典作品を現代語に翻訳をし、そして愛について書く。正直さと気持ちの強さは、人の心を捉えるものがあります。

恋をする心は獅子の猛なるも極楽鳥のめでたきも飼ふ

夫への愛が消えたことは一度もありませんでした。それゆえ、夫と離れることは晶子にとって耐え難いものだった

ことがよくわかります。恒例の「慣例の逸脱」は、夫の後を追ってパリまで出かけてしまったことです。たったひとりで日本からフランスへ。ウラジオストクから始まるシベリア鉄道に乗って、果てしなく続く広大なロシアを通って。

　当時家には七人の子どもたち（与謝野家には全部で一三人の子どもができ、うちふたりを亡くす）がいたため、晶子は子どもたちの世話を心配します。引き返すチャンスはまだある、と晶子は不安に駆られました。悩みながらも、汽船「オリョール」の切符を予約しました。

　楽ではない選択をして、傑作のひとつ、「旅に立つ」という詩歌を残します。

いざ、天の日は我がために
金の車をきしらせよ、
颶風《ぐふう》の羽は東より
いざ、こころよく我を追へ。

黄泉の底まで、なきながら、
頼む男を尋ねたる、
その昔にもえや劣る。
女の恋のせつなさよ。

晶子や物に狂ふらん、
燃ゆる我が火を抱きながら、
天がけりゆく、西へ行く、
巴里の君へ逢ひに行く。

極東連邦大学の構内にある与謝野晶子の歌碑

この詩歌は、与謝野晶子を記念して建てられたウラジオストクの歌碑に刻まれており、この歌碑は日本の国外で建てられた五つの記念碑のうちのひとつです。歌人の故郷やかつて訪れた場所には二四〇箇所の記念碑があります。

ウラジオストクに来た短い時間ですら、その瞬間を永遠に刻む手段になったことに感激します！ 愛の詩は本当に素晴らしいです。

ラスール・ガムザートフの詩行を思い出します。私たちは痕跡、家や小道、木や言葉を残すために生きるのだ、と。私はいま二〇歳で、ウラジオストクは私にとって道の始まりです。おそらく、かつて詩人の運命にあったように、私の道は西へ向かうのか、東へ向かうのかはわかりませんが、それは神秘的な魅力のベールを失うことなく、毎年少しずつ近づき、より鮮明になっていきます。まさにこのウラジオストクだからこそ、短歌をしたためてみようという欲求が生まれました。それが私自身の旅の始まりになる可能性があるのではないでしょうか!? 出発に際し、私なら紙にこうしたためます。

東風が
さくらの花びらを運び去る。
私を待ち受ける道の
なんと気まぐれなこと！
物憂い春の心かな

（翻訳　樫本真奈美）

驚きは尽きることなく、私は学び続ける

イワン・ユーゴフ

日本語通訳翻訳
旅人、オブニンスク

八〇年代、ウラジオストクにある研究所で働く私たち職員の間には、昼休みにサッカークラブ「FCルチ・ウラジオストク」の補助競技場でサッカーをするという伝統があった。この伝統は今でも続いているそうだ。例えば、私のような平凡な技術者も、博士も修士も未来のアカデミー研究員も、みな肩書きや役職に関係なく走りまわっていた。罵倒やどぎつい言葉も飛び交いつつ、激しい試合が行われた。ゴール判定の是非やルール違反をしていないかどうかで激論になり、口論は次第に小競り合いや激しいプレーに発展したため、怪我をすることもしばしばだった。

後に私は日本に長く滞在することになるのだが、そこで地元のサッカーチームに入部した。このチームには、仕事で溜まったストレスをサッカーで発散しようとする人たちが集まっていたため、仲間内だけで遊びのゲームをする時は、ゴール数をカウントせずルール違反もないのが当たり前だった。皆、対戦相手を怪我させないよう気遣ってプレーをし、いいプレーだけでなく、ミスに対しても「ナイスファイト！」のような言葉で鼓舞し励ましていた。衝突した場合は双方どちらも謝ることもしばしばだった。さらに驚いたことは、どんなに暑くても日本では上半身裸になってプレーすることはなかったことだ。

しかし、どれだけ日本に長く住もうと、奇跡と驚きは止まることを知らない。

もちろん、それぞれの国に素晴さと類のない個性がある。しかし、もし他国の人々に対する影響力や世界の興味を惹くという点でその国のユニークさを評価するとすれば、日本は当然、特別な国上位一〇カ国に入るだろう。そういうわけで、初めて日本にやって来る人を空港で迎え、その人が道中に寝入ってしまい、ホテルに着くまで居眠りをしてしまうような時は、恨めしく思わざるを得なかったことも一度や二度ではなかった。

なぜなら、日本ではありふれた道路ですら相当な驚きがあるのだから！例えば、どんなにぬかるんだ道を走っても、車はきれいなままだ。ここで言う「ぬかるみ」はロシアでイメージされる泥道のようなものでなく、端的に言えば水と雪が混ざったものだ。それは、近郊の田舎道（すべてアスファルトで舗装されている）や近くの草地から泥が道路に運ばれてくることがなく、道路の縁石や排水溝はいつもきちんとその役割を果たしているからだ。

そもそも、私は日本の縁石にいつも感動し、この物体を見るとあれこれ謎解きをしたくなってしまう。この縁石は新しいのか古いのか、黒ずみやかすかな風化はどれほどの年月がもたらしたのか、といった具合だ。縁石は常に理想的なまでに平らで、割れ目はどこにもなく、配管が突き出ていることなど決してない。日本の縁石の下にもどうやらロシアとまったく同じ脆い土があり雨や雪が頻繁に沢山降り注いでいるようなのだが、縁石は変わりなくそこにあり続け、壊れない！陥没することもなければ、傾くこともない。しかも、日本ではさらに地震も頻繁に起こるというのに……。

オブニンスクからウランバートルを経て、ウラジオストクに到着！　自転車で３ヶ月の旅　2019 年

そばを通り過ぎてゆく町や田舎町に目をやると、文字通り隣の家に手が届くほどに密集して建てられた家々が見える。しかも、鉄道の線路から二メートルしか離れていないところに立っている！……すぐに目に飛び込んでくることだけでもこんなに驚きに満ちているのだから、もし道路から数メートル離れてみれば、意外な驚きと役に立つ学びは尽きることがないのだ！

私が日本語に熱中したのは、独学で勉強をした学生時代からだったが、日本語の素養があったおかげで、ソ連崩壊とそれに続く混乱の九〇年代のはじめですら私は人生の価値を見出すことができた。科学アカデミーが苦しい時代を経験し、給料の支払いも滞り始めた時代だった。ちょうどその頃、閉鎖港であったウラジオストクが開かれ、多くの好奇心旺盛な日本人旅行者が押し寄せた。通訳が目に見えて不足していたため、当時は日本語のレベルがとても低かったにも関わらず、私にも旅行者を案内する仕事の機会がまわってきた。駆け出しのころに経験した仕事のひとつが、一九九一年に松永忠君さん率いる鳥取県の代表団を受け入れ、お世話にあたったことだった。松永さんは、戦後にソヴィエト連邦で亡くなった軍事捕虜の肉親をロシアに連れて行くという計画を実行した方だ。これは両国に根付く暗い歴史のページを克服するための難しいミッションであったが、この目的を遂行するために松永さん自身はすでに一二回もロシアを訪問され、さらにモンゴル、ウズベキスタンなどで同胞が埋葬されている場所を七六ヶ所も訪れていた。

一九九三年に、松永さんはウラジオストクへ石造りの仏像を寄贈なさった。この仏像は、日ロ両国民の恒久平和を願うシンボルでもあり、第二次世界大戦で戦死した兵士の魂を弔う慰霊碑でもある。

この活動には本当に驚いた。アイディアそのものもさることながら、実現させるのは相当難しいことだったからだ。輸送費なども含め仏像にかかる全ての資金は、最も信頼する妻の芳子さんとふたりで松永さんが集められた。ただ、芳子さんの訪ロは叶わないままに他界されたことは残念だった。芳子さんは聡明で明るい女性で、一九九三年に私が妻と息子を連れて松永さん宅を伺った時には大変お世話になった。他にも、鳥取県から来たその最初の代表団のメンバーと知り合った。印刷会社「中央印刷」社長の松下弘さん、その松下さんの会社に印刷用紙を納入している「田村紙店」の社長、田村達之助さん、鳥取県の「新日本海新聞」中部本社の代表である佐伯健二さん、教育関係者の池本さんと福田さん達である。皆さんとの友情は今も続いており、他界された方もおられるが、私にとっては感謝

佐伯健二さん（左）と松下弘さん（右）

の気持ちが強く残る一番の思い出として、ずっと心に残っている。

当時は、ウラジオストクで様々な団体を案内し、たくさんの素晴らしい日本人と知り合う機会に恵まれた。その中には、現在の私の上司である「ラックスマン・エンタープライス・ジャパン」の志甫浩之社長、歯科医の萩原達雄さん、中古車販売の会社を営む松村國夫さんもおられる。後に私が日本で生活をするうえで、皆さんにはいつも様々な形で助けていただいた。松下さんと田村さんが招待してくださって、私たち家族は二回も鳥取県を訪れることができた。松下さんと従姉妹のお姉さんが住むお宅でお世話になり、しばらくの間、そのお姉さんが私の息子にとって日本のおばあちゃんになってくださった。

数年後、私は「ラックスマン」(エカテリーナ二世に大使として日本へ送られた陸軍中尉の名前)の海外取引マネージャーとして仕事を得た。ロシア人と仕事経験がありながらも、日本の会社が持つ独特の性格を帯びたこの小さな会社で、社員の一員として溶け込むのには時間がかかった。

最初のうちは、当時は執行役員だった志甫浩之さんのアパートに住まわせてもらっていた。毎晩、志甫さんが味付けを様々に工夫しながら夕食を作ってくださった。しかし、志甫さんは台所には誰も入れず、食器を洗うことすら許さなかった。すでにお馴染みのすき焼きやしゃぶしゃぶといったものから、麻婆茄子(漢字にすると「ナスのおばあちゃん、マーさん」だ)、独特な姿をした焼きサンマ、貝のスープ、納豆ご飯といった目新しい料理までご馳走になった。どれもこれもビールがすすんで仕方がなかった。

自分で部屋を借りて住むようになると、私の食事はとても貧相になった(変わることのない好物はチョコレートだ。消化を促進し、気分が良くなり上機嫌になれる。特に、窓の外で湿った風が吹き冬の大雨がざあざあと降り続くような時には効果的だ)。

私は初めての給料で引っ越しパーティーを企画し、ラックスマン社の重役三人を新居に招待し、すき焼きをご馳走すると決めていた。そのためにセラミックの鍋を買ったのだが、それを見た志甫さんがとても心配そうにこう言った。「これはすき焼きの鍋と違うで！　肉を先に焼いてから、割り下を入れるねんけど、知らんの?」私は、「大丈夫ですよ！　フライパンで肉を焼いてから鍋に移して、そこへ割り下を注げばいいんですよ……」と返した。すると、志甫さんは明らかに怒って後ろを向き、何か関西弁でつぶやいていた。私はその時、すき焼きをどのように作ればよいのか、どんな具材を何に入れて煮るのかを正確に思い出した。しばらく黙っていたが、本物のすき焼き鍋を買いに出かけた。職場の上司には、すき焼きという名にふさわしい正しい調理法で作りご馳走したかったからだ。専用の鍋、野菜、肉、生卵を混ぜる浅皿をそろえた。

私は日本人の心理について書かれた本をかなりたくさん読んだ。しかし、実際の場面では知り得た知識を忘れてしまい、的外れな失敗をよくしてしまった。例えば、「はい、ラックスマンです、ご用件をお伺いします！」と元気よくはっきりと電話で対応することがうまく出来なかった。そのせいで会社は信用を失くし倒産の危機に立たされることも考えられるのだ。また、お客様用のスリッパを間違って会社の入り口に置いてしまったり、コーヒーカップの洗い方を間違ったこともあった。まずスポンジに洗剤をつけてからカップを洗うべきところを、私は洗剤を直接カップにたらしていたのだ。日本で働き始めた当初は、緑茶の出し方、自己紹介や名刺交換の仕方など、お客様や訪問者に会う時の作法を徹底して学んだ。しかし、すぐにはできないことばっかりであった。

毎晩、その日に職場で行ったことを日本語で簡単に書き付けた。誰と何について話し、どんな取り決めを行ったか、などだ。会話をたくさんしなければならなかったが、皆が話すことを決してよく理解できたわけではなかった。かくして、全神経を集中させて耳を傾ける必要があった。最も大切なことは、余計なことは言わずにはっきりとした返事や約束をしないようにすることだった。多くの人と仕事をしながらも、目の前のお客さんとだけ働いているような印象を与えなければならなかった。企業秘密や計画を漏らさないことも重要だった。

相手の言うことがよく分からない時は、通訳作業のみに全神経が集中してしまい、ビジネス上の駆け引きを忘れてつい失言してしまうこともあった。そのあとでミスを挽回すべく奔走する羽目になり、それもあまり得意ではなかった。

一九九一年のソ連崩壊とそれに続く、永遠に記憶すべき九〇年代に、ロシア人船乗りやダメなビジネスマン、成金たちの過度に見苦しい振る舞いによって、日本のロシア人に対する見方が冷ややかになった。

ある日、私はおもちゃ屋で当時人気があった「トランスフォーマー」のような、知的水準の低い残酷な製品で世界を制圧しようとするアメリカに大声で悪態をついた。隣にいた連れの仲間がすぐに私のことをたしなめ、「静かに！大声を出すんじゃないよ。ここら辺ではロシアの仲間がどれだけいると思ってるんだ？多分、この三人だけで、あとはみんなアメリカの味方なんだから！」

　しかし、私の妻は当時のある出来事をいつも思い出す。私達が喫茶店にいた時、母娘の二人連れが近寄ってきた。私達がロシア人だと分かると、六〇年代初めにソヴィエトの医師らが日本へ運んできた小児麻痺（ポリオ）ワクチンのことで感謝していると言った。そのワクチンによって、この母娘の一人を含め、何百万もの人が助かったからだ。

　自分たちに向けられた好意的な態度は、私の父ウラジーミル・イヴァノヴィッチ・ユーゴフも感じていた。父もまた、親切な日本人の知り合いのおかげで、一九九六年に来日を果たすことができたのだ。エンジニアとして鋭敏な頭脳と優れた腕を持つ父は、ウラルにある巨大な軍事製品工場の電気機械工場主任として二〇年近く働き、その後オブニンスクにある精密機器工場「シグナル」の実験部所の主任となった。もちろん、外国には一度も行ったことがない（戦時中のポーランド、ドイツ、チェコスロヴァキアを除いて）。

父のウラジーミル

　当初、化学の教師をしていた私の母、タチアナ・ワシーリエヴナも父と一緒に訪日する予定だったが、急用ができて家に留まることになった。

　出発の準備にはかなりの時間を要し、神経をすり減らすほどの緊張を強いられた。まず、すでに日程が決まり航空券を確保したにも関わらず、肝心のビザがなかなか出なかった。次に、ちょうど大阪周辺で学校給食から発見された病原菌O157の感染が拡大していた。何千人もの子どもたちが苦しんでいた。大人も後に感染していき、病例は日本中に広がった。ロシアのテレビやラジオでもこの謎の病原菌について報道されたので、父は冗談抜きで心配し始め、日本行きを中止しようかとも考えていた。自分のことだけでなく、一緒に行く予定をしていた孫のセーヴァを心配してのことだった。この伝染病にかかったのは主に子どもたちであり、命を落とした人もいたからだ。

　在ウラジオストク日本領事館によると、O157発生の原因は依然として不明ながら、夏の暑さもあいまって拡大し続けているということだった。

私は当時、ウラジオストクの疫学者のもとへ相談に行ったのだが、私たちを安心させてくれた。清潔な食べ物に慣れすぎている日本人は、どんな些細なバイ菌からでもすぐに病気になってしまうということだった。つまり、O157はまったく恐れるに足らずで、予防のためにロシア製の安い薬を持参して行けばまったく問題はない、と。

そうして、私たちは渡航準備に臨んだ。すると、奇跡だ！この旅の準備には困難を伴ったが、日本国内の移動が大変だったにも関わらず、日本の旅はとても順調でうまくいったからだ。

日本滞在中に父は詳細な日記をつけていたのだが、そこには私も一度も気にしたことのないようなことが鋭く書かれていた。ここで、父の日記の断片を日付を追って紹介したい。

八月七日　志甫さんの車で町を案内してもらい、原子力発電所を見に行った。敦賀になんと近いことか！道路は徐々に、湾岸沿いに入るにつれヘビ状に曲がりくねってゆく。二三年前にはこの道路はなく、湾には海側からしか入れなかった。とてもキレイだ。ウラルと比較して思うことは、原子力科学者にとっては最高の場所だ……。

谷間に発電所の丸屋根が高くそびえ立っている。向かいの丘には研究センターがある。すべてが原子力エネルギーの供給で実現する天国という未来の理想に支配されている。ガラス張りの壁のあたりに単眼鏡があり、一〇歳から一五歳ぐらいの子どもがずっと覗き込んでいる。展示台や学習室があり、暗いホールでは原子力シアターがあった。ガイドの役割をする少年とコウノトリがホログラフィー（三次元）で映し出され、原子力発電所の設備を説明していた。

鳥取に着いたのは夜の一〇時だった。田村さんが私たちを出迎えてくれた。車に駆け寄り、向かったのはホテルだった！これは予想外だった。本当は、個人の家で日本の生活を体験したかったのだが、企画してくれた人達の考えは違っていた。田村さんは豪華な部屋で正座をして、紙に書いてあることを何かしきりに説明しようとしたので、ホテルでの過ごし方を我々に教えようとしているのだと思い、内心とても戸惑った。しかし実際は、もっと深刻な心配事だと分かった。その時、町ではO157に感染した人が三人いた。そのため、松下さんは私達が感染しないよう一番高いホテル（四泊で六万一千円）を手配してくれたのだ。

安い宿泊先では心配だとの配慮からだった。その紙は、住民に対するアドバイスが書かれた新聞のコピーだった。見たところ、そこに書かれてあることをすべて実行する者は誰もいないだろう。

八月一〇日　私たちの主な招聘主の松下さんが経営する会社「中央印刷」へ向かった。到着すると、靴を履き替える。作業場によって違うスリッパが置いてある。部長さんに印刷工場を案内してもらった。一一時に松下さんが到着し、彼の執務室で話をした。オブニンスクの知り合いが作ってくれた手編みの犬をプレゼントすると、松下さんはとても喜んでくれて、フックを取り出し、それを自分の安楽椅子の上方に飾った。

その後、松下さんのお宅に伺った。そこで私達は盛大なお土産交換をした。蟹の形をした鋳鉄製の灰皿を松下さんにお渡しした。その間ワーニャは松下さんの妹、河本さんとの話に夢中だった。松下さんは古い大正琴の弾き方をセーヴァに教えていた（鍵盤を押しながら同時にピックで弦を弾かなければならない）。

最後に、プレゼントの袋を数個いただいた。私は、大金持ちである松下さん愛用のワイシャツとベルト（どうやら、私のズボンが垂れ下がっているのに松下さんが気づいていたようだ）をいただいた。ベルトのサイズは私には短かかったが、留金が本体から取り外せる特別なバックルの付いたタイプだった。つまり、ベルトは買って交換すれば、お気に入りのバックルを付けてずっと使えるではないか！

京都に行く。大型バスの後部座席に乗る。トイレ、隣には洗面台が完備されており、お湯、コーヒーとお茶のパック、砂糖、コップがある。とても快適な旅！道中イヤホンでずっと日本の音楽を聴いていた。周囲は山々が高くそびえ立ち、トンネルは至るところに続く。カーブで行き交う車の間は五〇センチほどしかない。多くの町や田舎を通り過ぎていった。しかし、人はどこにもいない。おそらく、みんな働いているんだろう。植林された森に囲まれた場所には製材所が数多くあった。製材所まで続く山の傾斜を森林が覆っている。その斜面は再び植林されるのだ。空き地のすぐ傍からアスファルトで舗装された道路が上に延び、そこには丸太ひとつ転がっていない。すぐに二〇年代に山を買い占めて木材業を創業した偉大なヘンリー・フォードを思い出した。彼は森で帯鋸を使って自動車「フォード・モデルT」の部品を鋳型に合わせて切削加工し、その場で乾燥させた。何も「無駄にしなかった」。

京都で列車に乗り換え長浜に向かうと、志甫さんが迎えに来てくれた。車で狭い道を行き、自動車解体業社の社長のところに行き紹介してくれた。そこには外国人労働者（中国人やベトナム人、時々ロシア人も来るらしい）用の寮がある。東京に立つまでの一週間、私達はこの外国人寮に住むことになった。

八月一四日　コドさん兄弟からビールをひとケース（六三〇mℓのビンを二四本）と色々な種類のジュースとスイカが入った箱がプレゼントされた。私が長いこと魚料理を食べていないことをつい口に出すと、瞬く間に魚料理屋に連れて行ってくれた。そこにある大きな水槽の中では、魚や巻貝が次に食べられる順番を悲しげに待っている。いつものように座敷に座り、海で獲れたばかりの珍しい種類の魚を箸を使って食べた。

八月一六日　昨晩は台風とO157のことが心配で長いこと寝付けなかった。風のうなりと木々がガサガサ揺れる音が絶えず聞こえ、壁に映るヘッドライトの反射光を眺めていた。明け方近くに眠り込んだが、早くに目が覚めた。子ども達はまだ寝ている。お決まりのアサヒスーパードライを取り出して、パイナップルのジャムをつまみに飲んだ。びんビールは一味違う。缶ビールは低俗だし、下品でまったくもって嫌いだ。というのも、缶を開けて泡をすったり、最後の一滴まで飲もうとしても残ってしまう。テーブルに置いても、洗練された雰囲気がない。

今日の夕方は京都にお盆の祭りを見に行く。お盆とは故人を偲ぶ日のことだ。仏教の教えでは長期間の哀悼を要しないが、故人の魂と長きにわたって交流することが必要で、それはいつも喜びだ。お盆休みに人々は故郷に帰ってお墓参りをし、集まった親戚は心から楽しむという習慣がある……。

京都で出迎えてくれたのは知り合いの法律家ヴァニンだった。この日は先祖の霊や人々の無病息災を願う五山送り火の日で、町を囲む山の斜面に薪を並べて巨大な漢字を作り、その字に火が灯されるということだ。その様子が見える家に住む知り合い全員に電話をかけてくれた。そのうちの一人が私達を自分のホテルの屋上へ招いてくれた。タクシー二台で豪華な建物にたどり着いた。屋上には人がひしめき合っている。いつ点火が始まるのかをアナウンスしている。二〇時になり、まず右端の、何十個もの焚き火でできた漢字の文字が浮かび上がった。それから五分ごとに次の文字に灯されていく。私達に見えたのは五つのうち四つの漢字だった。その文字のひとつは本当に近くで、カメラの望遠レンズ越しに覗くと焚き火に身をかがめる人々が見えた。漢字の火が燃え始めると、百万都市の街灯が一斉に消えた。

八月二〇日 東京ではもうひとりの恩人、ビジネスマンの小野さんが出迎えてくれた。タクシーで「グランドホテル」まで行くと、用意されていたのは三つのシングルームだった！ 部屋には窓がなく（何かでおおい隠されている）、冷蔵庫も湯沸かし器も付いていなかった。鳥取のホテルより格段に貧相だが、要するにこれが首都なのだ。

まず、小野さんと一緒にエレベーターで区役所の二五階まで上った。風当たりと景色が最高だった。このような行政の建物に自由に入れて、二五階まで上がれることのほうが何より驚きだ。

その後、イタリアンカフェで三時間ほど過ごす。小野さんがこんなことを言い出した。「生活はどんどん良くなるけれど、心はどんどん狭くなるんですよね」これは我々にとってもキーワードだと思った。ロシアはペレストロイカをする価値があったのだろうか？ 我々の生活は向上しただろうか？

八月二二日 横浜での夜、私達はまるで特別な主賓のようにライオンズクラブ（世界的な社会奉仕団体「ライオンズクラブ国際協会」の地方支部）のパーティーに招待された。パーティーはホテルの二階で開かれた。直径一メートル程のターンテーブルがついた大きな円卓、ソ連を含めた世界各国の国旗、ライオンズクラブの大きな紋章、オークション用のちょっとした景品が山のように置いてあった。

テーブルの上座には支部長の、ヴァニンの古くからの知り合いである松村さん。その右手には七二歳の市議会議員が座り、松村さんの左からワーニャ、私、セーヴァ、松村さんの奥さんのレイコさんが着席した。

全員が立ち上がり、ライオンズクラブの歌を歌った。支部長が短い挨拶をした後に、私達のことを紹介した。その後でワーニャがずいぶん長いこと何かを話し、三回も拍手が起きて話を中断する場面もあった。私も自己紹介をし、だいたい次のように話をした。「私は長らく軍事工場で勤めてきたため、外国を訪れたのは今回が初めてです。ここに来てから三週間のあいだに、日本は私にとって居心地のいい小さなアパートのように感じています（大きなロシアと比べて）。平和や友情のために、そして『家や家族のために』勤勉に努力する日本人が、なんと多くのことを成し遂げているのかを目にしました。そして、日本のウォッカであるお酒が高品質であることも確信しました」。実はこの時にはまだ日本酒を飲んでいなかったのだが。誰も飲まずに会話ばかりしていた。私のためだけに小さなビンが運ばれてきた（おそらく、なかなか上等のお酒だ）。そして市議会議員と支部長とは盟友となった。私はもちろん一滴残らず飲み干したが、新しい友人達はグラスに唇をつける程度だった！　なんて人生だ！

その代わり、皆たくさん食べ、ジュースもビールも飲んだ。途中でひょうきんなオークションが始まった。そこでは、様々な品物が明らかに安値で売られた。笑いがたくさん起きるが、私にはわからない。ただ、北国代表の私のために贈物が贈呈されたことだけはわかった。それは、電気保温ざぶとんだった。

一八時から始まったパーティーは二〇時一五分に終わった。皆きちんと立ち上がって輪をつくり、繋いだ手を上にかざしながら何かを歌い始めた。それはロシアのわらべ歌「カラヴァイ、カラヴァイ！」のようだった（「カラヴァイ」は歓迎用の大きなパンのこと）。そして、手を前方に突き出してライオンのように三回うなり声をあげたかと思えば、解散していった。

＊＊＊

横浜ライオンズクラブのパーティーに参加した父ウラジーミル　1996年

何もかも素晴らしい旅になり、私も幸せな気持ちだった。父はとても元気に颯爽とした様子でオブニンスクに帰宅した。父が日本に滞在した一八日間は、雨はまったく降らず、気温も夜中でも三〇度を下回る日は稀だったのだ。また、車内移動も歩いた時間もとても長く疲れがたまるのは予想がついたため、私は父の心臓がとても心配だった。

九月二八日は、父に「ロ日誕生日パーティー」を準備した。父は初めて日本について一時間ほど話しをし、皆で小林幸子の歌を聴いた。

一〇月一七日、私達のもとに母からこんな手紙が届いた。「おじいちゃんは、家で写真やスライドを見せながら六回も日本について話す会をしたのよ。日本酒の利き酒会をする度に魚のパイを焼いたわよ。とても面白い話だからどこかに書いて発表すればいいのだけれど、執筆を頼まれたわけでもないから、何にも書こうとしないのよ。これまで素晴らしい発明をたくさんしたけれど、一度も特許を得ようとしなかったようにね。そう、何年後かには他の誰かがその発見を見つけ、そのことを書いて、応用することがよくあったわね」。

ロシアのみならずおそらく世界でも最大規模のウラル工科大学（現・ウラル連邦大学）の卒業生によってオブニンスクで一九九二年に設立されたクラブ「ウラル・ウピ」でも父は日本について講演を行った。

日本についての発表となると、父はいつも入念に準備して臨んだので大きな反響を呼んだ。

あれから何年も経った。私は今も日本を訪れる度に、あの時の父のような目線でさまざまな物事を見ている。日本でつけていた日記の最後に父はこう綴っている。「なんといっても日本で一番感心したことは、その創造の精神だ。住宅地の面積はとても小さいのに。どこに行っても海と山が見える」。

いま私のいる敦賀では、新幹線の線路が敷設されようとしているが、住宅建設の中でも難しい技術の精巧な仕事や、多種多様な部品や細かい網目状に組まれた足場、雨の多い夏の時期でも建設現場の整理整頓された環境に目がいってしまう。驚きは尽きることなく、私は学び続ける。

追記　二〇一九年一一月、私は再び鳥取県を訪れた。鳥取県は私の日本の故郷だと思っている。一九九一年に知り合い、九二年から九三年にかけて、そしてその後一九九六年に父と長男を連れて来た時に私たち家族を受け入れてくれた方々はもうほとんどいらっしゃらない。松下弘さんも田村達之助さんもお亡くなりになった。お二人は何十年もの間たくさんの事柄で結びついておられた……「ロシア青年のイワンの世話と交流」を含めて。長年にわたり中央印刷株式会社（一九五三年に創立）を牽引してこられた現会長の松下栄一郎さんが、お父様である弘さんの生涯と思い出を綴った冊子を作られたのだが、その中に「松下弘社長と田村達之助社長を結ぶ一四本の糸」という箇所があり、第七項目にこの文言があるのだ。全部で一五〇頁あるこの冊子は、二〇一九年四月に作成され、とても良質で、表紙には書道の文字が力強く踊り、写真もたくさん掲載されている。これだけのものを作るには、相当の時間がかかっただろうと思った。しかし、今回栄一郎さんにお会いした時、写真や資料を集め、編集、印刷をするまで、お葬式に間に合うようにお父様が亡くなられてからたった二日間でこなしたと話してくださった。急いで作成したので、冊子にはいくつか誤りが見つかり、それを丁寧に修正しながらお父様の一周忌に向けて改訂版を準備しておられるとのことだった。たくさんの本や書類、写真が置いてある弘さんの畳のお部屋に座っているのが栄一郎さんだ。

夕方、栄一郎さんと、長年勤めておられた印刷職人の橋本さんと一緒にカラオケスナックに行った。そこは、九三歳で生涯を閉じた松下弘さんが、お亡くなりになる前日に行っておられた所だった。私達は弘さんが好きだった歌を歌い、自分たちのお気に入りの曲も存分に歌った。弘さんにもっと早くお会いできなかったこと、一緒に歌えないことを悔やみながら。

この『2時間で逢える日本―ウラジオストク』の編集者が中央印刷さんで印刷をお願いできないか、と栄一郎さんに相談した時、栄一郎さんはすぐさま了承してくださり、しかも、破格の条件で引き受けてくださった。きっと、松下弘さんは息子さんの決断を喜んでおられるだろう。

鳥取県 中央印刷株式会社 松下栄一郎会長

「ロシア化した日本人」と呼ばれるのも嬉しかった

山本　千津子
ロシア語通訳・翻訳
兵庫県姫路市

一七年が過ぎて

　浦潮本願寺跡の桜公園では、毎年、サクラの花が咲いている。『リラの花と戦争』の著者である戸泉米子さんが、二〇〇二年にこれらのサクラを植樹された際には、私も福井から来られたグループに参加させていただいた。また、桜公園でお花見をする機会には恵まれていないが、幸いにも、ウラジオストクの友人たちが、写真を電子メールで送ってくれるおかげで、日本にいながら桜公園のサクラを楽しむことができる。

　この桜公園は「ゴルパルク」という停留所にあるが、私にとってはウラジオストクで一番なじみのある場所だ。というのも、当時はまだ荒れ地であった本願寺跡のそばを通って、ほぼ毎日のようにこの停留所を利用していたからだ。

　ソ連崩壊後にウラジオストクは外国人に開放され、個人留学ができるようになった。一九九二年の春にウラジオストクへ来て、最初に驚いたのは、日本語教師や日本語を学ぶ学生たちが、流ちょうに日本語を話していたことだった。閉鎖されていたにもかかわらず、なぜなのか? 極東連邦大学の教育レベルの高さに驚き、ここでロシア語を学べる幸せを感じた。

　知性あふれるロシア語の先生たちは、美人で、楽しく授業をして下さった。大学時代に受けた、旧ソ連のモスクワから派遣されてきた先生の授業とは全く違っていた。最初は日本語の話せるロシア人たちと友人になり、次第にロシア語だけで話す友人、知人の数が増えていった。彼らとの出会いが、一〇か月の留学を終えた後も、私をウラジオストクに引き留めた。

　日本語への関心が高かったことや、日本企業もウラジオストクに支社を開いていたことから、運よく、日本語教師の職を得ることができ、日本企業やロシア企業でも働くことができた。ロシア人や日本人との会話の中で、ゾーヤ・モルグンという名前をよく耳にしていた。いつか知り合うことができれば、という望みを持っていたが、「何事にもそれに適した時機がある」とロシアでよく言われるように、後になって共通の友人を介して知り合うことができた。ゾーヤ・モルグン先生のおかげで、数々のウラジオストク居留民の歴史を知り、戸泉米子さんのことを知った。

　二〇〇〇年四月に帰国後、『リラの花と戦争』第一部の翻訳を始めた。夏休み期間にモルグン先生のお宅に滞在して、朝から夜中まで一緒に訳した。疲れると、お茶を飲んだり、モルグン先生の手料理をごちそうになったり、時にはお酒が入ることも。モルグン先生の自宅だけでなく、ダーチャにも本を持って行った。この短期間の共同作業は、編集に携わる人たちに引き継がれ、二〇〇一年に出版できた。

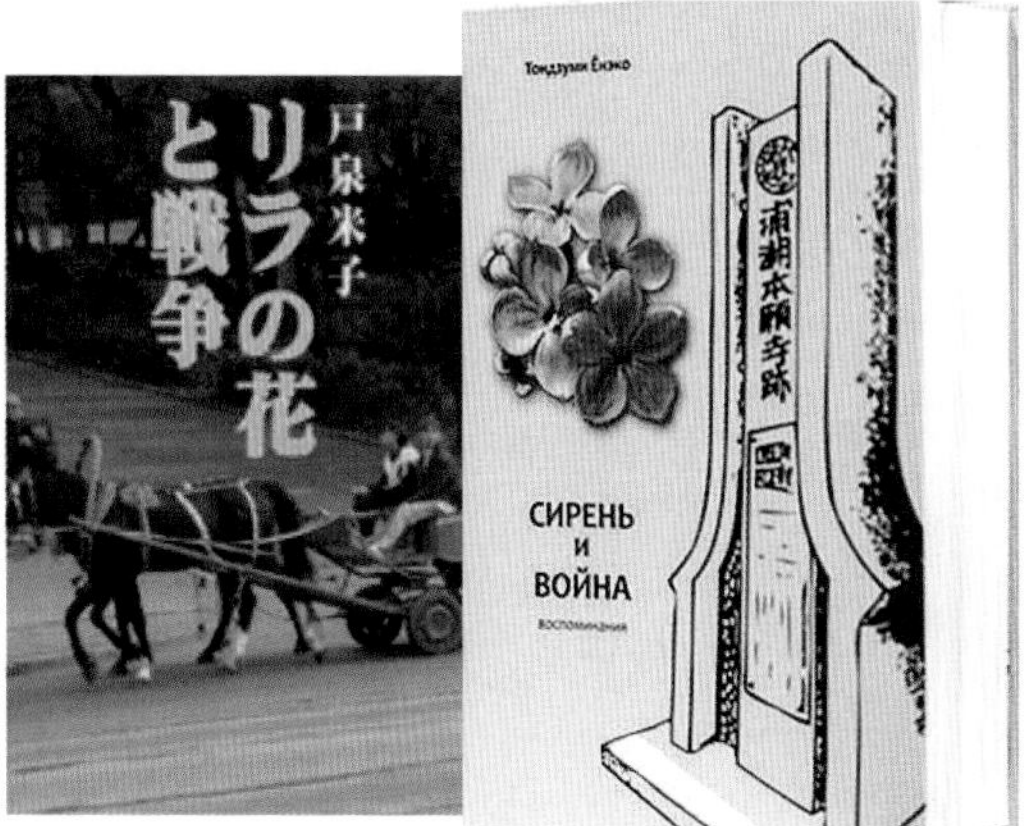

　そもそも、私がロシア語を学ぶきっかけとなったのは、二つの理由からである。一つはシベリア鉄道横断の夢。もう一つは、なぜ私の周りにいる日本人は社会主義、共産主義はよくないというのか、という疑問。ウラジオストクに住んで、答えが見つかった。どんな社会制度であってもその内には問題

モルグン先生と
2000年

を抱え、いろいろあるけれども、私はこの国で生きてきた人々、生きている人々が好きだということ。そう、「ロシア化した日本人」と呼ばれるのも嬉しかった。

シベリア鉄道横断の夢も実現した。ダリプレス社で出来上がったばかりの翻訳書一〇冊を受け取り、その足でウラジオストク鉄道駅に向かった。モスクワまでは、ウラン・ウデ、ノヴォシビルスク、エカテリンブルク等で下車しながらの旅であったが、オムスク国立図書館の前ではその外観を目にして動けなくなってしまった。私の持つ「図書館」というイメージをはるかに超えていたからである。でも、勇気を出して中に入った。ありがたいことに、私の小さな本は快く受け入れてもらえた。

今年、モルグン先生と私が初めて第一部を訳してから一七年後に、『リラの花と戦争』の完訳版が出版されたことは、長く待ち望んでいた人たちには喜びであり、さらに多くの人が、戸泉さんの人生や日本とウラジオストクの歴史について、新たに知るよい機会となるだろう。戸泉さんがウラジオストクで過ごされた年月も、ほぼ一七年であった。ウラジオストクを離れてからの私の一七年を考えてみる。ウラジオストクで出会ったロシア人からは、家族のようにいつも温かく接してもらい、困った時には助けてもらった。彼らとの出会いは私の財産であり、現在も友人関係が続いている。彼らの話すアネクドートやユーモア感覚を通して、社会や人生に対する見方を学んだことは、帰国後も、特に困難に直面した時の助けとなっている。

そして、今後もずっとロシア人の見方、考え方が私を支えてくれると思う。

浦潮本願寺（１９１６－１９３７）

浦鹽斯德市浦鹽本願寺
The Honganji temple at Vladivostock

山本　博志

ウラジオストク日本センター
元所長

当時の仲間からは「天下り」ではなく「天上がり」と揶揄されました

ロシアにて半世紀

二〇〇八年三月二〇日、ペテルブルグからウラジオストクにウラジオストク日本センター所長として着任しました。既に棺桶に片足をかけた六三歳になっておりました。この日から一〇年にもわたる極東三都市での勤務が続くとは予想だにしませんでした。

二〇〇四年三月商社勤務を定年一年前三七年間の勤務にピリオドを打ち　外務省が民間外交のツールとして　ロシア企業家への啓蒙活動、日本語教育、ビジネスマッチングを目的にロシア七都市設立した日本センターの一つであるサンクトペテルブルク日本センター所長の職を得ることが出来ました。

当時の仲間からは「天下り」ではなく「天上がり」と揶揄されました。

モスクワ、ペテルブルグの駐在生活が長かっただけに極東の生活や仕事には大きな興味がありました。ウラジオストクへの魅力は二〇〇七年プーチン大統領が二〇一二年ロシアで初めてのＡＰＥＣ開催を決めたことでのウラジオストクの将来の大きな可能性もさることながら、詩人エセーニンが「私はいまだかってボスポラスに行ったことがない……いまだ見ぬお前が呼んだ」と詩っていますが　この詩の中のトルコの「ボスポラス海峡」と同名のウラジオストク、ピョートル大帝湾にある「東方のボスポラス海峡」との一致からウラジオストクへの異動は詩人になった気分によるものかもしれません。

私は前は海、後ろは山と自然に囲まれ、坂の多い港町神戸で大学を終えるまで育ちました。そのため、社会人として勤務した東京やモスクワといったどちらが東か西か目印のない大都市は好きにはなれませんでした。ペテルブルグとウラジオストクでは海の近くに、ハバロフスクではアムール河の近くに、ユジノサハリンスクでは山の麓にアパートを借り、住環境にはおおいに満足しました。しかし住んでみて良いものだけではありません。ペテルブルグでは何となくですがよそものへの拒絶と孤高を守ろうという感じを常に受けていましたし、ハバロフスクでは悪路とごみの多さ、ハバロフスクでは猛烈なブヨの攻撃、ユジノサハリンスクでの悪路と埃っぽさには閉口させられました。

ウラジオストクの生活は　同じロシアでもこれだけ違うのかと驚きの連続でありました。まず最初は、会う人会う人が頻繁に発する「アガー」「アガー」でした。ロシアで「ガチョウ　ガチョウ　ガーガーガー」という子どもの歌があるが、当初はガチョウでもあるまいし、よくもガーガーガーとうるさく耳触りに感じましたが、日本でも「ンダァ」が地方で相槌として使われていることを考えると、「アガー」も抵抗なく受け入れることも出来ましたし、いつの間にか私自身も心ならずも発する相槌となっていました。

ロシア語の会話能力についてはある程度の自信を持っていましたが、残念ながら己の聴解能力の未熟さを痛感しました。ウラジオストク市民の話すスピードが欧州ロシア部に比べて優に一・五倍速く感じられることが原因で、それもとめどなく話しかけられるので全体の整理が出来ず、理解できるのは「アガー」だけの情けない状態でした。

そもそもロシア語を大学の専門コースに選んだ理由は家から一時間以内で通えたこと、授業料が安い公立大学であったこともあります

撮影：アレクサンドル・ヒトロフ

が、それ以上に高校生時代に読んだ二冊の本が大きく影響しています。一冊目はネクラーソフの『デカブリストの妻』で知った過酷なシベリアに流刑になったデカブリスト達のあとを追い、悲惨な過去に経験のない厳しい生活が予想されていたにも関わらず献身的な愛をささげるロシア人女性にあこがれを持ったこと、二冊目はショーロホフの『人間の運命』で、戦争で親を亡くした少年に、同じく家族を亡くした戦場からの帰還兵士が親として少年を受け入れる心の大きさに感銘を受けたことでしたが、学業を終え、二冊の本が選ばせたロシア語が今日まで生涯の友、生活の糧となるとは想像もできませんでした。

次にロシアの地方都市では定番となっている悪路です。一九七四年一一月米国フォード大統領とソ連邦ブレジネフ書記長との会談がウラジオストクで行われましたが、この一一月という寒い時期での会談は悪路の原因となるひびわれ、穴が氷雪によって覆われ凍結、道路表面がスムーズになり、フォード大統領にロシアの遅れた一面を知られたくないための設定と聞いたのですが事情を知っているものとしては十分納得できる説明でありました。当時はロシア国産の自動車がその品質の悪さから全く売れず、ロシア全土で輸入車が主流になっていた時期でしたし、極東での日本車の多さ（全体の九割強）には驚きと日本車を愛するユーザーに感謝さえ覚えた一方、ロシア国産車一筋の愛国者の不在を嘆かざるを得ませんでした。日本からの中古車輸入ピーク時は年間五〇万台に近づき、ほとんどが極東地域で流通する中、ロシア国産車ジグリーのウラジオストクでの販売数量が一〇台にもならなかった事実はロシアの自動車工業の将来に大きな不安をもった次第です。

二〇〇八年、プーチン大統領は大量にかつ無秩序に輸入される中古車に対し、国産自動車産業のテコ入れの為、高関税導入による輸入抑制策を発表しました。

撮影：
アレクサンドル・ヒトロフ

日本センターの日本語講座にも日本中古車輸入ビジネスに関与する生徒が半分近く在籍し、日本語習得をビジネスに使いたいと希望していました。ウラジオストクでも自動車関連（輸送、通関、輸入・販売、サービスなど）人口は一〇数万人はいたと言われていました。従って、プーチン大統領の中古車輸入抑制策はウラジオストクの経済活動への悪影響と生活条件の悪化が予想され、反中央・反プーチンの激しいデモが繰り返し組織されましたし、当時では誰もが予想もしなかった「プーチン退陣」や「プーチンやめろ」のスローガンも頻繁に叫ばれました。その後政策を潜り抜けようとする輸入業者と当局間の知恵比べのイタチごっこが始まりました。輸入車両の事故車申告、ハーフカット、部品扱いなどで如何に輸入税を下げるかを目的とした「合法的」な抵抗でした。今日では国産ロシア車、国産外国ブランド車、輸入新車、輸入中古車などがそれぞれの存在意義を主張する正常なマーケットに成長しています。

ロシア極東に住む人たちを特徴づける表現に、①見棄てられたと思っている ②開放性 ③そのうち良くなると自分を慰める ④一時だけ住んでいて、機会をみて欧州部に引っ越したいといつも思っている ⑤衣服の流行に対する異常な執着心、と読んだことがあります。

私自身、ロシア極東は昔も今もロシアの捨て子であると思っています。広大な国土をもつロシアで 同じ水準の生活を営むのには無理があります。どうしても中央部から遠く離れるほど水準が下がっていくのは どこの国、地域でも同じです。政府は様々な政策で極東住民の生活水準を上げる努力をしており その成果も出てはいますがまだ十分ではありません。このような環境下では上記した五つの特徴のうち ①③④は十分程納得できます。

「極東の一ヘクタール」政策が極東での人口流出抑制と増加、産業振興に一役買うことを期待したいところであります。

②の開放性では、ペテルブルグからやってきたウラジ

オストク新人である私達にとって一〇〇%その特徴がすぐ理解されました。仕事においてもどこも暖かく迎えてくれ、すぐ旧知の友人のような関係が構築できました。少数ではありましたが、「あなたを知っている」とか「どこかで会った」とか言われ、事情を説明すると仕事の話が迅速に進められたことがよくありました。二〇〇七年にロシア全国でTV放映され、ロシア人で知らない人がいないと言われた超人気TVシリーズ「Banditskiy Peterburg」に端役ながら日本人ビジネスマン（裏の顔はヤクザ）ナカムラさんとして出演したのです。ペテルブルグの石油ターミナルをシベリアのマフィアと組んで乗っ取ろうとたくらむ役でした。このシリーズは一回四五分で一〇回放映され、その中で三回合計一〇分ほどしか出演しませんでしたが、この出演のお陰で初対面の相手が「私を知っている」とか「どこかで会ったと」かという発言につながるのです。中には冗談ぽく「ナカムラさん」と役名で呼ぶ人もいたぐらいです。このシリーズは毎年放映されており、今年の正月も家でのんびりTVをみていたところ、ユジノサハリンスクの友人から私の出演場面に遭遇、驚き、思わずソファーからずり落ちたと笑いながら知らせてきました。このシリーズ出演後、他のTVシリーズ「Morskoi Djabol」に領事館総領事役で出演依頼がありましたが辞退いたしました。ただ総領事の日本語セリフの音入れには適当な日本人が他におらず協力をしました。「Banditskiy Peteburg」の撮影は二〇〇六年春でしたが当時のペテルブルグでは撮影側が望む年齢と風貌の日本人は私しかいなかったのがロシア側が私に出演を依頼した理由と考えています。いずれにしても出演のお陰でウラジオストクからハバロフスク、ユジノ・サハリンスクに異動しても友人やパートナー作りには苦労はありませんでした。

　週末は趣味のテニスを駐在地で

ウラジオストクの水族館「オケアナリウム」

撮影：
アレクサンドル・ヒトロフ

は続けてきました。ウラジオストクでも例外ではありません。地域のトーナメントには負けると分かっていても参加しました。その中で素晴らしいテニスのパートナーに恵まれました。暖かい応援がいつも元気づけてくれました。ワンポイントでも取ろうものならバンザイ、バンザイと喜んでくれるのが媚薬のようになっていたのでしょう。男子ダブルスは当時のアメリカ総領事と組んで参加すると、我々が出ることによってウラジオストクの小さな大会が国際大会になりました。混合ダブルスは私より四〇歳若いロシアのお嬢さんと組んで試合に臨みました。彼女は現在フィンランドにお嫁に行き、可愛い坊や二人のお母さんになっています。

ウラジオストクでは日ロ間のビジネスマッチングに力を入れました。ちょうどＡＰＥＣ２０１１の準備期間でもあり、日本の企業家がウラジオストクに注目していた時期です。食品・雑貨の日本からの輸入ではいくつかの成果がありました。ただリーマンショックによる金融危機はロシア極東にも例外なく影響し、ルーブル安を招き日本からの輸入を困難にしていきました。ビジネスマッチングでも私の目標は合弁企業の設立、現地生産・現地販売でした。

このターゲットに入ったのが建材分野の合弁企業で設立後は金角湾のつり橋建設では生コンの生産と納入、つり橋建設完了後は市内の都市美化に導入されたフリーウォールの生産と納入で成功を収めました。他には農業事業体の設立や海産物の輸入に傾注しましたが、ウラジオストクでは成果がだせず、前者はハバロフスクでの温室事業設立でピリオドを打つことが出来、後者はユジノ・サハリンスクであきらめず夢を追いかけて今日に至っています。

その他、記憶に残っていることを最後にいくつか書いておきます。一九六九年八月初めてのモスクワ出張でお会いし、ほぼ二ヶ月にわたってご指導を仰いだのがモスクワ駐在員事務所の杉原千畝所長でありました。今でこそ杉原先生の偉業については誰も知るところですが、先生ご自身から一切お話はされませんでしたので、日本からの若造の出張員にとって祖父の年齢（杉原先生—当時六九歳）に近い老人が現役で仕事をされているのに単純に驚いただけでした。初めての出張ということで杉原先生や先輩諸氏の写真をたくさん撮りましたが、今手元には殆ど残っておらず、もう少し早く杉原先生のカウナスでのお仕事を知っておれば、写真もきちんと残していたのにと反省しきりです。

サンクトペテルブルグでは一九世紀初頭函館で捕虜と

なり『日本幽囚記』を残したV．M．ゴローニン海軍中将の直系の子孫であるP．A．ゴローニン（ロ日文化・科学センター所長）とも知己を得、同氏からV．M．ゴローニンの解放に尽力した高田屋嘉平の子孫と今でも交流を続けていることを聞かされ、理解を深めるための民間外交の重要性を再認識しました。また発行まで三年かかった『シーボルト日本植物図譜』の著者、コマロフ植物研究所付属図書館司書T．A．チェルナヤからドイツ人医師フリッツ・シーボルトの植物絵コレクションの美術的価値、生物・植物学的価値、日・蘭（独）・露の外交資料的価値を知らされ、そして図書館に所蔵されている河原慶賀他　当時の絵師が描いた一〇〇〇点余の植物絵を目の当たりにし、彼女がこの貴重な資料を日本人に是非知ってもらいたい。その為の日本での出版に協力してもらいたいと要請をうけました。その後二〇〇八年七月の出版まで関東学院大学の　伊藤玄二郎教授（当時）、作新学院大学の小林和夫教授（当時、元NHK モスクワ支局長、論説委員）には多大なご苦労をおかけすることになりました。この延長線上で日ロ友好年二〇一八のクロージングを目途にロシア人向けの『シーボルト日本植物図譜』が日本たばこ産業（JT）の支援を得て、ペテルブルグで発行されると聞き、シーボルトが取り持つ日ロ友好のパワーの大きさには強い感銘を受けました。

半世紀以上のソ連・ロシアとのかかわりの中　多くの方々とお付き合いさせて頂いた幸運が杉原先生とお会いした時の先生の年齢六九歳に驚いた私が七三歳まで一四年間日本センターで勤務を続け、退職後も先生が現役を退かれた七五歳まではた仕事をしたいというモチベーションとなっています。

締めくくる言葉には感謝しかありません。

温かいご支援、ご協力、応援をしてくださった個人、団体の皆さま

（敬称略）

西川洋
前川昭一
木村清
前田奉司
山本博志
加藤幹雄
加藤幸子
加藤登紀子
高木建司
小川久美子
伏田昌義
（JIC 旅行センター株式会社）
久保田恭子（日本海新聞）
セルゲイ・シプコ
ドミトリー・シドレンコ
イワン・ユーゴフ
ロシア書籍ナウカジャパン
ロシア理解講座（島根県）
日本ユーラシア協会

2時間で逢える日本―ウラジオストク　日本語版

企画　オリガ・マリツェヴァ
監修　ゾーヤ・モルグン
発行　2020 年 6 月 24 日
発行人　西川洋
発売　株式会社晧星社
日本語版デザイン・編集　樫本真奈美
露文和訳　樫本真奈美、小川久美子、清水守男
日ロ版表紙リトグラフ制作　宮山広明
印刷・製本　中央印刷株式会社（鳥取県）
Printed　in　Japan

2時間で逢える日本－ウラジオストク
ISBN:978-4-7744-0729 6　C 0095

本書は鳥取県中央印刷株式会社の松下栄一郎会長の
ご好意で印刷・製本された。